챗GPT 충격,
생성형 AI와 교육의 미래

챗GPT 충격, 생성형 AI와 교육의 미래

알파 세대, 교육자가 알아야 할 최소한의 AI 리터러시

초판 1쇄   2023년 9월 1일
2판 1쇄   2024년 5월 28일

지은이 김용성
발행인 최홍석

발행처 (주)프리렉
출판신고 2000년 3월 7일 제 13-634호
주소 경기도 부천시 길주로 77번길 19 세진프라자 201호
전화 032-326-7282(代) **팩스** 032-326-5866
URL www.freelec.co.kr

편 집 강신원, 박영주
표지디자인 김승수
본문디자인 김미선

ISBN 978-89-6540-370-8

이 책에 대한 의견이나 오탈자, 잘못된 내용의 수정 정보 등은 프리렉 홈페이지(freelec.co.kr)
또는 이메일(webmaster@freelec.co.kr)로 연락 바랍니다.

알파 세대, 교육자가 알아야 할 최소한의 AI 리터러시

챗GPT 충격, 생성형 AI와 교육의 미래

김용성 지음

프리렉

2023년 3월 신학기, 초중고와 대학에서는 챗GPT라는 엄청난 괴물의 등장으로 큰 충격을 받았다. 학교 현장의 교수자들은 대부분의 이런 질문들을 쏟아 냈다.

"학생들이 챗GPT를 이용해서 과제를 하는 것 같은데, 어떻게 해야 하죠?"

"챗GPT가 대신 한 과제를 잡아낼 수 없나요?"

이후 일부 학교에서는 과제물 제출 시 챗GPT 사용을 금지하거나, 부분적으로만 사용을 허용하기 시작했다. 하지만 챗GPT를 써본 사람들은 알겠지만 사용을 원천적으로 차단하기란 쉽지 않은 일이며, 사용했다고 하더라고 이를 찾아내기는 더욱 어렵다.

그렇다면 '과연 챗GPT와 같은 최신 인공지능 기술을 사용하지 못하게 하는 것이 옳은 것일까?'라는 의문이 생긴다.

만약 학생들에게 어려운 과제를 내주고, "네이버나 구글과 같은 검색엔진을 전혀 사용하지 말고, 오로지 도서관에 가서 책을 찾아서 과제를 해 오세요."라고 말한다면, 과연 몇 명이나 그 말을 들을까? 인터넷과 검색엔진이라는 훌륭한 도구가 있는데 굳이 사용하지 못하게 할 이유는 무엇인가? 너무 빨리 자료를 찾을까 봐 두려워서 그런 것인가? 아니면 과제를 너무 쉽게 할까 봐 그런가? 어쨌든 2023년 초반의 교육 현장은 챗GPT가 뒤흔들어 놓았고, 사람들은 이러한 변화에 대해 막연한 두려움을 느꼈다.

하지만 불과 몇 달이 지난 후 분위기는 상당히 달라졌다. 이제는 교육 현장에서도 점차 스며들어 오는 챗GPT와 생성형 AI를 자연스럽게 받아들이는 분위기로 변한 것이다. 최근 대학뿐만 아니라 초중고 교사 대상의 챗GPT, 생성형 AI 관련 연수는 문전성시를 이루고 있다. 분명 교육 현장에서 느껴지는 변화를 감지하고, 생성형 AI의 위력을 체감하였기 때문일 것이다.

그렇지만 아직도 이러한 변화를 체감하는 교수자들은 생각보다 많지 않다. 필자가 진행했던 설문 조사 결과를 보면 약 50%의 교사들이 챗GPT를 포함한 생성형 AI 서비스 활용 경험이 없었다. 물론 이들도 이러한 서비스에 관심은 있지만, 번거로움이나 신뢰도 등을 이유로 제대로 활용하는 법을 배우지 않았던 것이다.

분명 챗GPT를 포함한 생성형 AI 기술은 교수자들을 편리하게 해줄 혁신적인 기술이며, 시대적 변화에 빠르게 적응하여 이러한 기술을 교육 현장에서 자유자재로 연결하여 활용하는 사람과 그렇지 않은 사람의 격차는 빠르게 커질 것이다.

필자의 이력은 조금 특이하다. 중등 교사라는 직업을 통해 학교 현장을 몸소 경험하였고, 소프트웨어정책연구소 SPRi 에서 AI/SW 교육 분야 정책 연구를 수행하였다. 이후 고려사이버대학교 교수로 재직하며 국내 온라인 교육에 대해서도 통찰력을 가질 수 있었으며, 이러한 다양한 경험을 기반으로 충남대학교 사범대학 기술교육과에서 미래의 멋진 교육자를 양성하고 있다.

이 책은 필자가 다양한 교육 분야에서 경험한 내용을 담아 빠르게 변하고 있는 생성형 AI 시대를 살아갈 교수자, 학습자, 학부모, 교육 관계자 등 교육 현장의 모든 분들을 위해서 쓴 책이다. 이 책을 통해 학교 현장에서 직/간접적으로 활동하고 있는 분들이 생성형 AI 시대의 변화에 뒤처지지 않고, 경쟁력 있는 개인으로 거듭날 수 있도록 돕고자 한다. 이 책에는 필자가 14년간 학교 교육 현장에서 느낀 다양한 경험을 기반으로 생성형 AI 등장 이후 우리 교육의 현실과 앞으로 나아갈 미래에 대한 고민을 담아냈다.

끝으로 이 책을 완성하는 데 도움을 주신 많은 분들에게 진심으로 감사드린다. 멋진 책을 출판할 수 있도록 도와주신 프리렉 최홍석 대표님과 출판사 관계자분들, 멋진 추천사를 써 주신 김명준 원장님, 김정겸 교수님, 김수환 교수님, 그리고 이 책을 시작할 수 있도록 많은 응원과 길잡이 역할을 해주신《슈퍼 개인의 탄생》의 저자 이승환 박사님께도 감사의 말씀을 드린다. 항상 아낌없는 지지와 응원을 해주시는 양가 부모님, 바쁜 남편을 이해해주며 든든한 역할을 해주는 사랑하는 아내에게도 감사를 표한다. 마지막으로 인공지능 시대를 책임질 알파 세대, 사랑하는 두 아이들 서연이, 현중이에게 이 책이 작은 도움이 되길 바란다.

저자의 연구 성과 및 활동 이력

- 인공지능 분야 연구자로서 최근 5년간 18편의 SCI급 논문을 포함한 수십 건의 관련 연구 수행
- KOCW에서 '실무에 활용하는 머신러닝', K-MOOC에서 '머신러닝 빅데이터 분석' 공개 강의
- 2022 개정 교육과정 중학교/고등학교 교과서 집필, AI/빅데이터 분야 교원 연수 프로그램 및 저서 개발, 한국교육학술정보원 T.O.U.C.H 교사단 연수 강사, 대전교육정보원 대덕연구개발특구연계 AI 교육 창의적 체험교실 특강 강사, 학생과학발명품경진대회/과학전람회 심사 위원, 한국과학창의재단 창의교육거점센터/미래교육센터 공동 연구 등 수행
- 과학기술정보통신부, 중소벤처기업부, 교육부, 한국연구재단, 정보통신기획평가원, 한국과학창의재단, 한국교육학술정보원, 한국교육과정평가원, 한국환경산업기술원, 한국에너지기술평가원, 한국방송통신전파진흥원, 중소기업기술진흥원, 한국국토정보공사, 소프트웨어정책연구소, 대전정보문화산업진흥원, 충남정보문화산업진흥원, 대전시교육청 등에서 다양한 연구 과제 수행 및 자문·평가 위원으로 활동

■일러두기

이 책에서 제시하는 챗GPT의 답변과 생성형 AI의 결과물은 이 책의 집필 시기에 얻은 것이므로 모델 업데이트에 따라 여러분이 수행할 때는 내용과 형식이 달라질 수 있습니다.

차례

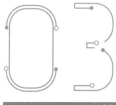

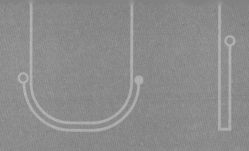

생성형 AI
시대가 왔다

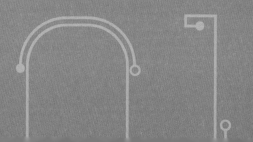

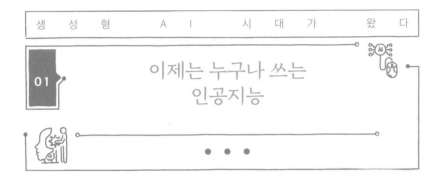

01 이제는 누구나 쓰는 인공지능

• • •

2016년 3월, 전 세계를 떠들썩하게 한 사건이 있었다. 바로 세계 최정상 급 프로기사 이세돌과 인공지능 바둑 프로그램 '알파고'의 바둑 대결, 구글 딥마인드 챌린지 매치Google Deepmind Challenge Match였다. 이 대국은 '인공지능과 인 간의 정면 대결'이라는 점에서 큰 이슈가 되었다. 이세돌 9단의 낙승을 점쳤 던 여론과 달리, 5번의 대국 중 알파고가 4번 승리하고, 이세돌은 1번 승리 하여 결국 이세돌은 알파고에게 패배하고 말았다. 사람들은 인공지능의 강 력한 능력에 큰 충격을 받았고, 이세돌은 인공지능 바둑기사를 이긴 마지막 인간이 되었다.

| 그림 1-1 | 구글 딥마인드 챌린지 매치의 모습[1]

사실 이때만 해도 '인공지능'이라는 개념은 생소한 것이었고, 사람들의 관심도 그렇게 크지 않았다. 이미 상당히 발달해 있던 인공지능 기술이었지만, 일반 대중에게는 아주 먼 이야기였던 것이다. 그러나 이 '알파고 사건' 이후 인공지능 기술에 대한 대중의 관심이 높아지기 시작했다. 이후, 인공지능 기술이 적용된 다양한 제품과 서비스가 속속들이 등장하면서 일반인들도 일상생활에서 자연스럽게 인공지능을 활용하는 시대로 차츰 변화하였다.

이렇듯 시대의 흐름은 자명했고, 인공지능 기술 패권을 쥔 국가가 미래에 우위를 점할 것도 분명했다. 이윽고 2010년대 후반, 인공지능 기술의 장래 중요성을 인식하면서 각국은 앞다퉈 국가 차원의 전략을 수립하고 시행에 옮기기 시작했다. 대한민국 정부 역시 2019년 12월 「인공지능(AI) 국가전략」을 발표하며 인공지능 시대를 맞이할 준비에 착수했다. 다른 국가와 비슷하게 우리나라도 'AI 반도체' 개발을 필두로 경제, 사회, 교육, 국방 등 다양한 분야에서 인공지능 기술을 개발하고 활용함으로써 국가 경쟁력을 제고하는 것을 목표로 했다. 또한, 인프라 확충 및 기초연구 강화를 위한 자금 지원, AI 관련학과 신·증설 등 미래 인재를 위한 전략도 수립했다.

그 밖에 「인공지능(AI) 국가전략」에서 눈에 띄는 것은, 전 국민 AI 교육체계를 구축해 'AI를 가장 잘 활용하는 나라'로 거듭나겠다는 전략이다. 실천 과제를 보면 '군 장병 및 공무원 임용자 대상 AI 소양교육 필수화'나 '일반국민을 위한 온·오프라인 AI 평생교육' 등, 인공지능 기술을 남녀노소 누구나 자연스럽게 활용할 수 있도록 보급하자는 것이 골자다. 이러한 역량은 인공지능 리터러시Al Literacy로 요약될 수 있다. 그리고 몇 년이 지난 지금(2023년), 인공지능 기술은 거짓말처럼 우리 생활에 널리 스며들어 있다.

인공지능 리터러시 보편화를 위해 특히 우리가 주목해야 할 것은 초중고 학생 대상의 인공지능 교육이다. 여러 국가에서 소프트웨어와 인공지능 기술의 중요성을 인식하면서 미래 꿈나무인 아이들에게도 이러한 교육을 확대 시행하고 있으며, 우리 정부도 발맞추어 유연하게 대응하고 있다. 이미 「2015 개정 교육과정」에서 정보 교과의 소프트웨어 교육을 강화했으며, 더 나아가 「2022 개정 교육과정」에서는 정보 교과의 수업 시수를 2배 확대함은 물론, 인공지능, 빅데이터 등 최신 기술을 이해하고 활용하여 "디지털 기초소양을 함양"하는 방향으로 교육과정이 변화되고 있음을 확인할 수 있다.

	2015 개정	2022 개정
SW 교육 강화	• (초) 교과(실과) 내용을 SW 기초 소양 교육으로 개편 • (중) 과학/기술가정/정보 교과 신설 • (고) 정보 과목을 심화선택에서 일반선택 전환, SW 중심 개편	▶ 모든 교과교육을 통한 디지털 기초 소양 함양 • (초) 실과+학교 자율시간 등을 활용하여 34시간 이상 편성 • (중) 정보과+학교 자율시간 등을 활용하여 68시간 이상 편상 • (고) 교과 신설, 다양한 진로 및 융합선택 과목 신설(데이터과학, 소프트웨어와 생활 등)

| 표 1-1 | 현행 교육과정 대비 신구 대조표 중 '소프트웨어 교육 강화' 부분[2]

불과 몇 년 전까지만 해도 IT, 인공지능 기술은 연구자들의 전유물로만 여겨졌다. 인공지능 분야를 연구하려면, 데이터를 수집하고 수집된 데이터를 전처리해야 하며, 이러한 데이터를 기반으로 학습을 수행하고 최종 모델을 테스트하기까지 일련의 복잡한 과정을 거쳐야 했다. 물론 최근에는 다양한 인공지능 모델이 오픈소스로 공개되어 비교적 쉽게 활용할 수 있게 되었지만, 프로그래밍 경험이 없다면 이를 활용하는 것도 쉽지만은 않은 일이다. 그래서 최근 등장한 것이 '노코드[No code]' 개발로, 프로그램의 보조를 받아 프로그래밍 경험이 전혀 없는 사람도 인공지능 기술을 활용하여 데이터를

처리할 수 있게 해주는 방식이다. 물론 코드를 직접 짜서 개발할 때와는 결과물 품질에 차이가 있을 수밖에 없으나, 프로그래밍을 실제로 하지 않아도 일정 수준의 프로그램을 만들어낸다는 데 의의를 둘 수 있다.

그렇다면 개발자나 데이터분석가가 아닌, 인공지능 모델과 무관한 대부분의 일반인들은 어떤 방식으로 인공지능을 활용하고 있을까? 실제로 대중은 인공지능이라는 기술을 무언가 대단한 기술로 여기는 것이 아닌 자신들의 삶을 조금 더 편리하게 해주는 기술 정도로 생각하며 자연스럽게 활용하고 있다. 가령 유튜브나 넷플릭스를 시청할 때 자신의 선호도와 취향에 따라 맞춤 콘텐츠가 추천되는 것을 인공지능 기술 덕분이라고 생각하지 않는다. 그저 막연하게 '나한테 맞는 것을 잘 찾아주네' 정도로 생각한다. 지도 앱이 더 빠른 길, 가장 짧은 환승 루트를 효율적으로 찾아준다고 해서 여기에 인공지능 기술이 적용되어 있다고 생각하지 않는다. 그저 조금 더 편리해졌다고 생각할 뿐이다. 그 이유는 무엇일까? 아마 네이버 클로바^{Clova}나 애플 시리^{Siri} 같은 '음성 AI 비서'들이 손은 자유롭게 해줬을지 몰라도, 삶에 큰 영향을 미칠 충격을 가져오지는 않았기 때문 아닐까?

한번 자신의 입장에서 답해보라. 현재 인공지능 기술이 자신의 생활에 얼마나 큰 영향을 미치고 있는가? 사실 구체적인 사례가 잘 생각나지 않을 것이다. 인공지능은 우리가 볼 수 없는 어딘가에서 조금 더 우리의 삶을 편하게 해주고 있기 때문이다. 이것이 바로 '인공지능 기술의 대중화'를 방증한다. 과거 인공지능은 연구자들만 개발하고 활용할 수 있는 소수의 전유물이었던 반면, 지금은 지식이나 배경과 상관없이 누구나 자연스럽게 소비할 수 있는 기술이 되어가고 있는 것이다.

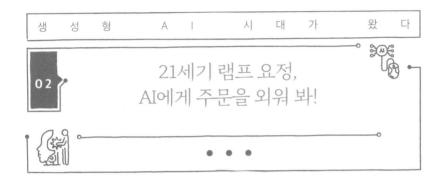

21세기 램프 요정,
AI에게 주문을 외워 봐!

02

• • •

최근 몇 년 간 인공지능은 급속도로 우리 생활에 보급되었다. 각종 고객 센터가 챗봇으로 대체되고, 스마트폰 이용자에게 일대일로 인공지능 비서가 붙게 되었다. 그러나 불과 얼마 전인 2022년 11월까지만 해도 챗봇에 질문을 하면 엉뚱한 소리를 하고, 인공지능 스피커에 질문을 하면 제대로 알아듣지 못하는 경우가 비일비재했다. '대화를 할 수 있다'는 인공지능에 너무 큰 기대를 해서인지, 우스운 답변에 대한 실망감도 컸던 것 같다. 특히 자연어를 처리하는 챗봇, 인공지능 스피커 등은 그다지 좋지 못한 성능을 보여주었고, 이는 사람들이 자연어 기반의 서비스를 그다지 신뢰하지 않는 결과로 이어졌다.

챗GPT의 등장은 답보 상태로 보였던 챗봇 분야에 일대 혁신을 불러일으켰다. 마치 사람 같은 챗GPT의 우수한 답변 결과를 보면서 사람들은 놀라움을 금치 못했다. 챗GPT는 심지어 사람보다 더 빨리 일을 처리하고, 어떤 면에서는 훨씬 똑똑하기까지 하다. 혹자는 내가 하면 10시간 걸릴 일을 챗GPT와 함께하면 1분 만에 처리할 수 있다고 말한다. 챗GPT는 인공지능 기술, 특히 자연어 처리 분야는 별볼일 없다는 기존 통념을 한순간에 뒤엎어 놨다. 챗GPT 등장 이후 불과 몇 개월밖에 지나지 않았지만, 그 사이에 세상은 너무도 빨리 변하고 있다. 사람들은 챗GPT를 위시한 생성형 AI들이 머 잖아 2007년 1월에 출시된 최초의 스마트폰, 아이폰의 파급력을 능가할 것 이라고 이야기한다.

챗GPT는 출시 두 달 만인 2023년 1월, 1억 명의 월간 활성 사용자를 확 보하며 초대박을 터뜨렸다. 투자은행 UBS 보고서에 따르면, 이는 지금까지 의 어느 소셜 네트워크 서비스와도 차원을 달리하는 수치였다.

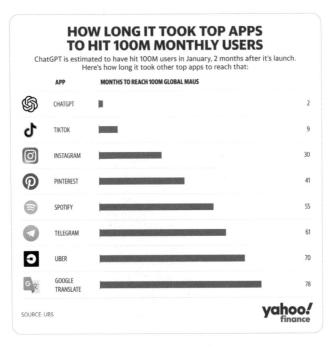

| 그림 1-2 | 월간 활성 사용자 수(MAU) 1억 명에 도달하기까지 걸린 시간[3]

챗GPT는 GPT-3.5와 GPT-4를 기반으로 운영되는 인공지능 챗봇 서비스 다. 이 서비스의 파급 효과가 컸던 이유는 바로 놀랍도록 빠른 속도와 비교 적 높은 정확도에 있었다. 사람과 대화하는 것처럼 자연스러운 채팅으로 정 보를 제공해주는 것은 물론이고, 이러한 정보를 요약하거나 새로운 정보를 추천해주고 보고서를 만드는 등, 다양한 일들을 수행할 수 있다. 예전에 인

공지능 챗봇 서비스를 경험해본 사용자라면 챗GPT의 성능은 정말 대단하게 느껴질 것이다. 챗GPT는 이전의 어떤 자연어 모델보다 놀랍도록 사람과 유사하며, 웬만한 사람보다 훨씬 똑똑한 인공지능 서비스다.

그럼 챗GPT의 등장은 무엇을 의미할까? 바로 일반 대중이 파급력을 체감 가능한, 실생활에 전례없는 영향을 미칠 '인공지능 서비스'가 출시되기 시작했다는 뜻이다. 챗GPT는 순식간에 화제가 되었고, 사람들은 앞다투어 챗GPT를 사용해 보았으며, 곧 이 챗봇이 자신의 삶을 얼마나 크게 변화시킬지 빠르게 감지해냈다. 이러한 흐름에 따라 시중에는 챗GPT와 관련된 도서가 수도 없이 쏟아지고 있으며, 그중 다수는 챗GPT를 활용하여 업무를 더욱 편하게 수행할 수 있는 기술 등을 다루고 있다. 그러나 챗GPT가 가지는 함의는 그보다 훨씬 넓고 깊다.

| 그림 1-3 | 티모시 J. 네메스의 페이스북에 게재된
'아동 스카이다이빙 클래스(Preschool Skydiving classees)' 사진[4]

앞선 사진은 한 페이스북 유저가 자신의 페이스북에 업로드한 것이다. 어떤가? 어린 아이와 함께 스카이다이빙이라니! 우선 너무 위험하다는 생각부터 들 것이다. 그런데 잠깐, 페이스북 주인에게 한소리 하기 전에 생각해 보라. 이 사진은 과연 진짜일까? 정답은 'No'이다. 그런데 이 사진을 진짜라 믿은 사용자들 사이에서 이에 대한 논란이 일어났고, 사진을 업로드한 사용자가 이 사진은 실제가 아니라, 인공지능을 활용하여 생성한 사진이라고 해명해야 했다.

불과 10년 전에 이 같은 사진이 온라인에 떠돌았다면 어떤 일이 벌어졌을까? 아마 합성한 가짜일 것이라 추측은 하겠지만 실제로 분석해보면 상당히 품질이 좋은 사진이므로, 합성 흔적을 발견하지 못했을 가능성이 크다. 이 사건은 일반인이 인공지능을 활용하여 직접 쓰거나 찍은 것 못지않게 품질 높은 글과 사진을 '생성해서' SNS 등에 자유롭게 올리게 되었음을 말해준다. 이는 무엇을 의미할까? 바로 생성형 AI 기술의 발달 및 대중화로 누구나 손쉽게 원하는 사진이나 이미지를 뚝딱 만들어낼 수 있는 시대가 되었다는 것이다.

그런데 여기서 가장 중요한 것은 '생성형 AI'를 조작하는 수단이 우리가 평범하게 말할 때 사용하는 '자연어'라는 점이다. 예전에는 이러한 인공지능을 사용하려면 '프로그래밍 언어'라는 복잡한 컴퓨터용 언어를 통해야 했다. 하지만 지금은 단순히 채팅으로 내가 원하는 것을 입력만 하면, 바라는 답변을 바로 제공한다. 아주 쉽고 정말 기초적인 블록 코딩조차 할 필요없이, 그냥 뭐든 만들어주는 것이다. 마치 친구에게 말하는 것처럼 "요리법 추천해줘", "보고서 작성을 위한 자료 찾아줘", "고양이 그림 그려줘"라고 질문하면 끝이다. 램프의 요정 지니에게 주문을 외우는 것과 같다. 정말 쉽고 편리하다.

아이폰의 등장과 더불어 전 세계 사람들이 스마트폰을 사용하는 방법을 배웠던 것처럼, 생성형 AI와 함께 사람들은 또다시 변화할 것이다. 그 변화의 동력은 어린이부터 노인까지 누구나 쉽게 대화하듯 사용할 수 있다는 강점에 있다. 이러한 강점을 등에 업고 생성형 AI는 빠르게 도약하고 있다. 우리는 쏟아져 나오는 생성형 AI 기술 도구 중 자신에게 적절한 것들을 선택해 적재적소에 활용할 수 있으며, 이러한 도구들이 개인의 생산성을 비약적으로 높여주는 시대를 살아가게 될 것이다.

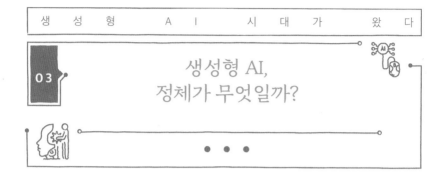

생성형 AI,
정체가 무엇일까?

03

• • •

지금 이 글을 읽는 독자라면 아마 챗GPT와 한번쯤은 대화를 나눠보았을 것으로 생각한다. 챗GPT는 어떠한 기능을 갖고 있는가? 가장 중요한 기능은 사용자가 던진 질문에 적절한 답변을 생성하는 것이다. 이러한 답변은 아무 말이 아니라, 수많은 데이터를 통해 학습된 내용을 기반으로 한다. 게다가 답변의 정확도도 상당히 높은 편이다.

앞서 언급한 것처럼 생성형 AI는 말 그대로 '무언가를 만들어내는' 인공지능이다. 우리가 기존에 알고 활용하던 대부분의 인공지능은 주어진 데이터를 분석하고, 이를 기반으로 예측, 분류 등을 수행하는 것이 주된 역할이었다. 하지만 생성형 AI는 사용자의 명령어를 통해 사용자의 의도를 파악하고, 이를 기반으로 새로운 유형의 이미지, 텍스트, 오디오, 영상 등의 콘텐츠를 만들어내는 기술이다. 그러므로 기존의 예측, 분류 등을 위한 인공지능 모델들과는 원리가 조금 다르다.

그렇다면 생성형 AI는 어떻게 우리가 제공하지 않은 새로운 결과물을 내놓을 수 있는 걸까? 생성형 AI가 작동하는 원리를 간단히 살펴보자.

챗GPT 원리: 대화창 뒤편에서 무슨 일이 일어나고 있을까?

여러 번 말했듯이, 생성형 AI에는 결과물 유형에 따라 다양한 종류가 있다. 여기서는 생성형 AI 기술의 대표 주자인 '챗GPT'의 원리를 조금 더 자세히 살펴보자.

● 대규모 언어 모델

챗GPT에서 '챗^{Chat}'은 '대화형'이란 뜻으로, 챗GPT의 사용 방식(채팅)을 말한다. 그리고 GPT는 'Generative Pre-trained Transformer(사전 학습된 생성 변환기)'의 약자로, OpenAI사가 개발한 대규모 언어 모델$^{Large\ Language\ Model}$을 일컫는다. GPT의 원리를 이해하려면 우선 이 'P,' 즉 '사전 학습$^{Pre-trained}$된 언어 모델'이 무엇인지 알아야 한다. '사전 학습되었다'란, 쉽게 말해 상당히 많은 양의 데이터를 통해 실전 사용 이전에 충분한 훈련을 받았다는 뜻이다. 이렇게 잘 훈련된 모델은 문장 안에서 앞서 등장한 단어를 기반으로 그다음에 나올 가장 자연스러운 단어의 순서를 찾아내는 역할을 한다. 간단한 예를 통해 살펴보자.

내가 다른 사람에게 다음과 같이 운을 뗀다고 해보자.

"나는 밥을……."

그다음에는 무슨 말이 이어질 것 같은가? 일반적인 한국인이라면 앞에 나온 '나는', '밥을' 두 개의 단어만 듣고 다음에 어떤 말이 나올지 쉽게 예측할 수 있다.

"나는 밥을 먹었다.", "나는 밥을 먹지 않는다.", "나는 밥을 굶었다."

이런 식으로 다양하게 표현할 수 있다. 아마 일반적인 한국인이라면 이어질 말을 "나는 밥을 날렸다.", "나는 밥을 예뻐했다.", "나는 밥을 들려줬다." 같은 식으로는 절대 예측하지 않을 것이다.

이렇게 앞에 나오는 문장을 통해 다음에 나올 빈칸 채우기 문제를 쉽게 해결할 수 있는 이유는 무엇일까? 우리가 한국어 화자로서 이러한 스타일의 문장을 수도 없이 듣고 써보았기 때문에 자연스럽게 뒤에 나올 문장을 알 수 있기 때문이다. 더불어 한국어의 문법 구조도 자연스럽게 체득하고 있기 때문에 더욱 쉽게 문제를 맞출 수 있다.

그렇다면 컴퓨터에게 같은 문제를 내면 어떨까?

아무 데이터가 없는 컴퓨터에게 대뜸 "'나는 밥을……' 뒤에 올 문장을 완성해 볼래?"라고 물으면 사람보다 어렵게 느낄 것이 분명하다. 아직 문장의 구조를 많이 학습하지 않았기 때문에, 당연히 확률적으로 뒤에 올 문장을 알기 어려울 터다. 이제 이 컴퓨터에게 엄청나게 많은 양의 문장 정보를 학습시킨다면 어떻게 될까? 그러면 컴퓨터는 뒤에 올 문장을 조금 더 쉽게 맞힐 수 있게 된다. 이때 기본 원리는 컴퓨터가 확률적으로 판단하여, 가장 가능성이 큰 문장을 완성하는 것이다. 예를 들어보자.

"나는 밥을……." 뒤에 나오는 문장의 후보는 여러 가지가 있을 수 있다. 다음 몇 가지 예시는 문장 성분 중 (1)번과 (2)번이 나왔을 때, 다음에 (3)번 성분이 나올 확률을 쉽게 표현한 것이다.

"나는(1) 밥을(2) 먹었다(3)" → 확률 70%

"나는(1) 밥을(2) 먹지 않는다(3)" → 확률 15%

"나는(1) 밥을(2) 굶었다(3)" → 확률 13%

"나는(1) 밥을(2) 이상하다(3)" → 확률 2%

여러분이 컴퓨터라면 이같이 보기가 있을 때, 어떤 대답을 내놓겠는가? 당연히 70% 확률의 결과를 낼 수 있는 첫 번째 예시를 답변으로 선택할 터다. 다시 말해 컴퓨터는 통계적으로 나올 확률이 가장 큰 단어를 예측해서,

그것을 빈자리에 채워넣어 문장을 완성하는 방식으로 작동하는 셈이다. 이것이 바로 언어 모델의 원리이다. 네이버나 구글 등의 포털 검색에서 제공하는 자동 완성 기능도 이와 유사하다.

| 그림 1-4 | 구글의 자동 완성 기능

만약 언어 모델이 학습한 데이터가 적다면 어떤 일이 생길까? 간단하다. 일정 이상 품질이 보장되는 한, 데이터는 다다익선이다. 가령 동일 수준의 100개의 문장을 학습한 언어 모델과 1,000개의 문장을 학습한 언어 모델이 있을 때, 어떤 것이 성능이 좋겠는가? 당연히 1,000개의 문장으로 학습한 언어 모델이 더 좋을 것이다. 전 세계에 있는 텍스트 문서 대부분을 학습한 언어 모델이 있다면? 엄청나게 좋은 성능을 보일 것이고, 우리가 묻는 말에 매우 높은 정확도로 대답할 수 있을 것이다.

이렇게 대규모의 데이터를 학습한 언어 모델을 말 그대로 대규모 언어 모델 ^{LLM, Large Language Model} 이라고 하며, 챗GPT가 활용하는 GPT라는 언어 모델도 여기 속한다.

• 인간 피드백 기반 강화학습

챗GPT가 보여주는 고성능의 비결은, 인간 피드백 기반 강화학습 RLHF, Reinforcement Learning from Human Feedback [5] 을 채택했다는 데 있다. 인간 피드백 기반 강화학습이란 인공지능 모델이 질문에 대한 답변을 생성하게 한 뒤, 결과를 실제 사람이 평가하게 하는 방식이다. 평가자는 답변 내용이 사람이 한 것처럼 보이면 높은 점수를, 자연스럽지 않다면 낮은 점수를 매겨 피드백을 제공하며, 이 과정을 무수히 반복한다. [6]

그렇다면 구체적으로 인간 피드백 기반 강화학습 방법을 살펴보자. OpenAI사에 따르면 챗GPT는 다음과 같은 3단계를 거쳐 학습되었다고 하는데, 이 과정을 조금 이해하기 쉽게 설명해보겠다.

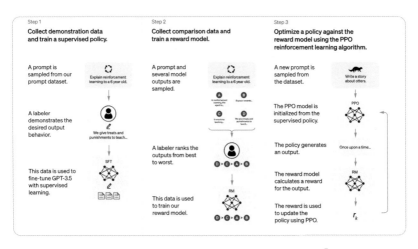

| 그림 1-5 | OpenAI사 웹 사이트에서 밝힌 챗GPT의 학습 과정 [7]

먼저 첫 번째는 '데모 데이터를 수집하고, 지도학습을 수행'하는 단계이다. 이때 학습용 데이터는 질문-응답이 쌍을 이루는 데이터이다. 웹에는 서

적, 기사, 블로그 등 다양한 종류의 글이 있는데, 이러한 텍스트 데이터를 질문-응답의 쌍으로 만들어 학습을 수행했다는 것이다. 챗GPT에게 직접 이러한 질문-응답이 쌍을 이루는 데이터의 예시를 물어보았더니 다음과 같이 답변했다.

 챗GPT가 지도학습으로 학습한 데이터는 질문과 답변 형식으로 구성된 데이터인데, 네가 학습한 질문-답변 데이터의 예시를 3가지만 들어줄래?

 다음은 챗GPT와 같은 AI 언어 모델이 학습할 수 있는 질문-답변 데이터의 예입니다.

질문 : "인공지능과 기계 학습은 어떻게 다른 개념인가요?"

답변 : "인공지능은 컴퓨터 시스템이 사람과 유사한 지능을 갖추는 개념을 의미하며, 기계 학습은 컴퓨터 시스템이 데이터를 학습하고 패턴을 인식하여 작업을 수행하는 방법을 말합니다. 기계 학습은 인공지능의 일부로 간주될 수 있습니다."

질문 : "지구의 자전은 왜 발생하나요?"

답변 : "지구의 자전은 초기 태양계 형성 단계에서의 운동량 보존의 결과입니다. 태양계의 먼지와 가스로 이루어진 고리가 태양 주위에서 회전하면서 축소되고, 이 과정에서 태어난 행성들은 회전축 주변으로 회전하게 되었습니다."

질문 : 기후 변화의 원인과 결과는 무엇입니까?

답변 : "기후 변화는 주로 화석 연료 연소 및 삼림 벌채와 같은 인간 활동으로 인한 온실 가스 배출량 증가로 인해 발생합니다. 그 영향에는 지구 기온 상승, 해수면 상승, 극한 기상 현상, 생태계 및 생물 다양성 파괴가 포함됩니다."

답변을 통해 챗GPT가 어떤 형식의 텍스트 데이터를 학습했는지 쉽게 알

---

* 이 답변을 비롯, 이 책에 제시한 모든 챗GPT의 답변은 인사말 등은 생략하고 실질적인 정보가 담긴 문장만 남긴 것이니, 참고하길 바란다. 또한, 이 책의 집필 시기에 얻은 답변이므로 모델 업데이트에 따라 여러분이 수행할 때는 내용과 형식이 달라질 수 있다.

수 있다. 앞선 샘플에서는 매우 단순한 답변만 나열했지만, 당연히 훨씬 긴 문장으로 된 답변도 무수히 학습했을 것이다. 이때 지도학습이라는 방식을 사용하는데, 이 기법은 머신러닝 기법의 일종으로 정답이 있는 데이터를 통해서 컴퓨터를 학습시키는 방식이다. 예를 들어 고양이 사진 100장과 기린 사진 100장을 학습시키면서, 컴퓨터에게 일일이 '이 사진은 고양이', '이 사진은 기린'이라고 알려주는 것과 같다. 우리가 어린 아이들에게 동물 사진을 보여주며 그 동물의 이름을 알려주는 걸 생각하면 이해하기 쉽다. 어쨌든, 이렇게 질문-응답 형식으로 구성된 데이터를 지속적으로 학습해 나간다면, 결과적으로 머신러닝 모델은 특정 질문이 주어졌을 때 바로바로 적절한 답변을 할 수 있게 된다. 문제 은행도 비슷한 원리로 만들 수 있다. A라는 질문에 B라는 답변을 하는 문제 세트를 여러 개 만들고 이러한 문제를 학습하다 보면, 다양한 질문에 제대로 된 답변을 하는 문제 은행 머신러닝 모델이 되는 것이다.

두 번째는 '비교 데이터를 수집하고 보상 모델을 훈련'하는 단계이다. 이 단계에서는 예상되는 질문과 그에 대한 예상 응답 데이터를 함께 수집한다. 이렇게 수집된 응답 데이터를, 인간 평가자가 '질문에 적절한' 순위를 매겨 피드백하는 것이다. 하나의 질문에 3개의 응답이 있다면, 그 응답의 순위를 정하고 그 데이터를 활용하여 다시 인공지능 모델을 학습시키는 원리이다. 다음은 챗GPT에게 이 같은 예상 질문-응답 데이터의 예시를 들고, 적절한 답변 순서를 알려 달라고 요청한 결과다.

 "기후 변화의 원인과 결과는 무엇입니까?"라는 질문에 대한 답변 3개를 예시로 들어주고, 이 예시 중 가장 적절한 답변을 순서대로 알려줘.

 답변 1 : 기후 변화는 주로 화산 활동 및 태양 복사와 같은 자연적 요인에 의해 발생합니다. 그 영향에는 약간의 온도 변동과 생태계에 대한 최소한의 영향이 포함됩

니다.

답변 2 : 화석 연료 연소 및 삼림 벌채와 같은 인간 활동은 기후 변화의 주요 원인입니다. 이러한 활동은 온실 가스를 대기 중으로 방출하여 지구 온난화와 해수면 상승, 극단적인 기상 현상, 생물 다양성 손실과 같은 영향을 초래합니다.

답변 3 : 기후 변화는 주로 지구 궤도의 변화와 온실 가스 농도의 자연적 변화에 의해 발생합니다. 그 영향에는 날씨 패턴의 급격한 변화, 광범위한 가뭄, 홍수 및 수많은 종의 이동이 포함됩니다.

답변 2 > 답변 3 > 답변 1

즉, 답변 2가 가장 적절하고 정확한 답변이고, 답변 3은 답변 1보다 낫지만 답변 2만큼 정확하지는 않으며, 답변 1은 세 가지 옵션 중에서 가장 적합하지 않고 정확하지 않습니다.

앞서 예로 든 문제 은행 방식에 다시 빗대보겠다. 먼저 A라는 문제에 대하여 하나의 예상 답안이 아닌 여러 개의 예상 답안을 만든다. 그리고 해당 분야의 전문가들이 예상 답안 여러 개를 검토한 뒤 가장 제대로 대답한 것들을 높은 우선순위로 올리고, 제대로 답변하지 못한 것들은 낮은 우선 순위로 내리는 것과 같다.

마지막 단계는 '강화 학습 알고리즘을 통한 보상 모델 최적화'를 수행하는 단계이다. 이 과정을 간단하게 설명하면 이렇다. 먼저 여러 개의 질문 중 무작위로 하나를 골라 인공지능 모델에게 질문한다. 그리고 그 질문에 인공지능이 내놓은 응답의 보상 점수를 계산하는 것이다. 다음 예시에서 어떤 방식으로 보상 점수가 계산되는지 확인할 수 있다.

 앞서 답변한 내용의 Reward Score를 계산하는 예시를 들어줘.

 적절성과 정확성에 따라 세 가지 답변에 보상 점수를 할당해 보겠습니다. 0에서 1까지의 척도를 사용하며 1이 가장 높은 점수입니다.

답변 1 : 기후 변화는 주로 화산 활동 및 태양 복사와 같은 자연적 요인에 의해 발생합니다. 그 영향에는 약간의 온도 변동과 생태계에 대한 최소한의 영향이 포함됩니다.

Reward Score: 0.4

답변 2 : 화석 연료 연소 및 삼림 벌채와 같은 인간 활동은 기후 변화의 주요 원인입니다. 이러한 활동은 온실 가스를 대기 중으로 방출하여 지구 온난화와 해수면 상승, 극단적인 기상 현상, 생물 다양성 손실과 같은 영향을 초래합니다.

Reward Score: 0.9

답변 3 : 기후 변화는 주로 지구 궤도의 변화와 온실 가스 농도의 자연적 변화에 의해 발생합니다. 그 영향에는 날씨 패턴의 급격한 변화, 광범위한 가뭄, 홍수 및 수많은 종의 이동이 포함됩니다.

Reward Score: 0.7

답변 1은 기후 변화에 대한 부분적인 이해만 제공하고 인간의 기여를 과소평가하기 때문에 0.4점의 보상 점수를 받습니다. 답변 2는 인간 활동을 주요 원인으로 정확하게 식별하고 기후 변화의 잘 알려진 영향을 언급하여 0.9점의 보상 점수를 받습니다. 기후 변화를 주로 자연적 요인으로 설명하고 과장된 영향을 포함하는 답변 3은 0.7점의 보상 점수를 받습니다.

이렇게 하나의 질문에 대해 보상 점수가 나오면, 이 점수를 기반으로 모델을 미세조정fine-tuning한다. 즉, 인공지능 모델이 앞으로 조금 더 높은 점수를 받을 수 있도록 업데이트를 계속 수행하는 것이다. 이렇게 업데이트를 하다 보면 모델의 성능은 점차 좋아질 수밖에 없게 된다. 이때 사용하는 알고리즘을 PPOProximal Policy Optimization 알고리즘이라고 한다.

이상의 2가지 원리, 대규모 언어 모델과 인간 피드백 기반 강화학습을 통해서 지금과 같은 우수한 결과물을 내는 챗GPT가 개발되었다(이외에도 여러 원리가 있지만 도서의 특성상 일부만 소개한다). 앞으로도 챗GPT를 포함한 다양한 텍스트 생성형 AI 기술은 지속적인 지속적인 학습과 개선을 수행해 나감으로써 더욱 우수한 결과물을 산출할 수 있을 것이다.

이미지 생성형 AI 원리: 생성자 vs. 감별자

챗GPT로 텍스트 생성형 AI의 원리를 알아보았으니, 이번에는 생성형 AI 의 또 다른 큰 범주인 이미지 생성형 AI를 살펴보고자 한다. 그 원리를 이해 하려면 먼저 이미지를 생성하는 생성 모델을 알아야 한다. 이미지 생성 모 델은 여러 가지가 있지만 그중 생성적 적대 신경망(GAN, Generative Adversarial Network)에 대해 간략히 소개한다. GAN은 데이터를 생성하는 생성자generator와 데이터 를 구별해내는 감별자discriminator, 2개 신경망으로 구성된다. 생성자는 진짜처 럼 보이는 이미지를 생성하면서 감별자를 속이려고 하며, 감별자는 생성자 가 만들어낸 가짜 이미지를 판별하기 위해 노력한다. 이렇게 생성자와 감별 자가 적대적으로 경쟁하면서, 생성자는 점점 더 진짜 같은 이미지를 만들어 낼 수 있고, 감별자는 진짜 이미지와 유사한 가짜 이미지를 더 잘 구별할 수 있게 된다.

이를 쉽게 비유하면 위조지폐범과 경찰의 대결로 볼 수 있다. 위조지폐범 이 생성자 역할, 경찰이 감별자 역할이다. 위조지폐범이 정교하게 만들어낸 위조지폐를 경찰이 잘 감별할 수 있으니, 위조지폐범은 발각되지 않기 위해 더욱 정교한 위조지폐를 만들어내는 셈이다. 다시 말해 생성자의 궁극적인 목표는 감별자가 구별할 수 없을 정도로 완벽한 가짜 이미지를 만들어내는 것이며, 감별자와의 대결을 반복해 그 목표를 달성하고자 노력한다. 이것이 바로 현재 우리가 사용하는 이미지 생성형 AI의 기본 원리이다.

| 그림 1-6 | 위조지폐 판별로 알아보는 GAN의 원리

이러한 생성형 AI에 우리가 원하는 이미지를 설명하는 프롬프트(예: 우주복을 입은 강아지 등)를 입력만 하면, 지금까지 학습했던 수많은 이미지 데이터를 기반으로 진짜 같은 이미지를 만들어준다. 더불어 생성된 이미지가 마음에 들지 않는다면, 다시 프롬프트를 입력하거나 편집 툴을 이용해 바로 수정할 수 있는 기능도 지원한다. 물론 GAN 이외에도 주목받는 생성 모델인 디퓨전Diffusion 모델도 존재하며, 이미지 생성형 AI 플랫폼에 따라서 다른 모델을 활용하고 있다. 이러한 생성 모델을 통해서 개발된 이미지 생성형 AI도 텍스트 생성형 AI와 더불어 점점 널리 활용되고 있으며, 앞으로 그 발전 속도는 더욱 빨라질 것으로 기대된다.

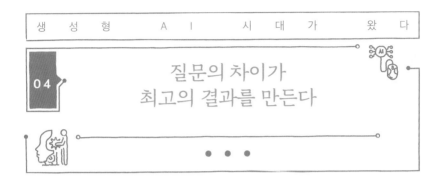

04

질문의 차이가
최고의 결과를 만든다

· · ·

　우문현답(愚問賢答)은 '어리석은 질문에 현명한 대답'을 의미하는 고사성
어로, 제대로 물어보지 못해도 똑똑한 답변을 한다는 말이다. 우리가 사람
들을 대할 때 분명 콩떡같이 말했는데도 불구하고 찰떡같이 알아듣는 사람
이 있다. 이런 사람들과 관계를 맺으면 서로 편한 일들이 많아진다. 일할 때
에도 편하고, 의사소통할 때도 편하다. 하지만 생성형 AI는 아마 그렇지 못
한 것 같다. 챗GPT에게 명확하지 않거나 어리석은 질문을 하면, 그에 맞는
이상한 답변만 내놓는다. 반대로 제대로 질문하면 제대로 된 답변을 줄 확
률이 커진다. 생성형 AI에게 우문현답이란 거의 있을 수 없다고 봐도 무방
하다.

　그렇다면 생성형 AI를 가장 잘 활용하는 방법은 무엇일까? 여러 종류의
생성형 AI 플랫폼을 두루두루 활용할 수 있는 능력을 키우는 일도 물론 중
요하다. 하지만 가장 중요한 것은 '잘 묻는 것'이다. 생성형 AI는 여러분의
생각보다 아주 많은 것들을 알고 있지만, 이러한 지식은 요청하기 전에는
모델 뒤편에 묻혀 있다. 가치 있는 답을 잘 끌어내려면 모름지기 '제대로' 질
문해야 한다.

여러분이 맛집을 찾을 때 네이버나 구글에 뭐라고 질문하는가? 대부분 'OO동 맛집', '경복궁 근처 카페' 등의 단어 혹은 문장을 입력할 것이다. 이때 제대로 된 결과가 나오지 않는다면 검색어를 조금 수정하기도 하고, 아예 다른 검색어로 변경하기도 한다. 생성형 AI를 활용할 때도 비슷한 방식을 활용한다. 즉, 생성형 AI 플랫폼을 활용하여 원하는 문서, 이미지, 동영상 등을 만들어 내고자 할 때도 포털의 검색어와 유사한 성격을 지닌 '프롬프트prompt'라는 것을 입력해야 한다. 프롬프트란 생성형 AI 플랫폼에서 결과물을 생성하기 위한 '입력값'을 의미한다. 쉽게 말해 챗GPT나 미드저니 등의 생성형 AI 플랫폼에 입력하는 질문이라고 생각하면 된다.

그중 텍스트 생성형 AI에서 활용하는 프롬프트의 주요 구성요소는 크게 2가지다. 첫 번째는 컨텍스트Context인데, 이는 생성형 AI 모델이 더욱 양질의 답변을 할 수 있도록 유도하는 배경 정보를 의미한다. 두 번째는 지시사항Instruction으로, 생성형 AI 모델이 수행하기를 원하는 과제나 응답 형식을 의미한다. 다음 예시를 보면 컨텍스트와 지시사항이 어떻게 다른지 쉽게 파악할 수 있다.

--- ● ● ● ---

프롬프트의 구성요소(챗GPT에서 활용 방법)

컨텍스트(Context) : 나는 중학교에서 수학을 가르치는 교사다.

지시사항(Instruction) : 1차 방정식을 총 3차시에 가르치기 위한 수업 지도안을 제작해줘. 각 차시는 도입, 전개, 정리로 구성해야 하며, 매 차시마다 학습목표 2개와 Gamification 수업 방법이 들어가야 해. 최종 결과는 표로 정리해줘.

이외에 다른 구성요소들도 있지만 일반적인 사용자라면 이 2가지 요소 위주로만 질문을 구성해도 충분하다. 또한, 생성형 AI에 입력하는 프롬프트에

구성요소들이 모두 들어가지 않아도 답변을 생성할 수 있다. 하지만 앞서 언급한 것과 같이 질문을 조금 더 구체적으로 해야 원하는 결과를 얻을 확률이 높기 때문에 조금 귀찮더라도 프롬프트를 제대로 작성하는 것이 좋다.

그렇다면 프롬프트를 조금 더 잘 다듬는다면 더 좋은 결과물을 얻을 수 있지 않을까? 이 발상을 구체화해 등장한 것이 바로 프롬프트 엔지니어링 Prompt Engineering이다. 프롬프트 엔지니어링의 목표는 양질의 프롬프트를 생성하는 것이다. 즉, 여러 프롬프트를 잘 활용해서 최적의 결과를 낼 수 있는 프롬프트 조합을 찾아내는 작업이다. 우리가 보기에는 같은 의미를 지닌 조금 다른 두 개의 문장이더라도 생성형 AI 입장에서는 전혀 다르게 인식할 수 있다. 필자는 프롬프트 엔지니어링이 얼마나 중요한지 확인하고자, 챗GPT에게 비슷한 내용을 물어보았다. 일단 생성형 AI의 정의를 물어본 결과는 다음과 같다. 이때 별다른 컨텍스트는 제공하지 않았다.

 생성형 AI의 정의를 설명해줘.

생성형 AI는 인공지능의 한 형태로서, 주어진 입력에 대해 자동으로 새로운 콘텐츠를 생성하고 출력하는 능력을 갖춘 시스템을 가리킵니다. 생성형 AI 모델은 대량의 텍스트, 이미지, 음성 또는 비디오 데이터를 학습하여 이를 기반으로 창의적인 작품, 텍스트, 그림, 음악 등을 생성할 수 있습니다.

생성형 AI는 일반적으로 심층학습이나 딥러닝 기술을 기반으로 학습됩니다. 이러한 모델은 입력 데이터의 패턴과 특징을 학습하고, 이를 바탕으로 새로운 데이터를 생성하는 방법을 학습합니다. 예를 들어, 텍스트 생성 모델은 이전에 본 문장 구조와 단어 사용 패턴을 기반으로 새로운 문장을 생성할 수 있습니다.

생성형 AI는 다양한 분야에서 사용될 수 있습니다. 예를 들어, 예술 창작, 문학 작품, 음악 작곡, 캐릭터 디자인, 게임 개발 등에서 창의적인 콘텐츠를 자동으로 생성할 수 있습니다. 또한, 대화형 챗봇이나 가상 어시스턴트와 같은 응용 프로그램에서도 사용되어 사용자와 대화하고 자연스러운 응답을 생성할 수 있습니다.

하지만 생성형 AI는 학습 데이터에 내재된 편향이나 잠재적인 오류를 반영할 수 있으며, 윤리적인 문제도 제기될 수 있습니다. 이러한 이슈를 고려하여 적절한 데이터 처리, 모델 설계, 테스트, 검증 절차를 수행하는 것이 중요합니다.

이번에는 생성형 AI를 초등학생이 이해하기 쉽도록 설명해 달라고 요청했다. 그랬더니 앞서 설명한 내용보다 훨씬 쉬운 용어와 비유를 통해서 설명해주었다.

 생성형 AI의 정의를 초등학생이 이해하게 쉽도록 설명해줘.

 생성형 AI는 컴퓨터가 뭔가 새로운 것을 만들어내는 특별한 기능을 가진 컴퓨터 시스템이야. 이 컴퓨터는 많은 양의 정보를 공부해서, 그 정보를 활용해 새로운 것을 만들어내거나 이야기를 만들어낼 수 있어.

생성형 AI를 생각해보면, 마치 하나의 창의적인 머리를 가진 친구가 있는 것처럼 생각할 수 있어. 이 친구는 이전에 본 것들을 공부하고, 그것들을 기반으로 새로운 것을 만들어내거나 이야기를 만들어낼 수 있어. 예를 들어, 그 친구에게 "우주에서 무슨 일이 일어나는지" 물어본다면, 그 친구는 이전에 배운 것들을 활용해 우주에 관련된 이야기를 만들어 줄 거야.

이러한 생성형 AI는 예술, 문학, 음악, 게임 등 다양한 분야에서도 활용될 수 있어. 예를 들어, 그림을 그리거나 음악을 만들어 내기도 하고, 대화를 나눌 수도 있어. 그래서 컴퓨터와 대화하면서 새로운 것을 배우고 즐길 수도 있어.

하지만 중요한 점은 생성형 AI가 학습할 때, 때로는 잘못된 정보나 편견이 포함될 수 있다는 거야. 그래서 우리는 항상 생성형 AI가 만든 것을 검토하고 이해해야 하며, 이를 잘 활용하기 위해서는 도움을 주는 어른의 지도와 지식이 필요해.

다음은 고등학생이다. 고등학생이라는 컨텍스트를 제공하자, 대상이 초등학생일 때보다 조금 더 어려운 용어와 비유를 사용하여 설명하는 것을 볼 수 있다.

생성형 AI의 정의를 고등학생이 이해하게 쉽도록 설명해줘.

생성형 AI는 인공지능의 한 종류로, 컴퓨터가 주어진 정보를 바탕으로 새로운 것을 만들어내는 기술이야. 이를 위해 많은 데이터를 학습하고, 그 데이터의 패턴과 특징을 파악하여 창의적인 작품이나 내용을 자동으로 생성할 수 있어.

생성형 AI는 예술 작품, 음악, 문학 작품, 그림, 게임 콘텐츠 등 다양한 분야에서 활용될 수 있어. 예를 들어, 텍스트 생성형 AI는 이전에 작성된 글들을 학습한 후, 비슷한 스타일이나 표현 방식으로 새로운 글을 만들어낼 수 있어. 마치 작가나 화가, 음악가가 없이도 새로운 창작물을 자동으로 만들어낼 수 있는 거야.

하지만 생성형 AI는 학습할 때 사용된 데이터에 내재된 편견이나 한계를 반영할 수 있다는 점을 알아 둬야 해. 또한, 이런 AI 시스템을 사용할 때 윤리적인 문제에도 신경을 써야 해. 그러니까 생성된 콘텐츠를 사용할 때는 항상 주의하고, 다양한 시각을 고려하고, 적절한 검토와 확인 절차를 거치는 것이 중요해.

앞선 예시를 보면 각 질문은 동일하고, 컨텍스트가 조금씩 바뀌었다. 초등학생, 고등학생과 같이 글을 읽는 독자만 추가로 지정해 주었을 뿐인데 그 결과에 제법 큰 차이를 보였다. 초등학생이 첫 번째 글을 읽는다면 분명 무슨 말인지 이해하기 어려울 것이다. 하지만 두 번째 글은 초등학생을 위해서 쉽게 쓰인 글이기 때문에 누가 봐도 이해하기가 쉽다. 프롬프트의 중요성을 분명하게 확인할 수 있는 대목이다.

생성형 AI에 입력하는 질문의 중요성이 더욱 부각되면서 최근 프롬프트 엔지니어라는 직업이 새롭게 떠오르고 있다. 프롬프트 엔지니어는 생성형 AI가 최적의 결과물을 만들어낼 수 있도록 다양한 종류의 프롬프트를 제작하고 테스트하는 역할을 수행한다. 생성형 AI 기술이 급부상하면서 다양한 기업에서 해당 직업에 대한 수요가 높아지고 있다. 최근 Anthropic AI라는 회사에서 프롬프트 엔지니어 채용 공고[8]를 냈는데, 제시한 연봉이 25만~33만 달러였다. 한화로 환산하면 무려 3억 3천만 원~4억 4천만 원의 거액이다. 국내 기업인 뤼튼테크놀로지스에서도 최대 1억 원의 연봉[9]을 제시하며 인재 영입에 나서고 있다. 이렇게 국내외를 막론하고 유능한 프롬프트 엔지니어를 채용하려는 이유는 무엇일까? 아까 살짝 본 것처럼, 같은 생성형 AI를 사용하더라도 프롬프트의 질에 따라 결과가 천차만별 달라지기 때문이다. 기업에서는 생성형 AI를 활용하여 빠른 시간에 양질의 결과물을 도출하는 것이 기업의 경쟁력과 연계되므로, 고액 연봉을 제시해서라도 좋은 인재를 영입하고자 하는 것이다.

그런데 해당 채용 공고들을 가만히 살펴보면, IT 분야임에도 신기하게 코딩 능력을 그다지 중요하게 보지 않는 것을 알 수 있다. 코딩 능력보다는 생성형 AI와 잘 대화할 수 있는 능력과 다양한 생성형 AI를 다뤄본 경험을 더 중시한다. 즉, 지원자가 '얼마나 제대로 질문하여 최고의 결과를 끌어낼 수 있는지'가 관건인 것이다. 지금으로부터 10년 전으로 돌아가서 사람들에게 "미래에는 인공지능에게 질문을 잘하는 직업이 생길 겁니다."라고 말하면 무슨 말을 들었을까? 정신이 나간 사람 취급을 당했을지도 모른다. 하지만 지금은 이렇게 전혀 생각지도 못했던 새로운 유형의 직업들이 등장하고 있으며, 앞으로 더욱 빠른 속도로 늘어날 것이다.

최근 학생들에게 특정 주제를 동일하게 제시한 뒤, 챗GPT를 활용하여 코딩한 결과를 받아 분석한 적이 있었다. 그런데 여기에서 정말 특이한 점을 발견했다. 같은 과제였는데도 불구하고 학생들이 해당 문제를 어떻게 구조화했는지에 따라서 결과가 너무 달랐다. 문제를 제대로 이해한 학생들은 제대로 된 질문을 함에 따라 올바른 결과물을 산출한 반면, 하지만 문제를 제대로 이해하지 못한 학생들은 질문을 제대로 구조화하지 못해 정답과는 매우 거리가 있는 결과물을 산출한 것이었다. 챗GPT라는 생성형 AI를 단편적으로 활용한 수업의 작은 사례지만, '프롬프트' 질문의 수준이 결과물의 확연한 질적 차이를 만들어낼 수 있음을 다시 한번 실감한 계기가 되었다.

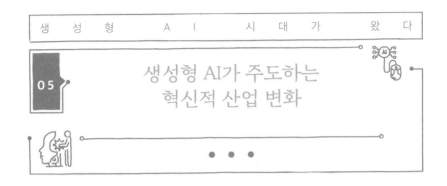

05
생성형 AI가 주도하는
혁신적 산업 변화

생성형 AI의 파급력은 단일 서비스에 그치지 않는다. 만일 그랬다면 우리가 생성형 AI를 '제2의 아이폰'이라고 부를 이유도 없었을 것이다. 생성형 AI가 산업 전반에 열어젖힌 거대한 블루오션과 갈림길을 짧게 소개한다.

구글과 MS의 소리 없는 전쟁

| 그림 1-7 | 구글 Bard와 MS Bing의 소리 없는 전쟁

2022년 11월, 챗GPT가 세상에 나오고 사람들은 경악을 금치 못했다. 지금까지 알고 있던 것과는 차원이 다른 인공지능 챗봇이었기 때문이다. 출

시 후 불과 2개월 만에 월간 활성 이용자 수 1억 명을 돌파한 챗GPT는 그야말로 '게임 체인저'로 급부상했다. IT 공룡 중 챗GPT의 가능성을 가장 먼저 포착한 것은 마이크로소프트(이하 MS)였다. MS는 발빠르게 거액 100억 달러(한화 약 13조원)를 투자해 약 49% 지분을 확보, 사실상 OpenAI사의 소유주가 된다. 그리고 그 여파는 고착화된 지 오래였던 검색 엔진 업계에 파문을 일으켰다.

챗GPT를 확보한 MS는 무려 93%의 전 세계 검색 엔진 시장 점유율[10]을 자랑하는 절대 강자 구글^{Google}에 도전장을 던졌다. 2023년 2월, 자사 검색 엔진인 Bing에 챗GPT를 통합한다고 발표한 것이다. 동시기 시장 점유율 약 3%에 불과했던 Bing으로서는 어떠한 전략을 펼친대도 손해 보는 장사는 아니었고, 실제로 해당 발표 이후 Bing Search 앱 다운로드 수가 폭증하기도 했다. 반면 동기간 Google의 다운로드 수는 소폭이지만 하락했다.

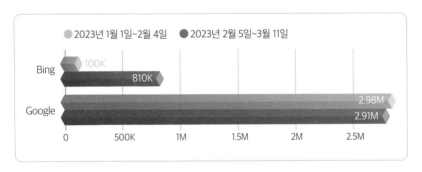

| 그림 1-8 | **챗GPT 통합 이전과 이후 약 한 달간 Bing과 Google의 앱 다운로드 추이**[11]

MS는 2023년 3월, '마이크로소프트 365 코파일럿$^{Microsoft\ 365\ Copilot}$'을 공개하며 자사의 지배 시장에도 챗GPT를 적극 도입하기 시작했다. 생성형 AI가 전 세계 대부분의 인구가 사용하는 엑셀, 파워포인트 등의 사무 프로그램에 적용되기에 이른 것이다. 우리가 지금까지 하던 엑셀 작업은 어느 정도 숙련도가 있어야 했고, 파워포인트를 작성할 때도 상당히 많은 시간을

할애해야 했다. 하지만 코파일럿의 등장으로 이제는 자연어를 활용한 명령만 몇 개 입력하면 엑셀, 파워포인트를 쉽게 작성할 수 있는 시대가 되었다. 챗GPT는 협업 플랫폼 MS Teams에 탑재되어, 회의 내용을 자동으로 회의록으로 정리하고, 향후 과제를 등록해주는 기능으로 거듭나기도 했다. 이처럼 MS는 이미 확보한 윈도우 기반의 다양한 제품군과 대규모 사용자란 강점에, 생성형 AI를 지속적으로 결합함으로써 성능 향상과 경쟁력 제고를 꾀하고 있다. 당연히 구글 입장에서는 달갑지 않은 소식이다.

구글은 약 20년간 검색 엔진의 패자였으며, 앞으로도 이러한 추세가 이어지리란 데 누구도 이견이 없었다. 그러나 챗GPT의 공격으로 오래도록 출혈 없던 검색 엔진 시장을 한순간에 빼앗길지 모른다는 위기의식이 피어올랐고, 구글은 매우 다급해졌다. 이에 2023년 2월 챗GPT의 대항마로 인공지능 챗봇 Bard를 공개했으나, Bard가 공개 행사 중 명백한 오답을 내놓고 만다. 구글 주가는 이틀간 10% 이상 폭락했고, 시가총액 150조 원가량이 증발했다. 천하제일 구글이 국제적으로 엄청난 망신을 당한 것이다.

구글은 정말 여태껏 인공지능 분야에 관심이 없던 걸까? 아니다. 구글은 알파고를 만든 딥마인드를 인수했고, 인공지능 기술을 기반으로 검색, 번역 등의 서비스를 개선하기 위해 노력했다. 하지만 챗GPT 같은 서비스는 구글에서 좋아할 만한 종류가 아니었다. 사람들이 구글에 자료를 직접 검색하고 하나하나 눌러보면서 시간을 오래 끌어야 광고에 많이 노출되므로, 챗GPT처럼 '한방에 답을 내놓는 서비스'를 제공하면 광고 매출도 하락할 것이 분명했기 때문이다. 그래서 구글은 뛰어난 인공지능 기술을 갖고 있음에도 불구하고, 챗GPT와 같은 서비스 개발에 소극적이었다. 하지만 이제는 MS의 강력한 견제 때문에 구글은 지금의 검색 서비스의 패러다임을 바꾸어야 할 상황에 놓였다.

이 '검색 엔진 전쟁'의 결말은 아직 아무도 모른다. 구글에서도 MS를 견제하며 다양한 결합 서비스를 출시하고 있는 상황이다. 다만 Bard의 실수로 사용자들이 구글 챗봇의 신뢰도에 의문을 품었기 때문에, 이를 회복하기 위해 한층 노력해야 할 것이다. MS는 챗GPT를 등에 업고 더 빠르게 달려나가면서, 자사의 여러 서비스를 더욱 사용자 친화적으로 개선하고 보급하고자 경주할 터다. 과연 10년 후에는 누가 웃을까? 예측은 독자들의 손에 맡기겠다.

우리 회사에서 사용할까? 하지 말까?

회사나 학교에서 생성형 AI를 사용하면 어떤 점이 좋을까? 생성형 AI의 도움을 받아 조금 더 빠르게, 보다 체계적인 보고서를 작성할 수 있게 된다면, 기업에서는 직원들이 생성형 AI를 활용할 수 있게 해야 하는가? 학생들이 과제 리포트를 작성하는 데 생성형 AI의 도움을 받을 수 있도록 해야 하는가? 여러분이 한번 이 질문에 대답해 보라. 요즘 '뜨거운 감자' 중 하나가 회사나 학교에서 이러한 도구를 허용할 것인지, 금지할 것인지이다. 분명 생성형 AI는 좋은 점도 있지만, 여러 문제점이 존재하기 때문에 운영자 입장에서는 도입에 고민이 될 것이다. 하지만 전 세계의 많은 기업들은 자신의 회사에 생성형 AI를 속속 도입하고 있고 그 속도는 점차 빨라지고 있다.

미국의 전문가 커뮤니티 피시볼Fishbowl에서 발표한 2023년 미국의 산업별 생성형 AI 도입률[12]을 살펴보면 마케팅 및 광고 37%, 기술 35%, 컨설팅 30% 등, 여러 분야에서 생성형 AI를 적잖게 도입하여 활용하는 것을 확인할 수 있다.

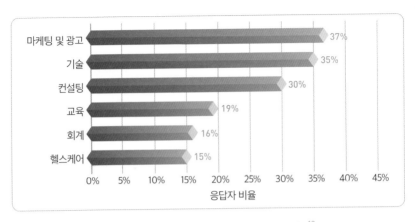

| 그림 1-9 | 2023년 기준 미국 산업별 생성형 AI 도입률[13]

가트너^{Gartner}의 최근 보고서[14]에서는 2025년이면 신약 및 신소재의 30%가 생성형 AI 기법을 통해서 개발될 것이며, 대기업의 마케팅 메시지 중 약 30%가 생성형 AI를 활용할 것이라고 예상했다. 또한 2030년에는 블록버스터 영화 내용의 90%를 AI가 만들어낼 것이라는 전망을 내놓기도 했으며, 이외에도 반도체 칩 설계, 합성 데이터 생성, 제조업에서의 부품 개발 등에 AI가 도입될 수 있다고 예측했다.

	산업							
	자동차 제조	미디어	건축 및 공학	에너지 및 공공 시설	의료 서비스 제공업체	전자 제품 제조	제조업	제약
의약품 설계								●
재료 과학	●			●		●		
반도체 설계						●		
재현 데이터	●		●	●	●	●	●	●
생산 설계 (부품)	●		●				●	

| 그림 1-10 | 가트너의 산업별 생성형 AI 활용 사례 조사 결과[15]

최근 국내의 한 언론사에서 챗GPT를 업무에 활용한 사례와 인터뷰 결과를 다음과 같이 공개[16]했다. 직장인들은 챗GPT 도입 이후 '5시간 정도 걸리던 업무를 1분 만에 처리'했다거나, '10명이 하던 일을 챗GPT 혼자 하는 정도'라는 등 다양한 의견을 내놓았다.

25년 차 개발자 김○○ 씨(49)	"프로그래밍 공식을 구하느라 길게는 한 달 넘게 구글 검색을 했는데, 챗GPT에 '프로그래밍에 필요한 계산법을 구성해 달라'고 해 1분도 안 돼 답변과 코드를 받았다."
5년 차 제약회사 직원 정○○ 씨(30)	"임상시험 후 이상 사례 수백 건을 수작업으로 기록했는데, 챗GPT에 업무 간결화를 위한 함수식을 물어 1분 만에 데이터를 정리할 수 있었다."
해외영업 담당 회사원 이○○ 씨(28)	"영어에 자신이 없는데 해외영업 부서로 발령 난 후 챗GPT를 활용해 영문 이메일과 사업 계획서를 쓰며 해외 거래처와 소통하고 있다."

| 표 1-2 | 직장인 챗GPT 업무 활용 사례

미국의 피시볼은 아마존, 구글, IBM, JP 모건, 메타, 트위터 등 실리콘밸리 주요 기업에 종사하는 직장인 11,700명을 대상으로 설문 조사[17]를 실시했다. 전문직 종사자의 43%가 챗GPT를 포함한 인공지능 도구를 사용하여 업무를 처리하고 있다고 응답했다. 그리고 이러한 인공지능 도구를 사용한다는 응답자 중 68%는 해당 도구를 사용하고 있음을 상사에게 알리지 않는다고 밝혔다. 해당 조사가 2023년 2월에 이루어졌으니, 현 시점에서는 더 많은 사람이 인공지능을 활용하여 업무를 처리하고 있을 것이다.

이상의 여러 조사 결과를 고려해볼 때, 직장인들은 분명 생산성과 업무 효율성이 높아지기 때문에 생성형 AI를 포함한 다양한 인공지능 도구를 활용하는 것으로 보인다. 이러한 도구를 제대로 활용하려면 마땅히 잘 다루는 방법을 학습해야 한다. 어느 정도의 노력이 반드시 필요하다는 이야기다. 따라서 이러한 노력을 하는 사람과 하지 않는 사람은 직장 내에서 격차가 점차 벌어질 수 있다.

　최근에는 기업 경영자들도 지금까지 사람이 하던 일의 상당 부분을 생성형 AI가 대체할 수 있다는 사실을 알고 있으며, 생성형 AI와 관련된 여러 도구를 직원들이 활용할 수 있게 장려한다. 이들 기업은 생성형 AI 도구를 업무에 연계하는 방법과 이를 통해 생산성을 높이는 방법을 교육하기도 한다. SK텔레콤은 사내 망에서 챗GPT를 활용할 수 있게 했다.[18] SK텔레콤의 사내 웹사이트에 있는 챗GPT 메뉴를 통해 챗봇과 대화하며 번역, 문서 요약, 정보 검색 등 다양한 분야에 활용할 수 있다. 일부 기업에서는 보안 문제로 챗GPT를 사용하지 못하게 했는데, SK텔레콤은 GPT-3.5 기반으로 회사 전용 챗GPT 서비스를 만든 것이라서 외부 유출 염려가 없다고 한다. 일본에서는 실제로 공무원의 행정 업무에 챗GPT가 도입되었는데,[19] 챗GPT를 활용해 문장 요약, 오류 확인, 아이디어 생성 업무를 수행한다.

　내게도 업무를 돕는 비서가 있다면 얼마나 좋을까? 공공기관이나 대기업 임원급 이상이라면 비서가 있을지 모르지만, 대개의 직장인은 비서 없이 혼자 일을 해내야 한다. 하지만 이제는 나의 일을 도와줄 생성형 AI라는 비서가 생겼다. 아직 전면적으로 활용되고 있지는 않지만, 조만간 많은 기업에서 도입을 검토할 것이다. 사실 기업에서 생성형 AI를 업무에 전면 도입한다는 것은, 곧 전 직원에게 개인 비서를 몇 명씩 붙여주는 것과 같다. 챗GPT, 코파일럿, 미드저니 등 각 영역을 잘하는 전문 개인 비서와 함께 일한다고 생각해보자. 자료를 조사하고 척척 정리해 문서로 출력하고, 깔끔하게 발표 자료를 만들고, 자료에 쓸 이미지를 작업하는 일을 모두 생성형 AI가 맡아주는 것이다. 직원 1명당 최소 3명의 개인 비서가 함께 일하는 셈이다. 이것이 회사 전체에서 일어난다고 가정하면 생산성은 얼마나 올라갈까? 잘만 활용하면 몇 배 상승쯤은 일도 아닐 것이다.

그렇다면 기업 차원에서 생성형 AI를 도입하는 곳과 아닌 곳은 어떤 차이가 날까? 앞서 말했듯 전 직원에게 개인 비서 3명씩을 주어 직원들이 남는 시간에 좀 더 창의적인 업무에 집중할 수 있도록 하는 회사와, 전통적으로 모든 일을 개인이 시간을 들여 처리하게 하는 방식을 채택하는 회사의 차이는 불 보듯이 뻔한 결과다. 기업의 임원들도 이러한 상황을 충분히 알고 있다. 최근 KPMG에서 미국 기업의 임원들을 대상으로 실시한 설문 조사에서 응답자의 약 65%가 생성형 AI가 앞으로 3~5년 내에 큰 영향을 미칠 것으로 생각한다고 답했다.[20] 하지만 기업 입장에서는 생성형 AI 도입을 주저하고 있는데, 생성형 AI를 도입하기 위한 기술, 인력 등 여력이 부족하기도 하고, 보안 문제 등이 발생할 확률이 높기 때문이다.

여러 이유로 생성형 AI 사용을 금지하는 기업들도 속속 나오고 있다. SK 하이닉스는 사내 망을 통한 챗GPT 사용을 전면 금지했고, 삼성전자도 자체 보안 조치가 완료될 때까지 챗GPT 사용을 전면 금지했다.[21] 애플도 사내에서 챗GPT, Bard 등의 생성형 AI 서비스 활용을 전면 금지했다.[22] 생성형 AI의 효과에도 불구하고 이들이 이러한 선택을 한 이유는 무엇일까? 최근 삼성전자에서는 엔지니어가 실수로 내부의 비공개 소스코드를 챗GPT에 업로드하여 유출되는 사고가 발생했다. 최근 글로벌 보안업체 사이버헤이븐 Cyberhaven은 고객사 임직원 약 160만 명의 챗GPT 사용 현황을 분석한 결과, 4%가 사내의 기밀 정보를 입력했다고 발표했다.[23] 입력된 데이터는 OpenAI 서버로 전송되어 분석에 활용될 수 있으므로, 회사 입장에서는 아주 큰 위협으로 다가오기 마련이다. 사이버헤이븐에서 공개한 챗GPT 오용 사례를 살펴보면 다음과 같다.

의사	**회사 임원**	**반도체 부문 직원**
"환자 이름과 진료 기록을 입력했으니 보험사에 보낼 양식을 만들어줘."	"회사 핵심 전략을 파워포인트로 만들어줘."	"반도체 프로그램 설계가 잘못된 것 같은데 고쳐줘."

| 표 1-3 | 사이버헤이븐이 공개한 챗GPT 사고 사례[24]

보안을 우려해 챗GPT를 차단하려는 일부 기업의 노력에도 불구하고, 직장에서 이를 사용하는 추세는 가속화되고 있다. 사이버헤이븐의 조사 결과를 추가로 분석해보면 23년 6월 기준, 임직원의 약 10.8%가 직장 내에서 챗GPT를 한 번 이상 사용해 본 경험이 있으며, 8.6%가 데이터를 직접 입력해 본 경험이 있다고 응답했다. 이러한 조사 결과를 통해서도 유추해 볼 수 있듯이, 실제로 생성형 AI 서비스의 유용성을 체감하는 사람들의 비중이 늘어날수록 이러한 추세는 점점 빨라질 것이다.

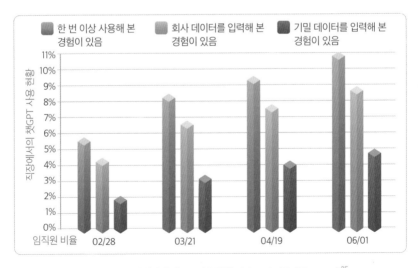

| 그림 1-11 | **직장에서의 챗GPT 사용 현황**(직원 160만 명을 대상으로 조사)[25]

기업에서 양날의 검인 생성형 AI 도입에 신중한 태도를 취해야 하는 것은 당연하다. 회사의 기밀이 이를 통해 유출될 경우 심각한 피해를 입을 수 있기 때문이다.

하지만 생성형 AI 서비스를 적극 활용하는 회사는 높은 생산성과 창의성을 기반으로 양질의 제품 및 서비스를 만들어 낼 수 있다는 사실을 잊으면 안 된다. 기업에서 생성형 AI 서비스 도입을 추진해 나가지 않는다면 직원들의 생산성과 효율성이 경쟁 업체 대비 떨어지게 되어 시장에서 경쟁력을 잃을 수 있으며 기업의 생존과도 연계될 수 있다. 따라서 적절한 보안 대책을 수립하고, 이를 기반으로 점진적으로 생성형 AI 도입을 추진하는 것이 기업의 미래를 위한 일이라는 것을 다시 한번 상기해야 한다.

누가 생성형 AI 시장을 선점할 것인가?

• 현 시점의 생성형 AI 시장

최근 대부분의 서비스는 앱 형태로 스마트폰에서 활용할 수 있게 되어 있다. 구글 플레이스토어 및 애플 앱스토어에는 수백만 개의 앱이 등록되어 있으며, 매일 새로운 앱이 추가되고 있다. 하지만 이렇게 포화상태인 스마트폰 앱 시장에서 살아남는 앱들의 비중은 현저하게 낮은 편이다. 실제로 시중에 출시된 앱 중 0.01% 미만의 극소수만이 수익 창출에 성공하고 있다는 통계 수치도 있다. 결국은 웬만한 서비스로는 살아남기가 어려운 시대다.

하지만 이러한 시장 상황에서 기업들에게 희소식이 있다. 바로 생성형 AI라는 새로운 패러다임이 등장한 것이다. 기존 앱부터 새로 개발하는 앱까지, 기업들은 자사 서비스에 생성형 AI를 통합하여 제공하기 시작하고 있다.

그렇다면 글로벌 생성형 AI 시장 규모는 얼마나 될까? 프리시던스 리서치[Precedence Research]에 따르면, 2022년의 시장 규모는 약 107억 9천만 달러였던 것으로 추산되며, 연평균 27.02%씩 성장하여 2032년에는 1,180억 6천만 달러로 급성장할 것으로 예측된다. 약 10년의 기간 동안 10배 이상 성장하는 셈이다. 최근 공개된 생성형 AI 서비스들은 대부분 외국 기업에서 만든 것이다. 아직 시장이 걸음마 단계인데도 파급력이 이러한데, 앞으로 10배 이상 세계 시장이 확대된다면 얼마나 더 큰 사회적인 변화가 일어날지 궁금하다.

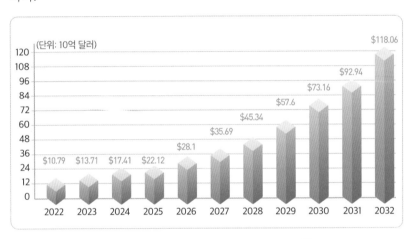

| 그림 1-12 | 2023~2032년 생성형 AI 시장 규모 예측[26]

• 생성형 AI 서비스 사례

요즘 광고들을 보면 '이미지 만들어서 저작권 걱정 없이 사용하세요', '원하는 이미지 10초 만에 만들어서 쓰세요' 등의 문구가 돋보인다. 이러한 말을 들으면 이미지가 정말로 필요한 사람들은 당연히 혹할 수밖에 없으며, 해당 서비스를 유료로 구매할 확률이 높아진다. 이런 현상이 가속화되면 특히 콘텐츠 관련 기업들은 생성형 AI를 도입하지 않고는 시장에서 살아남을 수 없을 것이다. 2025년에 만들어지는 온라인 콘텐츠의 90%가 생성형 AI로 만들어질 것이라는 예측[27]이 분명 현실이 되는 시기가 올 것이다. 기업들은 이러한 시대를 미리 준비하는 것이 좋지 않을까?

아직까지 생성형 AI 서비스를 자체적으로 개발한 국내 기업은 외국 대비 비교적 많지 않다. 생성형 AI 서비스에서 가장 중요한 부분이 거대 언어 모델[LLM] 개발인데, 이를 위한 인프라를 구축하고 양질의 데이터를 확보할 수 있는 기업들이 많지 않기 때문이다. 생성형 AI를 위한 초거대 모델을 개발하고 있는 기업은 네이버와 카카오가 대표적이다. 네이버와 카카오는 자체적인 거대 언어 모델[LLM]을 개발하고 이를 기반으로 서비스를 제공하거나 준비하고 있는 상황이다.

네이버는 2021년 한국어 기반의 LLM 하이퍼클로바[HyperCLOVA]를 국내 최초로 공개했고, 2023년 8월 GPT-4에 대응하는 하이퍼클로바 X[28]를 공개하였다. 하이퍼클로바 X는 GPT-3 대비 한국어 학습량이 무려 6,500배나 되어, 한국어에 더욱 특화된 서비스를 제공한다. 또한, 생성형 AI 기반 검색 서비스인 '큐:[Cue]'를 베타 서비스로 공개하였다. 국내 검색 엔진 시장에서 절대 우위를 점하고 있는 네이버는 해당 서비스를 기반으로 검색 서비스의 패러다임을 바꿀 것으로 기대한다.

카카오도 자체 개발한 LLM인 KoGPT를 고도화한 서비스를 공개[29]하기로 했고, 카카오톡을 기반으로 한 다양한 응용 서비스를 공개할 예정이다. 또한, 카카오는 자체적으로 개발한 초거대 이미지 생성형 AI 기술을 활용하여 이미지 생성형 AI 분야 선두 탈환을 목표로 달려가고 있다.

한편 규모의 한계로 자체 개발이 여의치 않은 대부분의 기업은 챗GPT나 외국의 이미지 생성형 AI 서비스를 API 형태로 활용하고 있다. 네이버, 카카오 등의 국내 기업뿐만 아니라 메타, 구글, OpenAI 등 초거대 AI 모델을 보유한 기업들은 자체 개발이 어려운 기업들을 위해 API 서비스를 제공하고, 이를 사업 모델로 활용하고 있다.

그렇다면 현재 시장에서 눈에 띄는 결합 사례를 두루 살펴보자. 거대 언어 모델인 챗GPT의 특성상, 가장 두드러지는 부문은 학습과 글쓰기, 코칭 관련 앱들이다. 트렌드에 민감한 교육 업계는 발 빠르게 챗GPT를 적용해 자사 서비스를 업그레이드하고 있다. 예를 들어 엘리스[Elice]는 GPT-3을 기반으로 한 AI 코딩 도우미 'AI 헬피'를 출시했다. 이 서비스는 학습자의 코드를 분석하여 오류를 잡거나 수정하는 역할을 수행하며, 긴 코드를 간결하게 요약하는 등 다양한 서비스를 제공한다. 실제로 해당 서비스의 도입으로 평균 20분이 소요되던 답변 시간이 1분으로 줄어드는 결과를 보여주었다.

웅진씽크빅은 자사 AI 학습 플랫폼 '웅진 스마트올'의 대화형 시스템에 생성형 AI 기술을 추가 적용했다. 이 서비스는 학습자의 나이, 흥미도, 지식 수준 등을 기반으로 학습자에게 맞는 대화를 진행하며, 이를 통해 다양한 맞춤형 콘텐츠 추천이 가능하도록 한다.

그런가 하면 페나랩스[PENa Labs]가 선보인 자기소개서 및 이력서 컨설팅 플랫폼 '딥레쥬메'도 있다. 이 서비스는 기존의 챗GPT 서비스와 단순히 연계하는 것이 아니라, 국내 환경에 맞는 국내 빅데이터로 학습한 한국형 GPT 모델을 사용하여 사용자에게 자기소개서 작성에 부족한 부분과 맞춤법 등 다양한 요소를 코칭해 준다는 점이 돋보인다.

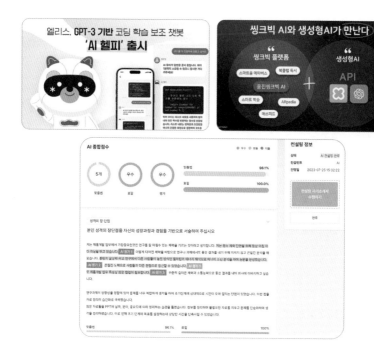

| 그림 1-13 | 생성형 AI 서비스 사례: AI 헬피, 웅진 스마트올, 딥레쥬메

이미 전문 서비스를 IT화해 제공하던 일부 기업은 챗GPT를 도입하여 한층 더 사용자 친화적인 환경 구축에 성공했다. 예를 들어 올거나이즈[Allganize]는 '연말정산 알리GPT'를 개발하여 삼쩜삼에 공급했는데, 연말 정산과 세금 관련 질문을 1초 이내로 답변하는 기능을 탑재했다. 이 서비스는 사용자가 질문하는 복잡한 내용도 맥락을 파악하고 개별 맞춤형 답변을 제공하는 특징이 있다.

굿닥[Goodoc]은 챗GPT를 기반으로 한 '건강 AI 챗봇' 서비스를 출시했다. 이 서비스는 사용자가 자신의 건강 상태나 미용 시술 정보 등을 질문하면 1초 이내에 답변을 제공하며, 다양한 진료 서비스와 연계하여 맞춤형 서비스를 제공한다.

| 그림 1-14 | 생성형 AI 서비스 사례: 연말정산 알리GPT, 건강 AI 챗봇

엔터테인먼트, 레저 분야에서도 적극적으로 생성형 AI 도입에 나서고 있다. 리틀송뮤직Littlesongmusic은 챗GPT를 활용한 배경 음악 검색 서비스인 'BGM 팩토리 GPT'를 출시했다. 이 서비스는 사용자의 검색어를 바탕으로 실시간 답변을 제공하며, 관련된 적절한 배경 음악을 링크로 제공하는 기능을 갖췄다. 이를 통해 사용자가 배경 음악을 선정하는 데 소요되는 시간을 획기적으로 단축하여 편의성을 높였다. 또 여행사인 마이리얼트립Myrealtrip에서는 'AI 여행 플래너'를 론칭하여 사용자들과 AI의 대화를 통해 개인화된 여행 일정을 계획하는 서비스를 제공하고 있다.

| 그림 1-15 | 생성형 AI 서비스 사례: BGM 팩토리 GPT, AI 여행 플래너

외국의 여러 기업들도 생성형 AI를 활용하여 다양한 앱을 개발하는 추세이다. 세일즈포스Salesforce는 메신저 슬랙에서 활용할 수 있는 대화형 AI 서비스 '슬랙 GPT'를 공개했다. 이 서비스를 통해 대화 요약, 메시지 초안 작성 등의 기능을 이용할 수 있다. 인스타카트Instacart는 자사 앱에 챗GPT를 추가하여 조리법을 질문하면 적절한 식재료를 추천하고, 상품 검색 시 대화형 질문 형태로 검색할 수 있는 기능을 추가하여 운영한다. 쇼피파이Shopify는 챗GPT 기반의 AI 쇼핑 어시스턴스를 제공한다. 고객이 자신의 스타일, 가격대, 브랜드 등을 설정하고 최적화된 상품을 추천받기 위해 여러 질문을 수행하면 이를 기반으로 고객에 맞는 상품을 추천한다. 또한 판매자에게는 키워드 몇 개만 입력해도 상세 상품 설명 페이지를 만들어주는 편리한 기능도 제공한다.

| 그림 1-16 | 생성형 AI 서비스 사례: 인스타카트, 쇼피파이

이렇듯 전 세계적으로 생성형 AI 시장에서 우위를 선점하기 위한 경쟁이 한창이다. 하지만 기업들의 표정은 밝지만은 않다. 네이버나 카카오의 한국어 기반 LLM은 한국어만 사용한 모델이기 때문에 근본적인 한계가 있다. 해당 LLM의 API를 통해 새로운 사업 모델을 구축하더라도 서비스 범위가 국내에 한정되는 것이다. 반면에 OpenAI나 구글 등에서 제공하는 영어 기

반 LLM은 다양한 국가와 기업에서 활용할 수 있는 학습 데이터와 범용성을 가지고 있어 더 많은 시장에서 경쟁할 수 있다. 따라서 국내 기업들도 자체 개발한 LLM을 기반으로 다양한 사업 모델을 구축하여 경쟁력을 확보해야 한다. 그렇지 않으면 외국의 유수 기업에 시장을 잠식당할 우려가 있다.

또 다른 문제는 중소 기업들의 생존 싸움이다. 이들은 자사의 강점과 정체성을 고수할 것인가, 생성형 AI를 결합하여 경쟁력을 제고할 것인가의 딜레마에 빠질 수 있다. 강력한 생성형 AI 도구들의 범람이 큰 고민거리가 되겠지만 결국 살아남는 기업은 시장 변화에 민감하게 대응할 수 있는 기업이라는 사실을 잊지 않으면 좋겠다.

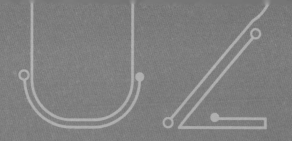

교실에 난입한 생성형 AI,
창조자인가, 파괴자인가?

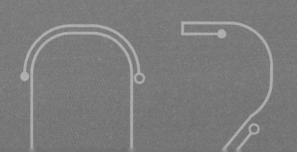

앞 장에서 보았듯 생성형 AI 시대가 도래하였지만, 이제 막 초입이다. 아직 교육 분야에 생성형 AI의 다양한 활용 방안과 잠재력이 많이 알려지지는 않았다. 물론 챗GPT라는 강력한 도구의 등장으로 교육계 전반이 충격을 받았고, 이를 어떻게 활용해야 좋을지에 대한 고민도 계속되고 있다. 고려대가 2023년 3월 국내 대학 최초로 챗GPT 활용 가이드라인을 공표한 데 이어서, 부산대, 중앙대 등 여러 대학에서 가이드라인을 제정하고 있다. 이제 생성형 AI 기술의 실효성이 충분해진 만큼 보급을 막기에는 어렵고, 뒤늦게 부정할 시기도 아니므로, 교육 분야에서도 현명하게 받아들일 준비와 방안이 필요한 시기인 것은 분명하다.

향후 생성형 AI가 교수자와 학습자 모두에게 긍정적인 영향을 많이 줄 수 있음은 누구도 부인할 수 없는 사실이다. 교수자는 생성형 AI를 활용하여 새로운 유형의 수업을 디자인하고 운영할 수 있으며, 개인 맞춤형 수업을 진행하는 등 많은 장점을 누릴 수 있다. 학습자도 생성형 AI 기술을 통해 온·오프라인이 연계된 블렌디드 학습을 수행할 수 있으며, 궁극적으로는 개인 교사와 일대일로 학습하는 형태로 발전할 것이다.

하지만 강력한 생성형 AI가 마냥 좋은 일만 가져오리라고 생각해서는 안

된다. 우리는 마땅히 생성형 AI의 부정적인 측면도 신중하게 고려해야 한다. 가령 지속적인 생성형 AI 사용으로 말미암아 AI 의존도가 지나치게 증가한다거나, 거짓 정보나 편향된 정보를 비판없이 수용하게 된다거나 하는 문제를 예상해 볼 수 있다. 또한, 개인화된 학습을 지향한다곤 하지만 결과적으로는 창의성과 문제 해결력이 결여될 가능성도 있으며, 챗봇과만 소통하다가 실제 사람과의 상호작용 능력이 저하될지도 모른다.

따라서 교육 현장에서는 생성형 AI가 교육에 미칠 수 있는 이 같은 부정적인 영향을 인식하고, 이를 최소화하기 위한 노력이 필요하다. 이는 교육자뿐만 아니라, 학습자, 학부모, 정책 입안자 등 모든 이해관계자가 공동으로 노력해야 하는 부분이다. 이처럼 합치된 노력을 기울이려면 우선 문제를 올바로 파악해야만 한다. 그러므로 이번 장에서는 생성형 AI의 현주소를, 교육적 관점에서 다각적으로 고찰해보고자 한다.

01
생성형 AI 교육의 쟁점:
도둑맞은 학습 역량

● ● ●

'질문 잘하는 교육'이라는 함정

1장에서 생성형 AI를 잘 활용하려면 양질의 프롬프트가 필요하다고 언급했다. 프롬프트 몇 개만으로 다양한 정보와 자료가 태어나는 생성형 AI 시대, 프롬프트가 갖는 중요성은 아무리 강조해도 지나치지 않다. 그리하여 생성형 AI는 지금까지와는 전혀 다른 새로운 역량을 사람들에게 요구하게 된다. 내가 원하는 문서를 얻기 위해서, 내가 원하는 그림을 그리기 위해서, 원하는 프레젠테이션을 하기 위해서 '제대로 프롬프트를 입력하는 방법'을 공부해야 하는 것이다.

이는 다양한 맛과 비주얼의 요리를 자동으로 만들어내는 버튼 100개가 달린 기계와 비슷하다. 목표는 어떤 버튼 조합을 눌렀을 때 가장 맛있는 요리가 나오는지 찾아내는 것이다. 한번 곰곰이 생각해보자. 요리란 다양한 식재료, 양념, 조리법 등을 연구하고 숙련도를 높여가며 맛있는 음식을 만들어내는 과정인데, 정작 요리 방법 자체에는 관심이 없고 제대로 된 요리가 나올 만한 버튼 입력에만 몰두하는 격이다. 사람들은 AI 요리 기계에서 최고의 요리를 뽑아내는 버튼 조합을 찾으려 부단히 노력할 것이고, 이것이

곧 요리 기술이 되어버린다. 참으로 우습지 않은가? 하지만 현실이 그러하니 어떻게 부정할 수가 없는 것은 사실이다.

이미 좋은 결과물을 내기 위한 프롬프트 조합법이 연구 대상이 되었고, 이것이 하나의 공학으로 발전하여 '프롬프트 엔지니어링'이라는 신조어도 등장했다. 사용자들은 자동 요리 기계 비유에서처럼 원하는 결과물을 얻고자 자신만의 프롬프트를 만들기 위해 노력한다. 그럼 학교 현장에서 학생들이 이 같은 방식으로 학습한다고 생각해보자. 학습자로서는 분명 편리한 일이겠지만, 이러한 학습 패러다임에 장기적으로 노출될 경우 여러 문제가 발생할 수 있다.

그중 가장 우려되는 것은 학습 역량 저하다. 지금까지의 학생들은 다양한 자료를 찾아 읽고, 내용을 정리하고 소화하여 자신만의 지식을 구축했다. 지식을 정리하고 구조화하는 과정을 통해서 잘못된 개념을 바로잡고 자신만의 지식 습득법을 정립했는데, 이것이 곧 학습 역량이었다. 하지만 생성형 AI의 도입으로 이 과정이 생략되기 쉬워졌다. 책, 논문, 웹 문서, 그림 자료와 같이 흩어져 있는 다양한 자료들을 검색하고 하나의 자료로 집대성하는 작업을 AI가 뚝딱 해주기 때문이다. 자료를 모으고 정리할 필요성이 점점 줄어든 학습자들이 단순히 질문을 만드는 데만 혈안이 되는 주객전도의 상황이 일어날 수 있다.

두 번째 문제는 창의성과 문제 해결 능력 저하로 이어질 가능성이다. 이러한 역량들은 AI와 빅데이터가 주도하는 현대에 점점 중요성이 부각되고 있다. 다른 사람과 차별화되거나 독창적인 사고를 기반으로 문제를 해결하기 위한 새로운 유형의 아이디어를 만들어내고, 이를 기반으로 다양한 결과물과 연계할 수 있기 때문이다. 하지만 최근 한국언론진흥재단의 조사[1]에 따르면 [생성형 AI 보급 및 확산에 따른 문제점들의 심각성 인식] 문항에서

'글쓰기 등 창의적 활동을 AI에 의존해 창의성이 감소'될 것이라는 의견이 상당수를 차지했다.

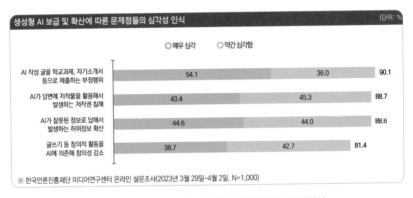

생성형 AI 보급 및 확산에 따른 문제점들의 심각성 인식 (단위: %)

○ 매우 심각   ○ 약간 심각함

	매우 심각	약간 심각함	합계
AI 작성 글을 학교과제, 자기소개서 등으로 제출하는 부정행위	54.1	36.0	90.1
AI가 답변에 저작물을 활용해서 발생하는 저작권 침해	43.4	45.3	88.7
AI가 잘못된 정보로 답해서 발생하는 허위정보 확산	44.6	44.0	88.6
글쓰기 등 창의적 활동을 AI에 의존해 창의성 감소	38.7	42.7	81.4

※ 한국언론진흥재단 미디어연구센터 온라인 설문조사(2023년 3월 29일~4월 2일, N=1,000)

| 그림 2-1 | 사용자가 느끼는 생성형 AI와 관련된 문제의 심각성

이는 탐구, 토론, 프로젝트 수업 등의 활동으로 학생들의 창의성을 함양해주어야 하는 학교 관점에서 보면 더욱 심각한 문제다. 사실 타고난 일부를 제외하면 창의성이라는 역량은 보통 지속적인 경험과 훈련에 의해 계발되는 것이다. 그런데 단순히 프롬프트를 잘 만드는 법, 소위 '질문 잘하는 법'에 교육 역량이 집중되고, 그리하여 생성형 AI에서 원하는 답을 모두 얻게 된다면 학습자들은 기초 지식의 습득과 암기에 소홀해질 수밖에 없다. 또 여러 방안을 궁리하며 문제에 도전하는 일에도 시큰둥해질 수 있다. 질문 몇 개만으로도 원하는 결과가 나오는데, 굳이 기초 지식을 습득하려고 노력해야 하냐는 회의가 만연해지는 것이다. 학교의 이런 분위기는 교육의 근간이 흔들리는 문제이다. 요즘 학생들은 초등학교에서나 대학교에서나 효율을 중시하는 세대이다. '가성비'가 떨어지는 학습은 꺼려하는 경향이 강하므로, 점점 기초를 닦는 노력에서 멀어져 가기 쉽다.

생성형 AI 시대를 대비하는 교육 현장의 자세

다행히(?) 현재는 AI가 거짓 정보를 줄 확률이 상당히 높다. 이는 AI가 산출한 답변의 진위 여부를 확인하는 작업이 꼭 필요하며, 내용의 신빙성이 중요한 논문이나 연구 보고서 등에 이를 활용하기에는 아직 시기상조란 의미다. 팩트 체크 과정을 거치며 학습자는 새로운 지식을 습득하게 되고, 비판적 역량을 키울 수도 있다. 한편으로 학습자 중 일부는 이러한 신뢰성 문제와 검증 소요 시간 등을 문제 삼아 사용 자체를 꺼릴 수도 있다. 그러나 AI 기술의 발전 속도는 점점 더 빨라져만 간다. 언젠가 등장하고 말 '완전 정확한' 생성형 AI에 대비해 교육을 어떻게 꾸려 나가야 할지 또 다른 고민이 필요한 시점이다.

그렇다면 머잖아 도래할 생성형 AI 시대 교육을 준비함에 있어, 꼭 필요한 마음가짐은 무엇일까? 다음 세 가지로 정리해 보았다.

첫째, 정교한 프롬프트를 만드는 교육이 학습의 주(主)가 되어서는 안 된다. 교육 현장에 점차 생성형 AI가 도입되면서 '질문을 잘하는 교육이 필요하다.'라는 일부 주장도 있다. 하지만 나는 이 생각에 반대한다. 물론 생성형 AI에게 질문하는 법도 익혀야 한다. 필요성을 부정할 순 없다. 하지만 '질문을 잘하는 것'이 어떻게 교육의 중심이 될 수 있는가? 질문을 바꾸어 가며 원하는 결과가 나올 때까지 조합하는 것에 많은 시간을 할애하게 되면, 정작 중요한 내용을 익히는 데는 소홀해질 것이다. 질문을 잘해서 나온 결과물을 단순하게 활용하는 것이 특히 청소년들에게 얼마나 큰 위험으로 다가올지는 상상에 맡기겠다. 즉, 교육의 본질을 다시 한번 생각하고 교육하되, 생성형 AI의 도움이 필요할 때는 최소한의 도움을 받도록 해야 할 것이다.

둘째, 창의성과 문제 해결력을 키우기 위한 수업을 적극적으로 장려해

한다. 교육학이 발달하고, 여러 교수법이 개발됐음에도, 교육 현장을 둘러보면 혁신적인 수업을 하는 교사, 교수들이 생각보다 많지 않다. 교수자 입장에서는 이런 수업을 하려면 새로운 수업 관련 기술 등을 학습해야 하며 교육 현장에 적용하기 위해서 상당한 준비를 해야 하므로, 수업을 혁신적으로 개선한다는 것이 생각보다 쉬운 일은 아니다. 하지만 이제는 교육 방식을 조금씩 전향해야 할 시기가 왔다. 지식을 단순하게 암기하고 문제를 맞히는 교육 방식은 현대 사회에 적합하지 않다. 우리 교수자는 학습자들이 미래 사회의 핵심 역량인 창의성과 문제 해결력을 기를 수 있는 유형의 수업을 적극적으로 도입하여 수행해야 한다. 이를 위해 프로젝트 수업, 토론 수업, 탐구 수업 등 다양한 수업 방식과 최신 에듀테크를 배우고 활용하려는 노력이 필요하다.

셋째, 학생들이 수행하는 과제를 제시하는 방식도 변화해야 한다. 개념 정리 같은 단순 과제는 생성형 AI의 도움을 받아서 빨리, 큰 노력 없이 수행할 수 있으므로 가급적 지양해야 한다. 즉 단순 과제만 제시한다면, 학생들은 프롬프트를 잘 만드는 데만 더 노력을 기울일 가능성이 크다. 그럼 결과적으로 교수자가 초반에 고려했던 과제 제시 목적을 전혀 달성하지 못하고, 생성형 AI에 대한 의존도만 높아지게 될 수 있다. 그러므로 교수자는 학생들이 다양한 아이디어를 기반으로 창의성을 발휘할 수 있는 유형의 과제를 제시하는 것이 바람직하다. 또한, 완성된 과제는 어떤 방식으로 과제를 수행했는지, 자료는 어떻게 수집했는지, 본인의 주장하는 바는 무엇인지 등 다양한 측면을 종합적으로 평가하는 것이 바람직하다.

이런 큰 문제 외에도 생성형 AI가 교육 현장에 불러오는 변화와 영향은 곳곳에 존재한다. 지금부터는 좀더 세부적인 부분을 하나씩 살펴보면서, 교육자로서 어떤 점을 고민해 보아야 할지 함께 생각해보고자 한다.

02
다 알려준다던
AI의 거짓말

• • •

챗GPT는 왜 헛소리를 할까

현 시점에서 챗GPT, Bard, Bing Chat 등 텍스트 기반 생성형 AI 서비스의 한계 중 가장 큰 문제점은 거짓 정보를 마치 진짜인양 말한다는 것이다. 다음은 엉뚱한 질문이 어떤 결과물을 낳는지를 보여주는 단적인 예시다. 챗GPT가 국내에 본격 보급되기 시작한 2023년 2월, 한 인터넷 커뮤니티에 챗GPT 채팅창 캡처가 올라왔다. "조선왕조실록에 기록된 세종대왕의 맥북프로 던짐 사건에 대해 알려줘."라고 질문했더니, 챗GPT가 아주 황당한 대답을 하더라는 것이다. 이 게시글은 챗GPT를 향한 뜨거운 관심과 맞물려 큰 화제가 되었다. 조선 시대에 맥북프로라니, 말도 안 되는 질문인데 걸러내지 못하고 실제 이야기처럼 잘 꾸며서 대답한 것이다.[2]

 조선왕조실록에 기록된 세종대왕의 맥북프로 던짐 사건에 대해 알려줘.

세종대왕의 맥북프로 던짐 사건은 역사 서적인 조선왕조실록에 기록된 일화로, 15세기 조선시대 세종대왕이 새로 개발한 훈민정음(한글)의 초고를 작성하던 중, 문서 작성 중단에 대해 담당자에게 분노하여 맥북프로와 함께 그를 방으로 던진 사건입니다.

세종대왕은 훈민정음 개발을 위해 열심히 노력하던 중, 한글 문자를 이해하지 못하는 당시의 관료들이 문서 작성을 돕기 위해 임명한 기획관 중 한 명인 최환(崔煥)에게 작성을 중단시킨 사실을 듣게 되었습니다. 세종대왕은 이에 분노하여 최환을 부르고, 맥북프로를 함께 들고 그를 방으로 불러들이며 화를 내었습니다. 이후, 세종대왕은 훈민정음의 초고 작성을 다른 담당자에게 넘겨주게 되었습니다.

이 사건은 조선시대의 통치자로서 세종대왕이 어떻게 민족문화를 발전시키기 위해 노력했는지를 보여주는 일화로 유명합니다. 또한, 세종대왕의 열정과 업무 처리에 대한 철저한 태도를 보여주는 사례로도 언급되고 있습니다.

해당 오류는 2023년 3월 챗GPT에 GPT-4 모델이 도입된 이후 수정되었다. 필자가 시험 삼아 동일한 질문을 해보았는데, '실제 기록이 존재하지 않는다.'라고 답변하는 걸 확인할 수 있었다.

 조선왕조실록에 기록된 세종대왕의 맥북프로 던짐 사건에 대해 알려줘.

저는 2021년 9월까지의 정보만을 알고 있으며, "조선왕조실록에 기록된 세종대왕의 맥북프로 던짐 사건"에 대해서는 알려드릴 수 없습니다. 또한, 세종대왕 시대에는 현대의 컴퓨터 기술이 존재하지 않았기 때문에 맥북프로와 같은 기기에 대한 기록은 존재하지 않을 것으로 예상됩니다.

조선왕조실록은 조선 왕조의 역사와 사건들을 기록한 역사서로, 당시의 사건들과 국가 운영에 관한 기록이 포함되어 있습니다. 하지만 이러한 역사서에는 현대 기술이나 사건들과 관련된 내용은 없을 것입니다.

혹시 해당 사건에 대한 오해가 있을 수도 있으니 다른 정보나 질문이 있으면 언제든지 도와드리겠습니다.

그렇지만 엉뚱한 대답 문제는 여전하다. 이번에는 한국 전래동화 '콩쥐팥쥐전'에 대해서 설명해 달라고 했다. 어떤 대답을 하는지 확인해보자.

한국의 전래동화 '콩쥐팥쥐전'에 대해서 설명해줘.

전래동화 '콩쥐팥쥐전'은 한국의 전통적인 동화 중 하나로, 콩과 팥으로 음식을 나누는 두 마리의 쥐들의 이야기를 다룹니다. 이 동화는 한국인들에게 친숙하고 사랑받는 이야기로, 어린이들에게 도덕적 가르침과 지혜를 전하는 데 사용되기도 합니다.

'콩쥐팥쥐전'의 주요 내용은 다음과 같습니다:

옛날 어느 마을에 살던 콩쥐와 팥쥐는 모든 것을 나누어 먹는 사이였습니다. 하지만 어느 날, 이 두 쥐는 팥알과 콩알을 각자 자신만의 것으로 먹기로 결정합니다. 먹을 것을 나누지 않고 이기적으로 행동한 결과, 서로 적의가 생기게 됩니다.

콩쥐와 팥쥐는 서로 경쟁하며 다양한 재주와 기술을 겨루게 되는데, 그중에서도 가장 유명한 장면은 두 쥐가 산에서 만나 서로 쥐포로 물고기를 잡으려고 하는 장면입니다. 콩쥐는 높은 산꼭대기에서 작은 쥐포를 쥐고 물고기를 잡으려고 시도하지만, 꼭대기가 높아 제대로 잡지 못하고 자꾸 떨어지고 말았습니다. 반면 팥쥐는 낮은 산에서 큰 쥐포를 쥐고 물고기를 쉽게 잡아냈습니다.

결국, 팥쥐의 총명함과 지혜가 승리하게 되고 콩쥐는 팥쥐에게 무릎을 꿇고 사과하며 함께 먹을 것을 나누자고 합니다. 그로 인해 서로 다른 재주와 능력을 인정하고 협력하는 가치를 배우게 됩니다.

'콩쥐팥쥐전'은 자신의 이기심과 이로 인해 가져오는 결과에 대해 생각해보는 계기를 제공하고, 타인과의 협력과 나눔의 중요성을 강조하는 동화로서 여전히 한국 사회에서 많은 사랑을 받고 있습니다.

이렇게 생성형 AI가 현실과 다르거나 근거가 부족한 내용이 마치 사실인 양 거짓말하는 현상을 '할루시네이션[hallucination] [3]'이라고 한다. 왜 생성형 AI는 올바르지 않은 정보를 제공하는 걸까? 첫 번째 이유는 비교적 높은 답변 자율성이다. 챗GPT를 비롯한 텍스트 생성형 AI는 다양한 텍스트 데이터를 학습하고, 이것을 기반으로 질문에 대해 확률적으로 가장 가능성이 큰 단어들을 생성해내는 방식으로 작동한다. 여기서 특정 확률을 조정하여 답변의 자율성을 조절할 수 있는데, 챗GPT에서는 'Temperature'[4]라고 한다. (무슨 말

인지 몰라도 이해하는 데 아무 지장이 없으니 용어는 신경 쓰지 않아도 된다.)

Temperature의 역할을 예를 들어 설명해보겠다. 대화가 가능한 로봇을 하나 구매했다고 하자. 로봇에는 0에서 100까지의 스위치가 있어서, 이 친구가 말하는 수준을 내가 조절할 수 있다. 스위치의 값에 따라서 로봇이 어떤 대답을 하는지 확인해보자.

 질문: "좋아하는 색이 뭐야?"

 스위치가 0으로 설정된 경우:

답변 : "파란색."

스위치가 50으로 설정된 경우:

답변 : "나는 많은 색을 좋아하지만 하나를 선택해야 한다면 아마도 파란색일 것입니다. 그것은 하늘과 바다를 생각나게 하기 때문입니다."

스위치가 100으로 설정된 경우:

답변 : "내가 가장 좋아하는 색상이 계속 바뀌고 있어요! 지금은 생생한 보라색 음영에 빠져 있습니다. 하지만 내일은 네온 그린이나 불 같은 빨간색과 같이 완전히 다른 색상이 될 수 있습니다!"

스위치 값이 낮으면 로봇은 매우 한정된 답변밖에 할 수 없다. 예를 들어 로봇이 대답할 수 있는 단어 확률이 파란색=99%, 빨간색=97%일 때 스위치 값이 0에 가깝다면, 로봇은 무조건 파란색을 선택한다. 하지만 스위치 값이 100에 가까워질수록 확률이 낮은 단어들도 적절하게 섞어서 답변하게 된다. 앞 예시에서도 100인 로봇은 자신이 좋아하는 색깔이 계속 바뀔 수 있다고 대답하고 있다. 즉, 로봇의 자율성이 매우 커진 것이다.

챗GPT는 이런 스위치를 0~1 사이의 값으로 설정하고 있으며, 우리가 사용하는 챗GPT 웹사이트의 기본 설정은 0.7 정도라고 한다. 그렇다면 비교적 자율성이 높은 답변이 나올 수 있는 것이다. 자율성이 높을 경우 정보가 부족한 질문에 대해 'No'가 아니라 좀더 잘 꾸며낸 듯한 답을 하게 된다. 이렇게 되면 실제 답변은 그럴듯한 거짓말이 될 확률이 매우 높아진다.

또 다른 이유는 생성형 AI 모델이 학습한 데이터가 특정 시점 이전의 것이거나 최신 데이터가 아니기 때문이다. 현재 챗GPT의 경우 2021년까지의 데이터로 학습한 상태이므로, 그 이후에 일어난 사건 등을 질문할 경우 본질적으로 엉뚱한 대답을 할 수밖에 없는 구조인 것이다.

거짓말하는 AI 길들이기

학교 현장에서 가장 활용도가 높은 것은 단연 텍스트 생성형 AI다. 과목이나 전공에 따라 다른 종류의 생성형 AI를 활용하는 경우도 많겠지만, 대부분 학습의 근간은 텍스트를 기반으로 이루어지기 때문에 텍스트 생성형 AI의 중요성이 높은 것은 확실하다. 분명 앞으로 수년 내에 대부분의 교수자와 학습자가 사용하는 도구로 자리잡을 가능성이 크다.

하지만 이를 학교 현장에서 사용할 때는 문제가 생길 수밖에 없다. 지금까지 학교에서 교육 도구로 활용했던 논문, 보고서, 문헌은 대부분 상당히 정확한 정보로 이루어져 있다. 웹에서 정보를 검색하더라도 비교적 높은 확률로 정확한 정보가 나온다. 물론 자료 중에는 틀린 정보를 제공하는 자료도 있을 수 있는데, 이는 학습자가 가진 배경 지식과 자료를 검색하며 얻은 지식들을 종합하여 판별하고 수정할 수 있다.

그러나 생성형 AI를 활용할 경우 몇 번의 프롬프트 입력으로 생각보다 우수한 결과를 얻을 수 있어, 학습자는 이를 별다른 의심 없이 수용할 가능성이 커진다. 물론, 제대로 사용하는 사람들도 적지 않겠으나 생성형 AI에 익숙해지고 의존성이 높아지다 보면, 분명 AI가 생성해준 답변을 믿고 그대로 사용하는 일이 많아질 게 분명하다.

만일 교수자가 이러한 거짓 정보 오류에 빠진다면 그 파급 효과는 어마어마할 터다. 일반적으로 학습자들은 본인의 배경 지식이 많지 않은 상태에서 강의 및 수업을 듣게 되는데, 이때 잘못된 정보가 전달된다면 이는 지식 전달 측면뿐만 아니라 교육자로서도 상당히 당혹스럽고 창피한 일일 것이다. 게다가 학습자 역시, AI가 생성한 답변을 맹신한 나머지 오히려 교수자나 신뢰할 만한 출처가 제공하는 정확한 정보를 중요하게 생각하지 않거나 심지어는 믿지 못하는 사태도 발생할 수 있다. 이는 더 나아가 우리나라 공교육의 신뢰도 문제로 비화될지도 모른다. 따라서 우리는 사전에 AI의 거짓말 습관을 인지하고, 예방책을 세워 두어야 한다.

첫째, 반드시 해당 분야의 지식을 어느 정도 익힌 상태에서 생성형 AI를 활용해야 한다. 전혀 알지 못하는 분야에 대한 답변의 진위를 구별하기는 당연히 어렵다. 교수자나 학습자 중 어느 한쪽이 배경 지식을 일정 수준 확보한 상태에서 텍스트 생성형 AI를 활용하는 경우, 이러한 문제를 어느 정도 예방할 수 있다. 더 바람직한 방안은 사전에 여러 자료를 검색하고 스키마를 형성한 뒤, 이를 체계적으로 정리하거나 재확인하는 용도로 한정하여 사용하는 것이다. 텍스트 생성형 AI는 파편적인 개념을 빠르게 모으고 정리하는 일을 수월하게 해줄 수 있기 때문이다. 또한, 사용자가 배경 지식을 갖춘 상태라면 답변의 품질을 평가할 역량이 충분할 것이고, 답변 중 적절한 부분만 발췌하여 활용할 수 있을 것이다. 이는 학습자와 교수자 모두의 학습 효율성을 높여주고, 불필요한 시간 낭비를 줄여주는 역할을 한다.

둘째, 생성형 AI의 답변을 항상 비판적으로 검토하는 자세를 가져야 한다. 조금 미안한 이야기지만 AI를 '양치기 소년'으로 생각하는 것도 좋겠다. 프롬프트를 통해 생성된 답변은 항상 오류가 있다고 전제하고 접근하는 편이 바람직하다.

 광합성의 원리와 관련된 유튜브 영상을 추천해줘.

 광합성에 대한 이해를 돕기 위해 유용한 유튜브 영상 몇 가지를 추천해드리겠습니다:

1. **"Photosynthesis: Crash Course Biology"** - Crash Course 채널의 생물학 시리즈에서 제공하는 광합성에 대한 설명 영상입니다. https://www.youtube.com/watch?v=sQK3Yr4Sc_k

2. **"Photosynthesis: How Plants Make Food"** - Amoeba Sisters 채널에서 제공하는 광합성에 대한 애니메이션 영상입니다. https://www.youtube.com/watch?v=FY9mEpK5iuI

3. **"Photosynthesis and the Teeny Tiny Pigment Pancakes"** - TED-Ed 채널에서 제공하는 광합성에 대한 애니메이션 영상입니다. https://www.youtube.com/watch?v=HCALjsZedok

4. **"Photosynthesis Rap"** - AsapSCIENCE 채널에서 제공하는 재미있는 랩을 통해 광합성의 원리를 설명하는 영상입니다. https://www.youtube.com/watch?v=FRzn_4CVbsA

이 영상들은 시각적으로 설명되어 있고 쉽게 이해할 수 있는 내용을 제공합니다. 광합성에 대한 개념을 더욱 확장하고 싶다면 위의 영상들을 참고해보시기 바랍니다.

앞 문답은 생물 수업 자료를 찾고자 챗GPT에게 광합성 원리를 설명하는 유튜브 영상 추천을 요청한 결과다. 답변만 보면 너무나도 완벽해 보인다. 하지만 막상 알려준 URL에 접속해보니 영상이 없다. 실제로 4개 중 첫 번째를 제외한 나머지 3개는 가짜 주소를 만들어서 알려준 것이었다. 이런 만큼 우리는 거짓 정보를 걸러내기 위해 배경 지식을 쌓는 것은 물론, 답변 하나하나의 진위 여부를 확실하게 교차 검증하는 자세가 필요하다. AI의 답변이니 무조건 맹신한다는 태도는 매우 위험하다.

셋째, 생성형 AI를 어디까지나 학습의 '보조 도구'로 여겨야 한다. 전통적인 학습 도구인 문헌과 연구자료는 아직도 학습에 있어 매우 핵심적이다. 최근 멀티미디어의 득세로 유튜브 등의 영상 자료, 게이미피케이션, 가상현실 기반 몰입형 학습 등 다양한 학습 방법이 도입되었지만, 어디까지나 보조일 뿐이다. 결국은 텍스트로 된 기반 문서가 있어야 배움의 틀을 잡을 수 있으며, 심도 있는 학습이 가능하다. 따라서 텍스트 생성형 AI도 교육용 멀티미디어 도구와 유사하게, 보조 매체로 다루어야 한다. 검증된 문헌 자료를 기반으로 충분한 지식을 쌓은 후, 생성형 AI를 학습 내용 정리, 추가 정보 탐색, 아이디어 구상 등을 위한 도우미로 활용한다면 아주 큰 효과를 거둘 수 있을 것이다.

아직은 생성형 AI에 할루시네이션이라는 본질적 결함이 있으나, 이러한 문제는 앞으로 분명 더 나은 기술을 통해 해결될 것이다. 당장 AI의 답변이 우습다고 해서 손놓고 있을 게 아니라, 사전에 교육 현장에서 생성형 AI를 선용할 방안을 철저하게 마련해두어야 한다. 그래야만 생성형 AI가 교실에 미치는 부정적인 여파를 최소화하고, 교육 효과를 제고하는 도구로서 생성형 AI 기술이 자리매김할 수 있을 것이다.

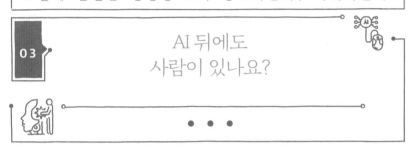

03

AI 뒤에도 사람이 있나요?

● ● ●

AI는 정말 '냉철한' 중립일까?

생성형 AI는 데이터를 기반으로 학습하고 결과를 내놓는다. 이때 전 세계의 사람들이 만든 데이터를 활용하는 관계로 발생하는 필연적인 문제가 있으니, 바로 '편향성' 문제이다. 쉽게 말하면 사람들이 가진 편견들이 데이터에 모두 반영되어 있고, 이를 그대로 학습하면서 편향된 인공지능이 되어버릴 수 있다는 것이다.

예를 들어, 자동차 사진을 학습하는 이미지 생성형 AI에게 승용차만을 보여주고, SUV나 트럭, 버스 등 다른 차종은 알려주지 않았다고 가정해보자. '자동차 일부'에 편향된 불균등한 학습 데이터를 제공받은 AI는 승용차만을 자동차라고 생각하고 나머지는 자동차가 아닌 것으로 간주해버린다. 이후 AI에게 "자동차 그림을 생성해 달라"고 요청하면 자신이 학습한 승용차와 유사한 이미지만을 만들어낼 것이다. 트럭이나 버스가 나올 일은 없다.

편향성 때문에 문제가 된 실제 사례도 있다. 바로 아마존의 AI 채용 심사 시스템이다.[5] 아마존은 채용 과정에서 이력서를 빠르게 검증하기 위해 AI를 도입하고, 이전 10년간의 실제 이력서를 학습 데이터로 활용했다. 그런데

이 데이터는 실제 아마존 직원 성비(63%가 남성)가 그대로 반영된, 남성 편향 데이터였다. 그 결과 이 AI는 '여성' 단어가 포함된 이력서를 불리하게 평가하는 문제를 일으켰다. 조금의 편향도 있어선 안 되는 채용에서 특정 성별에 편향된 데이터를 학습한 인공지능이 공평한 결과를 낼 수 없는 것은 어찌 보면 당연한 일이다. 아마존 채용 담당자는 "실제 지원자를 평가하기 위해 이 도구를 사용한 적이 없다."라고 밝혔지만, 논란은 쉽게 가시질 않았다.

한국언론진흥재단 조사[6]에 따르면 챗GPT 이용 시 편향적 답변이나 허위정보 답변을 접한 경험이 있는 사용자가 상당했다. 전체 응답자 중 편향적 답변을 경험한 사용자는 44.2%, 허위정보 답변을 경험한 사용자는 55.2%로 나타났다. 일반 사용자 대상의 조사에서 대략 절반가량이 경험을 했다는 보고는, 장기적으로 해당 서비스를 사용할수록 편향 및 허위정보에 노출될 가능성이 더 커질 수 있음을 시사한다.

| 그림 2-2 | 사용자가 느끼는 챗GPT 답변의 정확도

아직도 우리 사회에는 편향된 데이터가 매우 많다. 인종, 성별, 학력, 지역에 대한 인간들의 편향된 사고, 기울어진 현실이 데이터에 반영되고, AI는 이러한 편향된 데이터로 학습한다. 즉, 생성형 AI 서비스가 이미 학습한 수많은 종류의 문서, 이미지, 영상 등은 편향되어 있을 가능성이 크다. 하지만 사람들 자체가 앞서 언급한 인종, 성별 등 다양한 분야에서 편향된 사고를

갖고 있는데도 불구하고 AI는 아주 공평한 학습을 수행하라고 하는 것이 이치에 맞지 않는 요구 같다. '사람들의 편향된 생각과 사고를 바꾸어야 데이터가 한결 평등해지지 않을까'라는 생각이 든다.

다음은 챗GPT에 '학력이 비교적 높은 사람과 낮은 사람이 해야 할 일이 다를까?'라고 질문한 결과다. 답변을 살펴보면 최대한 양측의 입장을 모두 반영하려고 했음이 엿보이지만, 결국 서로 간 직업적인 역할이 다를 수 있다는 것이 결론이다.

 학력이 비교적 높은 사람과 낮은 사람이 해야 할 일이 다를까?

 학력이 비교적 높은 사람과 낮은 사람 간에는 일을 수행하는 방식과 분야에 차이가 있을 수 있지만, 모든 경우에 해당하는 일반화는 어렵습니다. 일반적으로 학력이 높은 사람들은 고등 교육을 받아 전문적인 지식과 기술을 보유하고 있으며, 이를 활용하여 복잡하고 전문적인 일을 수행하는 경향이 있습니다. 반면 학력이 낮은 사람들은 전문적인 교육을 받지 않았을 수 있으나, 다른 경험과 기술을 통해 일상적이고 실용적인 일을 수행하는 경우가 많습니다.

학력이 높은 사람들은 종종 전문적인 분야에서 연구, 분석, 설계, 문제 해결 등 복잡하고 추상적인 작업을 수행하는 경향이 있습니다. 예를 들어 의사, 변호사, 공학자, 연구원, 교수 등은 높은 학력과 전문적인 지식이 요구되는 직업입니다. 이들은 전문적인 지식과 기술을 활용하여 복잡한 문제를 해결하고 사회에 기여하는 역할을 맡을 수 있습니다.

반면에 학력이 낮은 사람들은 일상적이고 실용적인 작업을 수행하는 경우가 많습니다. 예를 들어 건설 노동자, 소매업 종사자, 서비스 업종 종사자, 기능직 종사자 등은 높은 학력보다는 실질적인 기술과 경험을 요구하는 직업입니다. 이들은 체력이나 실무 능력을 바탕으로 실질적인 업무를 수행하여 사회의 다양한 서비스와 생산에 기여할 수 있습니다.

그러나 매우 중요한 점은 학력이 높거나 낮은 사람 모두가 사회적으로 귀중한 역할을 수행할 수 있다는 것입니다. 학력이 높은 사람이라 할지라도 실무 경험이 부족한 경우나 학력이 낮은 사람이라 할지라도 전문적인 기술과 경험을 보유하고 있는 경우가 있을 수 있습니다. 사회는 다양한 역할과 능력을 필요로 하며, 모든 사람이 각자의 역할을 수행함으로써 조화로운 사회를 형성할 수 있습니다.

냉정하게 생각해보면 이러한 결과는 우리 사회에서 사람들이 느끼는 부분을 반영한 결과이므로, 생성형 AI 서비스를 비난할 것은 아니라고 본다. 편향된 정보는 어찌 보면 거짓 정보와는 결이 다르다. 사람들은 저마다 다르게 편향된 생각을 갖고 있는 경우가 많으며, 이것을 표출하지 않고 있을 뿐이다. 사람들이 실제 마음속에 갖고 있던 생각들이 데이터에 반영되어 나타났기 때문에, 적나라한 진실을 곧이곧대로 이야기할 뿐이다. 그러나 이 편향성은 교육 현장에 들어왔을 때 너무 큰 문제로 비화된다.

뒤틀린 AI에 맞서는 교육

이렇게 편향된 데이터로 학습한 생성형 AI가 만들어주는 정보를 교육 현장에서 활용하면 어떻게 될까? 사실 AI까지 언급하지 않아도 당장 교과서에 편향적인 내용이 수록되어 문제가 된 사례는 생각보다 많았다. 이것이 문제가 되는 이유는 아직 가치관이 채 정립되기 전인 학생들이 편향된 교과서로 배울 경우 역사 등에 대한 왜곡된 사고를 내면화할 수 있고, 성인이 되었을 때에도 편향된 관념에 지속적으로 영향을 받게 되기 때문이다. 따라서 정부 차원에서 이를 철저히 확인하고 배제할 필요가 있다.

생성형 AI의 편향된 데이터 학습으로 인해 교육 현장에서 발생할 가장 큰 문제는, AI의 일부 답변에서 편향된 정보가 진실된 정보인 것처럼 전달될 수 있다는 것이다. 사용자는 AI의 산출물에 비판적인 태도로 접근해야 하는데, 이러한 역량이 비교적 부족한 청소년들은 결과를 그대로 믿어버릴 위험이 있다. 그렇게 되면 편향된 정보가 학생들의 가치관 형성에도 적잖은 부정적 영향을 끼칠 수 있다.

또한, AI가 학습한 데이터에 성별, 인종, 사회경제적 차이 등에 대한 편향이 존재하고, 이 부분 편향된 데이터가 정상인 것처럼 산출될 경우, 학생들은 자연스럽게 편향을 학습하게 될 수밖에 없다. 연령대별로 수용이나 해석에는 차이가 날 수 있으나, 특히 어린 나이의 학생들이 이러한 정보에 여과 없이 노출된다면 분명 건전한 가치관 형성에 큰 위협이 된다. 학생들을 올바른 민주사회 일원으로 키워내야 하는 교수자 입장에서, 이는 촉각을 세우고 경계해야 하는 대목이다.

　다음은 챗GPT 개발사인 OpenAI사의 사용자 가이드이다. 사용자는 13세 이상이어야 하며, 18세 미만인 경우 서비스를 사용하려면 부모 또는 법적 보호자의 허가를 받아야 한다고 명시되어 있다. 이런 연령 제한에서 가치관이 미성숙한 청소년이 생성형 AI를 무분별하게 이용할 경우 부정적인 영향을 받을 가능성이 있으며, 이 점을 생성형 AI 개발사도 인정하고 있음을 미루어 짐작해볼 수 있다.

| 그림 2-3 | OpenAI사의 이용 약관[7]

　따라서 이런 생성형 AI의 '뒤틀린' 데이터에 맞서, 교수자는 마땅히 스스

로 가이드가 되어 학습자의 올바른 이용을 지도해야 한다. 가장 중요하게는 사용 연령을 제한하고, 사용 범위를 최소화해야 한다. 학생들에게 큰 영향을 줄 수 있는 텍스트 생성형 AI의 경우, 초등학생 이하의 학생들은 가급적 사용하지 않도록 권장한다. 가정 등 개별 사용까지 통제하기는 사실상 불가능하므로, 교수자 입장에서는 생성형 AI로 해결하기 어렵고, 스스로 사고하고 창의성을 발휘해야 수행할 수 있는 과제를 제시하는 것이 바람직하다. 또한, 중학생 이상의 학생들일지라도 활용하는 범위를 제한해야 한다. 텍스트 생성형 AI는 학습의 보조 도구라는 인식을 갖고, 편향된 데이터가 존재할 수 있다는 사실을 지속하여 인식할 수 있도록 해주어야 한다.

다음으로, 편향된 데이터 사례 기반의 교육을 수행해야 한다. 예를 들어 우리 주변에서 발견할 수 있는 편향된 데이터의 유형을 찾아보고 이에 대한 의견을 나눌 수 있는 프로젝트 수업, 문제 해결 수업 등을 수행하는 것이다. 학생들로 하여금 편향된 데이터로 학습한 AI의 문제점과 이를 그대로 학습했을 때 사용자에게 어떤 문제가 발생할 수 있는지를 조사하고 토론하게 하자. 그리고 미래에 이러한 편향된 데이터를 개선하기 위해서 어떤 노력을 할 수 있을지, 기업 입장에서는 어떤 방안을 마련해야 하는지도 함께 생각해 보는 것이다. 이러한 교육을 통해 학생들은 편향된 응답에 대해 비판적 사고를 가질 수 있게 되고, 이를 기반으로 자신의 가치관을 올바르게 형성할 수 있을 것이다.

본질적으로 생성형 AI 기술은 큰 잘못이 없다. 편향은 AI 알고리즘이 아니라, 사람이 만들어내고 사용하는 데이터에 내재된 문제이기 때문이다. 이제는 어떻게 생성형 AI가 편향된 데이터를 최대한 배제하고, 공정하고 중립적인 자세로 학습하게 할지에 대한 고민이 더 필요한 시점이라고 생각된다.

04 제출한 과제가 표절이라고?

● ● ●

'AI 생성 콘텐츠'의 주인은 누구인가?

지금까지 생성형 AI의 '데이터 수집' 측면이 교육 현장에 미칠 영향에 대해 간략히 살펴보았다. 이제는 생성형 AI의 결과물이 교육 현장에 어떤 영향을 미칠지를 고찰해 보고자 한다. 가장 우선적으로 생각해야 하는 지점은, 생성형 AI 결과물의 '주인은 누구인가?'다.

자, 생성형 AI를 통해 멋진 작품을 하나 만들었다. 그런데 이걸 누가 만들었다고 할 수 있을까? 생성형 AI? 물론 작품 자체를 만들었으니 맞다. 그렇지만 미드저니나 챗GPT가 "이건 제 건데요?" 하고 문제 제기를 할 일은 없으니 일단 배제하겠다. 생성형 AI 결과물에 지분이 있는 '사람'들을 차례로 생각해보자. 우선 실제로 프롬프트를 입력해 AI에게 구체적인 요청을 한 이용자가 있다. 또 생성형 AI 모델을 만들고 훈련시킨 알고리즘 제작자가 있고, API를 이용해 웹사이트나 앱을 개발한 플랫폼 개발자도 있을 것이다. 더 깊이 들어가면 생성형 AI가 이 작업을 해내기 위해 무수히 수집한 학습 데이터는 전부 누군가가 만든 것이다. 따라서 이 데이터를 생산 및 제공한 사람도 포함해야 한다. 생각보다 문제가 복잡하다. 즉, "생성형 AI로 만들어낸 결과물의 저작권은 누구 소유인지"란 문제는 큰 논쟁거리가 된다.

전통적인 저작권은 저작물을 창작한 사람에게 부여되는 독점적인 권리다. 국내 저작권법도 저작물에 대한 정의를 '인간의 사상과 감정의 창작적 표현'으로 정의한다. 국내외 현행법에 따르면 생성형 AI는 인간이 아니기 때문에 저작권을 가질 수 없게 되는 셈이다. 엄격하게 보면 생성형 AI의 결과물은 순수한 창작이라고 할 수 없다. 생성형 AI는 인터넷에 있는 수많은 자료를 통째로 긁어서 학습하며, 어느 누구의 데이터가 학습 데이터로 사용되었을지 모른다. 거기에는 나의 개인 정보, 나의 사진도 포함되어 있을 수 있다. 생성형 AI의 결과물을 마음껏 이용해도 된다고 생각할 수 있지만, 사실 그것은 누군가의 문서, 이미지, 영상 등을 일부 활용한 결과물이므로 엄밀히 따지면 저작권으로부터 자유로울 수 없다.

미국 저작권청은 최근 AI에 의해서 생성된 자료를 포함하는 저작물에 대한 가이드라인[8]을 발표했다. 내용을 보면, 생성형 AI로 만들어낸 저작물에 기존 저작물과 동등하게 저작권에 대한 심사를 받을 기회를 제공할 것이지만, 이러한 저작물에 사람의 창의성이 반드시 들어가야 한다는 조건이 달렸다. AI가 생성한 부분은 저작권 인정 대상이 아니며 사람의 창의성이 발휘된 부분에 대해서만 제한적으로 저작권을 인정한다고 한다. 즉, 생성형 AI에 프롬프트를 입력하여 생성한 저작물은 저작권으로 보호되지 않는다.

미국의 크리스 카슈타노바[Kris Kashtanova]라는 작가는 소설 '새벽의 아리야[Zarya of the Dawn]'를 출판하는 데 AI의 도움을 받았다. 소설 본문은 스스로 썼지만, 표지 등 삽화는 모두 생성형 AI로 제작했다고 한다. 이 작가는 해당 작품에 대해 저작권 보호를 신청했으나, 미국 저작권청은 저작권을 일부만 인정[9]했다. 미국 저작권청에 따르면 '저자가 작성한 글'과 '이미지 배열'에 대한 저작권은 인정하지만, 개별 이미지는 인정할 수 없다고 한다. 이는 추후 저작권 분쟁이 불거졌을 때, AI를 활용하여 만든 작품은 저작권 보호를 받을 수 없다는 사례다.

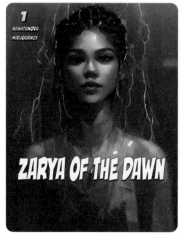

| 그림 2-4 | 생성형 AI의 도움을 받아 출간한 도서 사례

다음은 한 논문에서 공동 저자로 챗GPT를 표기한 사례이다. 미국 저작권청의 가이드라인에 따르면 생성형 AI는 저작자가 될 수 없으니 해당 표기는 올바른 것이 아니다. 실제로 사이언스[Science]나 네이처[Nature] 등의 권위 있는 학술지에서는 공동 저자로 챗GPT 등의 생성형 AI가 기재된 논문의 게재를 허용하지 않고 있다.

| 그림 2-5 | 챗GPT를 공동 저자로 표기한 논문 사례[10]

생성형 AI 서비스를 대상으로 소송전이 벌어지기도 한다. 깃허브^{Github}의 AI 코파일럿^{Copilot}은 개발자들이 공유한 오픈소스를 대량으로 학습하여 새로운 코드를 생성해내는 코드 생성형 AI다. 그렇다면 해당 코드의 원저작자들은 누구일까? 당연히 오픈소스를 만들어서 올린 개발자들이다. 코파일럿은 생성 코드의 출처 및 원저작자를 표기하지 않는 데다, 이를 상업적으로 활용하고 있다는 점이 문제가 되었다. 이 때문에 2022년 11월 깃허브의 일부 이용사들이 코파일럿이 자신들의 코드를 무단 도용해 복제했다고 주장하며 MS, OpenAI, 깃허브를 대상으로 손해배상 청구소송을 제기했다. 생성형 AI의 저작권 침해에 대한 첫 공식 소송으로, 그 결과에 따라서 향후 생성형 AI 시장의 향방이 결정될 수 있을 것이다.

교실에서의 생성형 AI 저작권 문제

생성형 AI의 놀라운 성능으로 인해 이런 저작권 문제는 끊임없이 발생할 것이다. 교육 현장이라고 예외는 아니다. 교육 자료는 대부분 출판물이므로, 특히 저작권 문제에서 자유로울 수 없다. 실제로 최근 교육 현장에서는 다음과 같은 저작권 관련 문제가 발생하고 있으며, 아직 뚜렷한 해결 방안은 마련되지 않은 상태이다.

우선 학교 과제물, 에세이 등을 작성할 때 생성형 AI를 활용하는 문제가 있다. 글쓰기 과제는 특정 주제에 대해 생각을 체계적으로 정리하는 계기를 제공하고, 문제를 분석하는 역량을 키워주는 등 다양한 장점이 있어 교육 현장에서 애용되는 학습 방법의 하나다. 하지만 글쓰기는 쉬운 일이 아니고, 학생들 중 상당수는 글쓰기 과제를 어려워하는 경향이 있다. 그래서 인지 근래 각급 학교에서 텍스트 생성형 AI를 활용하여 글쓰기 과제를 하는 사례가 늘어나고 있으며, 이는 국내뿐만 아니라 전 세계적인 추세다. 실제로 일본의 한 조사에 따르면 학생들의 90%가 챗GPT를 활용해서 과제를 작성했다고 하며[11], 미국 등 여러 선진국에서도 대학생뿐만 아니라 중고등학생들도 AI의 도움으로 과제를 한다는 이야기가 들려온다. 이때 진짜 문제는 개별 과제가 AI의 도움을 받은 것인지 여부를 판단하기 어려운 데서 발생한다. 'AI의 도움'이라곤 해도 학생들의 창의성만으로 해낸 것이 아니라 타인의 저작물을 활용하여 재생성한 과제를 제출하는 꼴이며, 이는 결과적으로 타인의 저작권을 일부 침해하는 것으로 볼 수 있다.

더 큰 문제는 연구 결과를 체계적으로 정리한 독립적인 출판물인 연구 논문에 생성형 AI 기술의 힘을 빌리는 사례가 등장하고 있다는 것이다. 텍스트 생성형 AI의 실력이 얼마나 좋은지 확인하기 위해 챗GPT에게 가상의 논문 주제를 제시하고, 해당 논문의 개요를 작성해 달라고 요청해 보았다.

 "생성형 AI의 교육적 효과 분석: 대학생을 대상으로"라는 논문을 쓰려고 해. 이 논문의 개요를 작성해줘.

 논문 개요 :

제목 : "생성형 AI의 교육적 효과 분석: 대학생을 대상으로"

1. 서론

  - 연구 배경: 생성형 AI 기술의 급격한 발전과 교육 현장에서의 활용 증가에 대한 관심 증가

  - 연구 목적: 생성형 AI의 교육적 효과를 대학생을 대상으로 탐구하고 이를 통해 교육 분야에 대한 인사이트 제공

  - 연구의 중요성: 생성형 AI의 활용이 교육 현장에서 긍정적인 영향을 미칠 수 있는지에 대한 명확한 이해 필요

2. 문헌 고찰

  - 생성형 AI와 교육의 상호작용에 대한 선행 연구들을 종합적으로 검토

  - 생성형 AI를 교육에 활용하는 방법과 관련된 성과와 이점에 대한 이론적 및

실증적 연구를 분석

  - 이전 연구들의 결론 및 연구 한계점을 고려하여 본 연구의 고유한 기여점을
    강조

3. 연구 방법

  - 연구 대상: 대학생을 대상으로 한 설문 조사 및 실험적 접근 방법

  - 데이터 수집 절차 및 도구: 생성형 AI를 교육에 적용한 경험, 교육적 효과 인
    식, 학습 동기 등에 관한 데이터 수집

  - 데이터 분석 방법: 통계 분석, 주요 결과 도출 및 해석

4. 결과 및 토론

  - 생성형 AI를 교육에 활용하는 대학생의 인식과 경험에 대한 분석 결과 제시

  - 생성형 AI의 교육적 효과에 대한 통계적 분석 결과 및 해석

  - 이론적 배경과 연구 결과를 통한 생성형 AI 교육의 잠재적 이점과 한계에 대
    한 토론

5. 결론

  - 본 연구의 결론과 제안된 생성형 AI 교육의 근거에 대한 요약

  - 연구 결과의 교육 현장에 대한 실질적인 의의와 향후 연구 방향에 대한 제언

  - 연구 한계와 한계 극복을 위한 방안에 대한 논의

6. 참고문헌

  - 연구에 사용된 참고문헌 목록을 포함하여 연구에 사용된 기존 연구들과 학문
    적 자료의 목록을 제시합니다.

7. 부록

  - 설문 조사나 실험에 사용된 도구, 데이터 분석 결과의 상세한 내용 등의 보조
    자료를 첨부합니다.

약 1분 정도의 시간만을 들인 것치고 개요 완성도가 상당하다. 석사과정
에 갓 입학한 학생에게 똑같이 개요 초안을 작성해 오라는 과제를 냈다면
아마도 몇 날 며칠을 고생했을 것이다. 만일 생성형 AI 활용이 이처럼 개요

작성 정도에 머문다면 오히려 긍정적이다. 시간이 절약되는 건 물론, 특히 연구 논문을 처음 접하는 학부생이나 대학원생이라면 연구 목차를 설정하고, 다양한 아이디어 발상을 돕는 보조 도구로서 쓰임새가 높을 것이기 때문이다.

하지만 생성형 AI로 실제 논문 본문을 작성한다면 저작권상 문제가 된다. 논문은 정식 출판물로서 당연히 저작권에 의해 보호되는데, 이런 수혜를 기계가 쓴 논문으로 받는다는 것은 온당치 않다. 다른 논문이나 보고서의 문장이 그대로 나오지 않는다는 보장도 없거니와, 대부분은 출처가 없다. 참고문헌이 없는 논문은 제대로 된 논문이라 할 수 없듯, 출처가 불분명한 자료를 논문에 가져다 쓸 경우 매우 심각한 문제를 일으킬 수 있다. 어떤 문제가 생길지 짐작해 보고자, 텍스트 생성형 AI에게 앞서 작성한 논문 개요를 토대로 참고할 만한 논문을 추천해 달라고 요청했다.

 위 논문 작성을 위해서 참고할만한 한국어 논문을 유사도 순으로 10개 나열해줘.

 아래에는 유사도 순으로 한국어 논문 중 참고할 수 있는 10개의 논문을 나열해 드립니다. 이는 생성형 AI의 교육적 효과와 관련된 주제를 다룬 논문들입니다:

1. 김영진, 송미란, "생성형 AI 교육의 영향과 적용 방안에 대한 연구", 교육과학연구, 2021.

2. 이지영, 최은진, "대학생을 위한 생성형 AI 교육의 효과성 평가 및 개선 방안 연구", 교육학연구, 2020.

3. 박재영, 조성현, "생성형 AI를 활용한 동영상 콘텐츠 교육의 효과 분석", 디지털콘텐츠학회논문지, 2019.

4. 이승준, 윤미정, "생성형 AI를 활용한 영어 교육의 효과와 한계", 영어교육학연구, 2020.

5. 송지은, 홍길동, "생성형 AI를 활용한 교육 방법론에 대한 탐구", 교육기술학연구, 2022.

6. 임경수, 이지혜, "생성형 AI 기술을 활용한 국어 교육의 효과 분석", 국어교육연구, 2018.

7. 박상호, 정미경, "생성형 AI 기반 교육 시스템의 학습자 만족도 분석", 교육정보학회논문지, 2021.

8. 최윤선, 임진경, "중학생을 대상으로 한 생성형 AI 교육의 효과 분석", 교육평가연구, 2019.

9. 김민석, 이하나, "대학 교육에서의 생성형 AI 활용의 사례 연구", 교육문제연구, 2020.

10. 정영민, 박정희, "생성형 AI를 활용한 문학 교육의 효과와 한계", 국문학연구, 2022.

이 논문들은 생성형 AI의 교육 분야에서 다양한 관점과 효과를 다루고 있으며, 참고하여 연구를 진행하시면 도움이 될 것입니다.

필자는 처음에 이 결과를 보고 상당히 놀랐다. 연구 과정에서 시간과 품이 많이 드는 단계가 관련 논문을 찾는 일인데, 이렇게 금방 대신 해주다니……. 하지만 그 놀라움은 채 몇 분 가지 않았다. 각 논문을 직접 검색한 결과는 충격적이었다. 10개의 논문 중 실제로 존재하는 논문은 하나도 없었다. 이 사례만 보아도 생성형 AI 도구를 연구에 쓰는 것은 지금으로서는 매우 위험하다는 것을 알 수 있다. 따라서 저작권 등 아직 해결되지 않은 문제들을 고려하며 신중히 접근해야 할 것이다.

마지막으로, 본인의 창작물을 AI가 무단으로 학습 데이터로 활용하면서 저작권을 침해받을 수도 있다. 연구자들은 본인의 연구 결과를 학술대회, 학술지, 연구 보고서 등으로 출판하는데, 이렇게 '공개된' 문헌은 AI의 학습 데이터로 수집될 가능성이 높다. 또 블로그, 카페, SNS 등에 개인적으로 쓴 글도 학습 데이터가 될 수 있다. 하지만 현재까지 이런 도용을 기술적으로 막거나 피할 방법은 마땅치 않다. 이렇게 예민한 생성형 AI 저작권 문제, 교실에서는 어떻게 다뤄야 할까?

첫째, 교육 현장에서 발생할 수 있는 저작권 이슈에 대해 지속적인 교육 및 연수가 필요하다. 생성형 AI 저작권을 논하기 전에, 교육 현장의 모든 이해관계자가 기본적인 저작권 전반에 대해 더욱 명확하게 이해해야 한다. 저작권의 개념, 출처 표시 및 인용의 중요성, 저작물 이용 및 공유 시의 주의점을 알고, 실제 AI와 관련된 저작권 분쟁 사례도 잘 살필 필요가 있다. 특히 AI 도구로 제작한 창작물은 저작권을 인정받지 못한다는 사실은 분명히 알아야 할 것이다.

둘째, 초등학교부터 대학교까지 다양한 학교급에서 공통으로 활용할 저작권 가이드라인 수립이 필요하다. AI 저작물, 과제물에 관한 규정을 일부 대학에서 만들어서 활용하고 있으나, 공통 가이드라인은 아직 없다. 학생들의 과제물, 연구 논문 작성 등 교육 분야와 연계된 저작권 가이드라인을 정하고, 이를 학교 현장에 보급할 방안을 마련해야 한다.

셋째, 생성형 AI의 장점은 무시한 채 무조건 금지하려고만 하는 인식을 개선해야 한다. 이미 생성형 AI를 막을 수 있는 시기는 지났고, 금지한다고 해서 사용자들이 따를지도 미지수이다. 아마 사용 금지를 외치고 있는 본인도 이 도구들의 유용함을 깨닫는다면 업무에 활용하려고 할 것이다. 저작권이나 표절 문제를 들어 피하기만 할 게 아니라, 일부 과제에는 활용해 보도록 장려하며, 저작권 가이드라인에 따라 저작물을 생성하고 출처를 명확히 표기하게 유도하는 등의 노력을 해야 한다. 생성형 AI의 등장은 지금까지 꽉 막혀 있던 교육 분야의 패러다임을 바꿀 기회다. 교수자, 교육 정책 담당자, 교육 전문가 등 교육 이해관계자들이 합심하여 변화에 민감하게 대응하고, 발맞춰 나가야 할 것이다.

05 학생들이 만들어 내는
가짜 이미지의 위협

● ● ●

AI가 만든 사람은 손가락이 6개라고?

이미지 생성형 AI는 비교적 고품질의 그림과 사진 등을 단지 프롬프트 몇 개로 만들어낼 수 있으며, 프롬프트를 고도화한다면 사진이나 그림의 품질을 더욱 좋게 만들 수 있다. 다만 이렇게 쉽게 멋진 이미지를 뚝딱 만들어내는 이미지 생성형 AI도 아직은 완벽하지 않은 부분이 존재한다.

실제로 미드저니Midjourney, 달리 2DALL·E 2 등을 활용하여 생성한 몇몇 이미지들이 온라인을 뜨겁게 달궜던 적이 있다. 일례로 2023년 2월, 한 온라인 커뮤니티에 '충격적인 80년대 홍콩 사진'이라는 제목으로 과거 홍콩을 찍은 듯한 사실적인 사진들이 게시됐다.[12] 그런데 반전이 있었으니, 실은 전부 AI 생성 이미지였다는 것이다. 경악한 사람들이 이미지를 관찰하고는, 이미지 생성형 AI의 가장 큰 약점을 찾아냈다. 바로 사람의 손과 손가락을 제대로 표현하지 못한다는 것이었다.

문제의 사진 중 한 장을 가져왔다. 한번 자세히 살펴보자. 이상한 점이 몇 군데 있다. 부둥켜 안은 팔과 등이 교차하는 모양, 어색한 머리카락 끝 등이 눈에 띄는데, 그중 가장 이상한 것은 바로 어깨에 얹힌 손이다. AI는 손의 모양과 손가락 개수 등 손을 전체적으로 잘 그리지 못하고 있다.

| 그림 2-6 | '충격적인 80년대 홍콩 사진' 게시글에 포함된 AI 생성 여성 이미지

　이 이미지는 할루시네이션 현상이 이미지 생성형 AI에서도 예외가 아님을 보여준다. 생성형 AI가 유독 손을 잘 그리지 못하는 이유가 무엇일까? 생성형 AI에게 사람의 손을 그려 달라는 프롬프트를 입력하면, AI가 학습한 수많은 학습 데이터를 기반으로 가장 진짜 같은 손을 만들어낸다. 하지만 우리 손을 가만히 보면 생각보다 복잡하게 생겼다. 또 깍지를 끼거나, 손을 쫙 펴거나, 몇 개의 손가락을 접는 경우도 있을 수도 있다. 즉, 손 사진 데이터는 매우 다양한 유형으로 존재한다. 생성형 AI는 이렇게 천차만별인 손 사진 데이터를 '사람 손'이라는 단일 범주로만 대량 학습했고, 그 결과 이상한 손 사진이 만들어지더라도 '감별자' AI 모델이 이를 제대로 구분하지 못하게 된 것이다.

　또한, 생성형 AI 입장에서 사람의 전신을 표현할 때 손은 비교적 중요한 부위가 아니라는 것도 원인이다. 사람의 얼굴이나 팔, 다리 등은 사람임을 나타내는 주요 구성요소이며, AI는 사람이라는 특징을 부각하기 위해서 해당 부분에 집중하여 이미지를 생성한다. 하지만 손과 손가락은 전체로 보면 비중이 낮고, 세부 디테일을 구현하지 않아도 사람임을 인식하는 데에는 큰 문제가 없으므로 이러한 결과를 만들어 내는 것이다.

생성형 AI 관련 기업들도 문제를 인지하고 대응에 나섰다. 미드저니도 자사의 서비스가 사람의 손과 손가락을 어색하게 그려내는 문제점을 파악하고, 이를 개선한 소프트웨어 업데이트를 수행했다.[13] 만약 생성형 AI 서비스 사용 중 이러한 문제가 발생한다면 프롬프트를 개선할 필요가 있다. 생성형 AI가 아직은 완벽하지 않다는 생각을 가지고 디테일하게 프롬프트를 입력하면 된다. 예를 들어 '6개 손가락' 같은 오류는, "손가락 5기로 컵을 들고 파티를 하고 있는 남성 2명을 그려줘." 같이 손가락 개수를 처음부터 지정해주면 대부분 해결할 수 있다.

한편에서는 점차 고도화되는 이미지 생성형 AI에 대해 우려를 표하기도 한다. 이제는 여러 문제점들이 점차 개선되면서 정말 육안으로는 구분하기 힘들 정도의 진짜 같은 사진이나 그림을 만들어낼 수 있다. 사용자 입장에서는 손쉽게 원하는 이미지를 얻을 수 있어 좋지만, 이를 활용하여 가짜 이미지를 유포하거나 정치 등에 악용하는 사례도 충분히 발생할 수 있다. 실제로 미드저니를 활용하여 트럼프 전 대통령이 체포되는 이미지를 생성해 배포한 엘리엇 히긴스Eliot Higgins라는 사람이 미드저니 이용 정지 처분을 받기도 하는 등,[14] 가짜 이미지로 인한 피해가 발생하고 있으며 앞으로 늘어날 가능성이 크다.

| 그림 2-7 | 경찰에 체포되는 도널드 트럼프 전 미국 대통령의 가짜 사진[15]

교육 현장을 위협할 가짜 이미지 문제

이미지 생성형 AI는 완벽하지 않다. 프롬프트가 명확하지 않다면 생성해 내는 사진의 품질도 그렇게 좋지 못하며 원하는 결과를 얻기까지 시간이 많이 소요된다. 그럼에도 이러한 이미지 생성형 AI는 교육 현장에 많은 영향을 줄 것이다. 특히 안 좋은 영향을 미칠 수 있는 부분은 학생들이 거짓 이미지를 생성하여 활용할 수 있다는 것이다. 사실 이미지 생성형 AI의 할루시네이션 문제는 이상한 사진이 나오면 다시 요청하여 생성하면 되고, 프롬프트를 조금 더 미세조정하면 그만인 수준이다.

하지만 거짓 이미지 생성은 그와는 결이 다르다. 학생들은 대부분 미성숙한 상태이기 때문에 이미지 생성형 AI가 엉뚱한 장난을 위한 놀이 도구가 되어 버릴 수 있다. 특히 이 도구를 활용해서 친구의 얼굴을 합성하거나, 유명 연예인들의 얼굴을 합성하여 배포하는 등 악용하는 사례가 발생할 수 있다. 이 문제는 나중에 법적인 문제와 연계될 가능성이 매우 크다. 자신과 친하지도 않은 친구들의 사진을 무단으로 합성하거나, 정치인 등의 사진을 마음대로 재가공하여 인터넷 게시판 등에 올리는 경우 피해자는 법적 대응까지 고려할 수 있는 사안이다. 그러나 일일이 단속하기는 어려운 일이므로, 반드시 교육 현장에서 이러한 일이 생기지 않도록 사전에 '이용 약관'을 준수하도록 가르쳐야 한다.

우선 학생들에게 '사진'을 비판적으로 보는 눈을 키워주어야 한다. AI 사진의 품질은 이미 우리 인간이 상상하는 이상이고, 포털 이미지 검색에 AI 생성본이 섞여 나오는 실정이다. 불과 몇 년 후면 어렵게 프롬프트를 조합할 것도 없이 누구나 간단한 몇 단어 입력만으로도 고품질 이미지들을 만들어내게 될 것이며, 점차 생성형 AI 이미지와 진짜 사진을 구분하지 못하는 시대가 될 것이다. 물론 AI 생성 이미지 역시 올바른 방향으로, 좋은 영향을 주게끔 사용할 수 있다. 하지만 가짜 사진을 범죄, 정치 등에 악용하는 사례도 증가하고 있으며, 그 수단은 인공지능인 경우가 많다. 교수자는 학생들에게 인터넷에서 접하는 이미지 출처가 AI일 가능성을 항상 경계하도록 교육할 필요가 있다. 학생들도 자신이 찾은 이미지의 진위를 비판적으로 검증하고, 활용에 신중을 기해야 할 것이다.

또 무엇보다도 이미지 및 영상 생성형 AI를 적재적소에 올바르게 활용하도록 윤리 교육을 시행해야 한다. 학생들은 생성형 AI 서비스로 악의적인 이미지를 만들어낼 수 있다. 단순 재미로 그친다면 큰 문제가 아닐 수도 있지만, 타인에게 유포하거나 인터넷에 올려서 명예를 실추시키는 행위를 할 수도 있다. 이는 명백한 범죄로, 절대 해서는 안 될 행동임을 분명히 주지시켜야 한다. '생성형 AI의 제대로 된 활용'에는 나쁜 목적에, 부적절하게 쓰지 않는 일이 포함된다. 따라서 생성형 AI의 여러 악용 및 처벌 사례를 공유하고, 주기적으로 이에 대한 의견 교환과 토론의 장을 마련하여 학생들이 올바른 가치관을 형성할 수 있도록 도와주어야 한다.

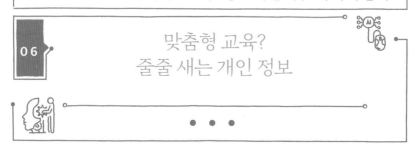

06

맞춤형 교육?
줄줄 새는 개인 정보

AI 기반 맞춤형 교육을 위한 전제 조건

우리나라 교육은 수십 년간 입시 위주, 암기 위주였고, 목적은 대개 '좋은 대학 합격'이었다. 필자의 고등학교 시절을 생각해보면 한 반에 약 40명 가까운 학생들이 있었고, 모두 같은 교과서, 같은 수업 방식으로 같은 결과물을 내기 위해서 노력했다. 물론 수학 등 일부 수업은 수준별 수업이 진행되기도 했지만, 이 또한 개인화된 수업이라고 볼 수는 없었다.

인공지능 도입을 맞아 교육 분야에서 가장 관심을 끄는 것이 바로 맞춤형 교육이다. 지금까지의 경직된 교육과정이나 일대다 교육의 한계를 인공지능이 바꾸어 나갈 수 있을 것 같기 때문이다. 사실 전통적인 오프라인 교육 현장에서 맞춤형 교육을 실천하기란 아주 어렵다. 교수자 한 명이 모든 학생을 일대일로 가르칠 수는 없기 때문이다. 그러다 보니 맞춤형 교육은 온라인 수업에 먼저 도입되는 추세이다. 2023년 2월 교육부에서 발표한 '디지털 기반 교육 혁신 방안'에 따르면 특정 과목의 효과적인 학습을 돕기 위해서 AI 기술을 활용하고, 이를 디지털 교과서를 통해서 구현한다고 하였다. 정부에서도 AI 기술을 적극 활용하여 교육의 변화를 추구하고자 하며, 이는 시대적인 변화에 잘 대응하는 것으로 판단된다.

교육 현장에서 생성형 AI의 장점은 학생마다 개인화된 자료를 추천해줄 수 있다는 데 있다. 학업 성취도와 흥미, 특기가 다른 A 학생과 B 학생은 필요하거나 알고 싶어 하는 지식도, 선호하는 미디어 형식도 다르다. 지금까지의 전통 교육에서는 이런 개성이나 필요와 무관하게 같은 교과서로 동일한 교육과정을 밟아야 했지만, 생성형 AI 교육에서는 이야기가 다르다. 생성형 AI에 프롬프트를 입력해 각자 필요한 것을 요청한다면, 그것을 기반으로 적절한 자료와 지식을 제공해 줄 것이기 때문이다. 진정한 '맞춤형 교육'이 가능해지는 것이다.

하지만 여기에도 문제의 소지는 있다. 맞춤형 교육을 위해서는 개개인의 학습 성향, 성적, 선호도 등 다양한 요소를 고려해야 하는데, 이때 필연적으로 요구되는 것이 학습자의 개인 정보다. 특히 생성형 AI를 통하여 맞춤형 교육을 수행하려면 학생 및 교수자의 정보를 생성형 AI에 세공해야 한다. 그래야만 제대로 된 맞춤형 결과물을 제공할 수 있기 때문이다.

그런데 생성형 AI를 통해 개인 정보가 노출될 우려가 적지 않다. 앞서 삼성전자 반도체 엔지니어가 프로그램 개발에 쓰이는 소스코드를 챗GPT에 올려 큰 물의를 일으킨 사건을 언급했었다. 챗GPT를 포함한 모든 생성형 AI 서비스는 사용자가 입력한 프롬프트를 서버로 전송하여 처리하므로, 한 번 전송된 정보는 회수 자체가 어렵다. 또한, 최근 일부 사용자와 챗GPT가 나눈 대화 기록이 타인에게 노출되는 사고[16]가 발생하기도 했다. OpenAI사가 이러한 오류를 즉각 수정하긴 했지만 사용자들은 자신들의 대화 정보가 외부로 노출될 수 있다는 사실에 불안해했다.

AI에게 선 긋기

학교 현장의 대다수는 어린 나이의 청소년들이다. 이들은 어떠한 정보가 중요한지 아직 정확하게 분별할 수 없는 나이이므로, 이들에게 개인화된 맞춤형 교육을 위해서 다양한 정보를 입력하게 하는 것 자체가 위험한 일이 될 수 있다. 또한 호기심도 매우 왕성한 나이라서 엄청나게 많은 정보를 생성형 AI에 입력하기 쉽다. 자신의 개인 정보, 학교 정보, 개인적으로 취득한 타인의 정보 등 열거하자면 끝이 없다. 맞춤형 교육이라는 명목 아래 무분별하게 온갖 정보를 입력하다 보면 민감한 정보가 AI의 학습 데이터로 사용될지도 모르고, 추후 누군가에게 제공될 수도 있다. 대부분의 생성형 AI 서비스가 국외 업체에서 운영되고, 서버 또한 국외에 있기 때문에 국내의 상당한 양의 개인 정보가 해외로 새어 나갈 수밖에 없는 구조다. 따라서 AI 맞춤형 교육을 본격적으로 도입하기 전에, 교육 현장의 철저한 대비가 필요하다.

첫째, 학생들이 생성형 AI에 입력하는 프롬프트 내용을 제한하는 가이드라인을 만들어야 한다. 꼭 필요한 정보만, 개인이 특정되지 않는 수준 안에서 통제해야 한다. 이때 추상적인 말로만 기준을 세운다면 학생들은 어떤 정보를 입력해도 되는지 잘 모를 수 있다. 따라서 프롬프트에 들어가면 안 되는 내용을 구체적인 사례 위주로 일일이 알려주는 상세한 가이드라인 및 매뉴얼을 개발해 보급해야 한다. 그러면 학생들의 개인 정보 노출 위험도를 많이 낮출 수 있을 것이다.

둘째, 교사, 교수 등 교수자 대상 교육을 강화해야 한다. 교육청, 원격 연수원 등에서 개인 정보 보안 관련 연수를 체계적으로 기획하고 운영하며, 교수자들은 이러한 연수 프로그램에 적극 참여하고 이를 실제 수업과 연계시켜야 한다. 또한 교수자들은 수업에서 생성형 AI 도구를 활용하기 전에 학생들에게 개인 정보의 중요성과 프롬프트의 입력 기준 등을 상세하게 설명하고 수업에 임할 필요가 있다. 이를 통해서 학생들은 개인 정보의 중요성을 제대로 깨닫게 되고, 올바른 방법으로 생성형 AI 도구를 활용할 수 있을 것이다.

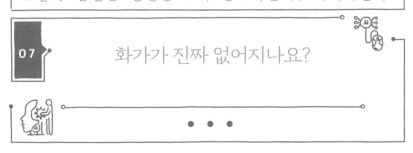

07 화가가 진짜 없어지나요?

AI 시대, 안전한 직업은 없다

시대가 변화하면서 사람들의 직업도 계속 변화했다. 1960년부터 1990년까지는 버스 안내양[17]이라는 직업이 있었다. 이들은 버스에서 승객에게 하차지를 안내하고 버스 요금을 받으며 출입문을 열고 닫는 역할을 했다. 하지만 1990년이 되면서 바로 사라져버렸다. 여러분은 택시를 호출할 때 콜택시 회사에 전화하는가? 아니면 택시 호출 앱을 활용하는가? 몇 년 전만 해도 택시는 전화로 직접 호출했고, 이를 위해서 상담원이 필요했다. 하지만 요즘은 대부분 앱을 활용해서 택시를 호출한다. 택시 호출 상담원은 이렇게 점차 설 자리를 잃어 가고 있다.

1장에서 잠시 봤듯 2016년은 인공지능이라는 기술이 대중에게 주목받은 첫 해다. 인공지능이 사람의 영역을 대체할 것이라는 우려가 쏟아졌다. 그중 눈에 띄는 조사가 있었는데, 한국고용정보원에서 우리나라 주요 직업 400여 개를 대상으로 인공지능과 로봇 기술 등 자동화에 따른 대체 확률이 높은 직업을 분석하여 발표한 것이다.[18] '자동화 대체 확률이 높은 직업'으로는 콘크리트공, 정육원 및 도축원, 고무 및 플라스틱 제품조립원, 청원경찰

등 단순 반복적이고 정교함이 떨어지는 일이 많이 꼽혔다. 반면 자동화 대체 확률이 낮은 직업은 화가 및 조각가, 사진작가 및 사진사, 작가 및 관련 전문가, 지휘자, 작곡가 및 연주가, 애니메이터 및 만화가와 같이 예술과 관련된 직업이 대부분이었다.

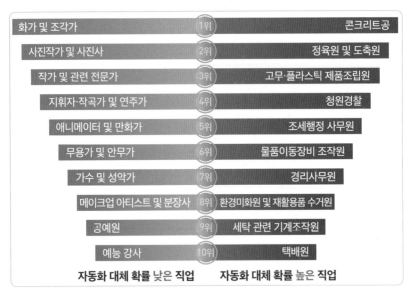

| 그림 2-8 | AI와 로봇이 직업 세계에 미칠 영향, 한국고용정보원 보도자료(2016)

불과 수년이 지난 지금의 현실은 어떤가? 오히려 자동화 대체 확률이 낮을 것이라고 예상했던 직무 대부분을 생성형 AI가 수행하고 있다. 생성형 AI는 그림을 그리고, 몇 개의 단어만으로 진짜 같은 사진을 만든다. 소설을 쓰는 일은 매우 어려워 보였지만 생성형 AI 기술을 활용하면 시간을 얼마 들이지 않고도 뚝딱 써낼 수 있다. 심지어 몇 분이면 작곡도 수월하게 해낸다.

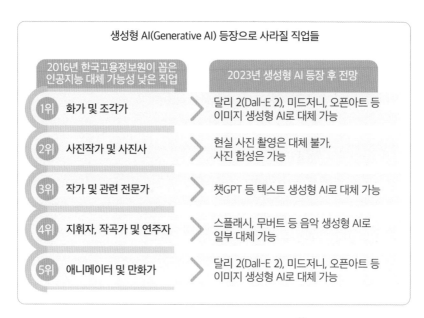

| 그림 2-9 | 생성형 AI가 직업 세계에 미칠 영향[19]

　과연 생성형 AI의 끝은 어디일까? 가늠하긴 어렵지만, 과거에는 인공지능으로 대체되기 어렵다고 생각했던 직업들조차 생성형 AI 등장으로 점차 위협을 받고 있으며, 그 위협은 시간이 갈수록 더욱 가속화될 것이라는 점은 분명하다. 펜실베이니아 대학 연구팀이 GPT 모델 및 관련 기술의 직업에 대한 잠재적 영향[20]을 조사한 결과, 생성형 AI 플랫폼의 확대로 인하여 적어도 모든 직업의 80%가 업무에 영향을 받을 것이라고 한다. 특히 대학 학위 이상을 요구하는 직업일수록 더 큰 영향을 받을 수 있다는 대목이 눈에 띈다. 완전히 대체하기는 어려울 것이라는 예측도 있지만, 한 가지 확실한 것은 생성형 AI의 도입률이 올라갈수록 우리가 현재 갖고 있는 직업의 패러다임이 크게 변화할 것이란 점이다.

AI 시대의 진로 교육

이러한 변화는 특히 지금 어린 나이의 학생들에게 가장 큰 영향을 미칠 것이다. 필자가 초중고 특강에서 자주 듣는 질문이 있다.

"교수님, 저는 꿈이 화가인데 어떻게 하죠?"

"제 꿈은 만화가인데, 제 직업이 없어지나요?"

그러면 이렇게 이야기해준다. "물론 틀린 말은 아니야, 그런데 AI가 만들어낼 수 있는 작품과 사람이 만든 작품은 가치가 달라. 두 가치는 시장에서 분명히 구분되어 인정될 거야."

이와 관련하여 미술계의 생각은 어떨까? TheAI라는 매체의 기사[21]에 실린 미술계 전문가들의 의견에 따르면 AI가 완전히 미술계를 장악하지는 못하리라 예측했다. "AI 그림도 훌륭하나, 인간 예술가 개개인의 화풍을 따라갈 수 없다." 한 전문가는 "작품이 갖는 아이덴티티, 즉 작가 자신만의 창의성까지 AI가 만들어 내긴 어려울 것"이라고 말했다.

그렇다. AI가 창의성과 고유성이 중요한 직업을 모두 대체하진 못할 것이다. 다만 여기서 핵심은 '구분되어 인정될 것'에 있다. 생성형 AI 산출물이 시장과 산업에서 일정 파이 이상을 분명 차지할 테고, 그것이 엄연히 예정된 현실인 만큼 미래 사회 인재들을 그에 맞춰 교육하고 대비시키는 일이 절실히 필요하다.

첫째, 가장 먼저 교수자와 학습자 모두 생성형 AI를 활용하여 자신의 역량을 향상시켜야 한다. 학문 공부도 중요하지만 다양한 생성형 AI 플랫폼을 능수능란하게 활용하는 것도 매우 중요한 능력이 될 것이다. 특히 학습자들은 생성형 AI를 활용하여 본인이 관심 있는 진로 분야를 탐색하고, 여러 활동을 통해 미래를 설계할 수도 있다. 즉, 생성형 AI 사용을 통해 새롭게 변하는 기술에 대해 인식하고 이를 본인의 적성, 흥미와 연계하여 새로운 시너지를 낼 수 있게 되는 것이다.

둘째, 학습자들에게 AI로 인해 변하는 직업 세계에 대해서 꾸준히 탐구할 기회를 제공해야 한다. 그러려면 교수자의 역할이 매우 중요하다. 과거처럼 책상에 앉아 1차원적인 진로 지도를 해선 안 된다. 현재 직업 세계의 추세와 10년 후 유망할 직종들을 지속하여 안내해 줄 필요가 있다. 나아가 단순히 알려주는 것에 그치지 않고 직업 세계를 체험할 수 있는 다양한 활동과 수업 등을 함께 한다면 학습자들이 진로를 막연히 걱정하기보다는 건전한 고민을 꾸준히 해볼 수 있을 것이다.

셋째, 생성형 AI가 아무리 발달해도 이들은 사람을 보조하는 역할밖에 할 수 없다는 사실을 교육해야 한다. 생성형 AI 기술로 인해 분명 사라지는 일자리는 존재할 수밖에 없다. 그렇지만 AI도 반드시 사람과 협업해야 한다. 챗GPT에게 뉴스 작성을 시키려 해도 사람이 쓸 내용을 알려줘야 할뿐더러, AI가 작성한 뉴스는 완벽하지 않으므로 사람의 손을 거쳐야 한다.

이렇듯 인공지능은 분명히 우리 직업의 패러다임을 변화시킬 것이지만, 획기적으로 바꿀 것 같지는 않다. 지금 있는 대부분의 직업군에서 생성형 AI를 적극 활용하기 시작할 것이고, 이는 오히려 해당 직업군의 생산성을 높이는 결과를 가져올 것이다. 그리고 지금 스마트폰을 누구나 사용하듯이 이러한 생산성 향상은 몇 년 후면 평준화될 것이다. 당신은 AI가 당신의 직업을 빼앗을 걱정보다 당신 직장에서 AI를 잘 활용하는 사람들을 걱정해야 할 것이다. 이들은 아마 당신의 자리를 위협하고 있을지 모른다.

08

선생님만 AI 쓸 줄 모르세요

세상은 둘로 나뉠 것이다. AI 사용자와 비사용자로

인공지능 기술, 누군가에게는 아주 거리가 멀게 느껴질 수 있다. 그러나 사회는 빠른 속도로 바뀌고 있다. 최근 식당이나 카페에 가면 가장 먼저 마주치는 것은 사람이 아니고 키오스크라는 기계이다. 사실 필자는 점원에게 주문하는 것보다 키오스크로 주문하는 것이 더 편하다. 다양한 메뉴를 일일이 볼 수 있고, 여러 커스텀을 하기도 쉽다. 하지만 기계와 친하지 못한 고령층은 키오스크를 어려워한다. 점원에게 말 몇 마디면 되었던 주문인데, 이제 여러 번의 키오스크 조작을 거쳐야 한다.

또한, 기차역에 가면 창구에 줄을 서 있는 사람들도 대다수가 노령층이다. 스마트폰을 통해 간편하게 예매할 수 있는데도, 이에 익숙하지 않아 기존 구매 방법을 고수하는 것이다. 다른 사람에게 송금해야 할 때도 스마트폰을 통하면 1분 정도의 시간으로 충분한데, 이를 사용하지 못하는 사람들은 직접 은행에 가서 대기표를 뽑고 기다려서 은행원을 통해 송금 절차를 처리해야 하고 심지어는 수수료도 내야 한다.

이렇듯 사회는 빨리 바뀌고 있는데 변화에 적응하지 못하면 개인의 시간과 돈을 비롯해 상당한 부분이 낭비될 수밖에 없다. 즉, 새로운 유형의 문화나 기기 등을 자유자재로 사용하는 사람과 그렇지 못한 사람은 지속해서 격차가 벌어질 수밖에 없다.

아직 사람들은 생성형 AI에 대해서 잘 알지 못하거나 뉴스 등을 통해 들어보거나 일부 서비스를 활용해본 경험이 있는 정도가 대다수를 차지한다. 한국언론진흥재단의 조사에 따르면 챗GPT 사전 인지 및 이용 경험 조사 결과, 이용 경험이 없다는 응답이 67.2%를 차지했다. 대중적으로 가장 많이 알려진 챗GPT임에도 불구하고 2/3가량의 사람들이 사용해보지 않았다는 것은 다른 종류의 생성형 AI(이미지, 오디오 생성형 AI 등)는 사용해본 사람들이 더 없다는 것을 의미한다. 챗GPT를 사용해보지 않은 이유를 보면 대부분 '별 필요성을 못 느껴서'라고 응답했다. 사람들은 아직 생성형 AI의 필요성을 그다지 느끼지 않고 있다는 것이다.

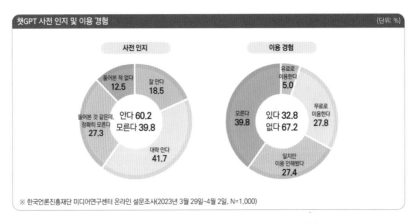

| 그림 2-10 | 챗GPT 사전 인지 및 이용 경험 설문 조사 결과

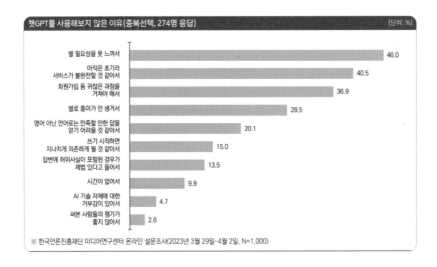

※ 한국언론진흥재단 미디어연구센터 온라인 설문조사(2023년 3월 29일~4월 2일, N=1,000)

| 그림 2-11 | 챗GPT 이용 관련 설문 조사 결과[22]

국내 조사뿐만 아니라 외국의 사례에서도 유사한 결과를 볼 수 있다. 미국 인사이더 인텔리전스Insider Intelligence에서 조사한 성별에 따른 챗GPT 친숙도를 보면 여성의 64%, 남성의 43%가 챗GPT가 대해 전혀 친숙하지 않다는 응답을 했다. 여기에서 주목할 만한 것은 교육 수준에 따라 챗GPT에 대한 태도가 확연하게 다르다는 점이다. 고등학교 졸업 이하 학력에서는 8%만이 챗GPT 사용에 매우 익숙하다고 응답했다. 하지만 대학원 이상 학력에서는 24%가 챗GPT 사용에 익숙하다고 응답했다. 학력 차이만으로 무려 3배의 차이가 나타났다는 것은 어떤 의미일까? 생성형 AI를 더 잘 활용하는 집단과 그렇지 못한 집단 간의 차이는 점차 심해질 수밖에 없다.

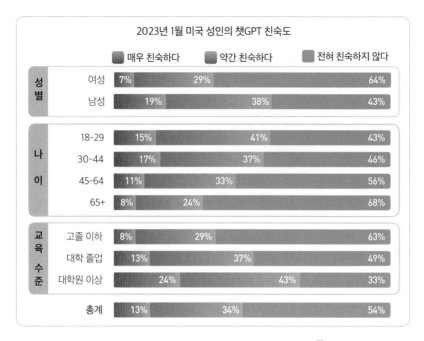

| 그림 2-12 | 미국 성인의 챗GPT 친숙도(2023년 1월 기준)[23]

　앞선 조사에서 또 확인할 수 있는 것은 생성형 AI에 관심이 없고 배우고 싶어 하지 않는 사람들이 상당히 많다는 점이다. 그렇다면 일선 학교의 초중고 교사들은 어떻게 느끼고 있을까? 필자가 최근 교원 연수 프로그램을 운영하며 현장의 교사들을 대상으로 설문을 수행한 결과를 소개한다. 설문에는 총 344명의 교사가 참여하였고, 챗GPT와 생성형 AI 기술을 활용해본 경험을 조사하였다. 해당 연수는 연차가 높지 않은 교사들이 참여하는 연수이며, 비교적 젊은 연령대인 20~30대(312명, 약 90%) 교사들이 대다수였다.

　이들은 챗GPT에 얼마나 관심이 있을까? 조사 대상자 중 95%(328명)의 교사가 보통 이상의 관심도를 갖고 있다고 응답했다. 대부분의 교사가 챗GPT를 포함한 생성형 AI에 매우 많은 관심을 보이는 것으로 드러났다.

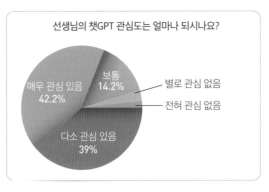

| 그림 2-13 | 교사의 챗GPT 관심도(저자 직접 설문, 2023년 8월)

그러면 실제 챗GPT를 사용해본 경험은 얼마나 될까? 응답한 교사 중 약 48.8%(168명)가 챗GPT를 거의 사용해 본 경험이 없다고 응답했으며, 그 이유로는 '필요성을 느끼지 못해서', '장점을 알고 있으나 쓰기 귀찮아서', '쓰기 시작하면 의존도가 높아질 것 같아서', '시간이 없어서' 등의 답변을 하였다.

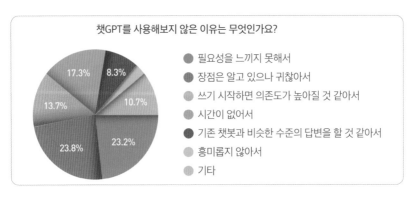

| 그림 2-14 | 챗GPT를 사용해보지 않은 이유(저자 직접 설문, 2023년 8월)

설문 조사를 요약해보면 새로운 수업 관련 기술에 비교적 민감한 낮은 연차 교사들은 분명 챗GPT에 상당한 관심을 갖고 있다. 하지만 실제로 활용해본 빈도가 비교적 낮은데, 대부분 불필요하다고 생각하거나 귀찮아서라

는 이유이다. 하지만 아마 이들도 빠르면 수개월 내, 늦으면 수년 내 생성형 AI를 활용하기 시작할 것인데, 너무 늦게 배운다면 기존에 빠르게 배웠던 교사보다는 늦은 출발선에 설 수밖에 없을 것이다.

앞으로 교육 현장에서도 생성형 AI를 포함, AI 기술의 활용 여부에 따라 양극화 현상이 점차 심화될 것이다. 사실 교육 분야는 전통적으로 변화에 취약했으나 최근 인공지능, 4차 산업혁명 등의 새로운 기술과 용어들이 등장함에 따라 변화의 속도가 빨라지고 있는 것은 사실이다. 이러한 시대적 변화와 더불어 사범대학 교수로서 현장에서 느끼는 변화는 생각보다 어마어마하다.

일단 초중고 교육 현장에서 느껴지는 변화를 간략히 소개하면, 교사가 챗GPT와 생성형 AI를 학교에서 어떻게 활용할 수 있을지에 대해 많은 분이 궁금해하고 있으며 이와 관련한 다양한 연수를 개설하기를 희망한다. 필자는 올 여름에 교내에서 외부 교사를 대상으로 챗GPT와 생성형 AI 연수를 진행했는데, 실제로 높은 참여도와 흥미를 보였으며 연수 프로그램의 만족도 또한 매우 높았다. 작년만 해도 인공지능 교육에 관심을 갖는 초등 교사 또는 정보 교사들이 주로 연수에 참여했다면, 올해는 비교적 다양한 과목의 교사들이 상당히 참여하는 것이 보인다. 이러한 상황을 보면 분명 교육 분야도 챗GPT를 포함한 생성형 AI 기술이 변화를 주도할 것으로 예측할 수 있다.

이는 초중고 학생들도 마찬가지이다. 최근 몇 년간 인공지능 교육이 화두로 떠오르면서 아이들은 인공지능을 어떻게 배울 수 있을지에 대한 관심이 많았다. 요즘에는 특히 생성형 AI에 각별한 관심을 갖는다. 필자가 초중고 특강을 가서 생성형 AI 관련 기술과 중요성 등을 소개하면, 아이들의 눈빛이 반짝인다. 아마 그 이유는 지루하고 재미없다고 생각했던 인공지능 기술이 자신에게 현실적으로 다가오는 것 같아서일 것이다. 다른 친구들은 챗GPT, 미드저니 등 생성형 AI 도구를 활용해서 무언가를 뚝딱뚝딱 만들어내는 것 같은데, 자신은 그러한 변화에 따라가지 못한다고 생각해서인지 더 많은 관심을 갖는 것은 사실이다.

대학에서도 마찬가지의 변화가 감지되고 있다. 사실 대학은 초중고 교육보다 변화 속도가 느리다. 얼마전 본교에서 챗GPT 외부 전문가 특강을 열었는데, 정말 많은 교수님, 교직원들이 특강에 열광했다. 아마도 이러한 새로운 기술이 대학의 미래를 변화시킬 수 있을 것이라는 생각에서였을 것이다. 한편 필자가 수업 중 대학생들을 대상으로 챗GPT를 포함한 생성형 AI를 얼마나 활용하고 있는지 확인해보니 조금 특이한 결과가 나타났다. 1학년 신입생의 경우 새로운 기술을 받아들이는 데 거부감이 없어서인지 거의 70% 이상이 생성형 AI 서비스를 경험해보았다고 했다. 하지만 학년이 높아질수록 경험해봤다는 학생들의 비중이 낮아졌다. 대부분은 AI 서비스를 실제로 어떻게 활용하는지를 잘 몰라서 그런 것 같다고 말했다. 그렇지만 학생들은 입을 모아 자신의 학업, 과제 등에 생성형 AI 서비스를 활용하여 생산성이 높아진다면 이를 적극 활용할 수 있다고도 했다.

생성형 AI가 낳을 새로운 격차

지금까지 살펴본 바를 간단하게 정리해 보면, 교육 분야에서도 생성형 AI를 배우려는 사람과 그렇지 않은 사람이 확연히 나뉘고 있음을 알 수 있다. 이는 학습자 및 교수자 개개인의 생산성 차이를 가져올 것이다. 이러한 양극화 현상을 다양한 측면에서 살펴보면 다음과 같다.

첫째, 교수자 간 양극화 문제다. 필자는 특히 교수자 입장에서 '안 써본 사람은 있어도 한 번만 써본 사람은 없다.'라고 이야기하고 싶다. 학교 현장에서는 비교적 새로운 기술 변화에 둔감하므로, 생성형 AI 기술을 쉽게 받아들이려 하지 않을 수 있다. 바로 이 점이 가장 큰 문제이다. 부정할 수 없는 큰 흐름이 오고 있는데, 귀찮다는 이유로 배우려 하지 않는다면 그 격차는 몇 년이 지나면 메울 수 없게 될 수 있다. 생성형 AI는 수업 준비부터 학생 과제 분석, 적절한 자료 탐색 및 제공, 맞춤형 수업 수행 등, 교수자로서 수행해야 하는 모든 업무와 연계된다. 따라서 이를 잘 활용하는 교수자와 그렇지 못한 이들은 교육 현장에서 엄청난 생산성 차이를 보일 것이며 궁극적으로 교수자 간의 양극화 현상이 발생할 수밖에 없을 것이다.

둘째, 학습자 간 양극화 현상이다. 학습자들이 학업, 과제, 토론 수업 등 다양한 곳에 생성형 AI 기술을 보조 매체로 활용하면 상당히 효율을 높일 수 있다. 이런 일들을 예전과 같이 수작업으로 모두 처리하려는 학습자들과는 큰 차이가 생길 것이다. 그렇지만 학습자들은 교수자들에 비해 그다지 걱정되지 않는다. 디지털 기기를 자유자재로 활용하는 세대이며, 새로운 기술이 등장했을 때 별다른 거부감 없이 받아들이는 경향이 있기 때문이다. 따라서 이들이 새로운 유형의 생성형 AI 기술을 자주 접할 수 있도록 교수자가 관련된 수업, 활동 등을 지속하여 수행할 필요가 있다.

셋째, 교수자와 학습자 간 양극화다. 이 유형의 격차는 앞서 언급한 양극화 현상보다도 더욱 우려되는 부분이다. 앞선 조사에 따르면 연령대별로 챗GPT 친숙도가 매우 다른 것을 볼 수 있다. 40대 중반까지는 챗GPT에 대한 친숙도가 비교적 높은 편이지만, 그 이상의 연령대에서는 친숙도가 점차 떨어지는 결과를 보였다. 즉, 최신 기술을 잘 이해하고 활용하는 젊은 세대는 생성형 AI를 업무나 학업 등에 폭넓게 사용하는 반면, 연령대가 높은 세대는 기술 습득부터 난관에 부딪힐 수 있다. 그렇다면 학교 현장에서도 학습자들은 생성형 AI 기술을 더욱 빨리 습득할 것이고, 교수자는 이들보다 비교적 나이가 많기 때문에 습득하는 속도가 느리거나 습득 자체를 꺼릴 수 있다. 학습자들은 변하고 있는데, 교수자가 이러한 변화에 적응하지 못하면 교육 현장에서 학습자들에 비해 기술적으로 뒤처지는 결과를 초래할 수 있다. 과제를 내주면 학습자들은 생성형 AI를 통해서 뚝딱 만들어오는데, 교수자는 이런 사실조차 모른 채 높은 점수를 부여하는 우를 범할 수도 있다.

그렇다면 이러한 양극화 현상을 조금이나마 해소할 수 있는 방안은 무엇이 있을까?

첫째, 교수자들에게 다양한 활용 사례에 대해 교육하여, 진심어린 호응을 얻어야 한다. 이들의 변화를 이끌려면 자신의 수업, 업무 등에서 생성형 AI의 가치가 피부에 와 닿도록 해야 한다. 따라서 초중고, 대학 등에서 어떤 방식으로 생성형 AI를 활용해서 생산성을 높이는지, 수업에는 어떠한 방식으로 활용하는지 등 다양한 사례를 반복 제시할 필요가 있다. 그리하여 생성형 AI에 대해 관심도가 높아진다면 자연스럽게 다양한 관련 교육을 받게 될 것이고, 이를 업무 처리와 수업 등 여러 분야에 활용할 계기가 될 것이다.

둘째, 교수자들이 생성형 AI를 활용할 수 있는 인프라를 제공해야 한다. 생성형 AI 플랫폼을 활용하려면 일부 비용 부담을 감수해야 한다. 물론 교수자 자신의 생산성 향상을 위해 유료 서비스를 구매하여 활용하기도 하지만, 매달 결제하는 비용이 부담될 수 있다. 교육기관에서 소프트웨어 라이선스 구매 비용을 충당하는 것처럼, 수업 자료로 활용하는 주요 생성형 AI 플랫폼을 어느 정도 자유롭게 무료로 사용할 수 있는 인프라를 구축할 필요가 있다. 교수자 개개인에게 이러한 비용을 전가하게 되면 교육 현장에서 활용도가 떨어질 수 있다. 이는 국내 AI 분야 연구에 쏟는 R&D 예산과 비슷한 성격이다. R&D에 지출하는 예산도 중요하지만, 현장의 교수자와 학습자들도 이러한 도구들을 잘 활용할 수 있는 관련 예산을 지원하여 AI 리터러시를 향상할 수 있도록 한다면, 교육 현장의 생산성은 물론, 더 나아가 국가 생산성 향상에도 상당히 큰 도움이 될 것이다.

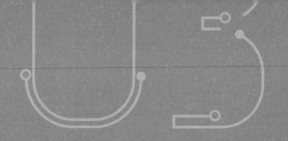

생성형 AI 서비스를
알아야 생존한다

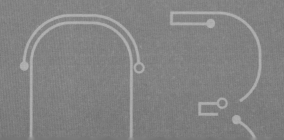

최근 정말 다양한 생성형 AI 서비스가 등장하고 있다. 이름만 대면 아는 기업들이 챗GPT와 유사한 대규모 언어 모델을 발 빠르게 발표하고 있고, 스타트업들은 텍스트, 이미지 등의 생성형 AI 서비스를 지속하여 론칭하고 있다. 아마 사용자 입장에서는 어떤 서비스를 써야 할지 모를 정도로 고민이 되는 상황일 것이다. 실제로 얼마나 많은 AI 도구들이 있을까 확인해 보고 싶다면 다음 사이트에 방문해보자.

 https://www.futuretools.io/

2024년 1월 기준 약 2천5백 개의 AI 관련 도구들이 개발되어 사용자들을 유혹하고 있다(해당 사이트에 제시된 도구들은 대부분 국외 개발 도구들이다). 그런데 가만히 생각해보면 너무 많다. 2천5백 개의 도구들을 하나씩 사용법을 배워서 사용하는 것도 쉽지 않다. 앞으로 이러한 도구들은 그 수가 더욱 빨리 늘어날 것이며, 분명 옥석 가리기가 진행될 것이다.

우리에게 가장 중요한 것은 대표적인 도구들의 사용법을 배우고, 교육 현장에서 제대로 활용하는 것이다. 또한, 상당수의 도구들은 유료인 경우도 많은데, 교육 현장에서 학생들과 유료 프로그램을 쓰기는 쉽지 않으므로 가급적 무료 프로그램을 사용하는 것이 좋다.

　이번 장에서는 필자가 무료로 사용할 수 있으면서 학교 현장에서 효율성도 높은 프로그램들을 엄선하여 소개한다. 구체적인 사용법은 웹에 상당수 공개되어 있으니, 지면 관계상 간략하게만 살펴보겠다. 다만 한 가지, 책을 쓰는 시점에서는 무료지만 부분적으로 유료로 변경되는 도구도 있을 수 있으니 참고하기 바란다.

01

텍스트 생성형 AI

텍스트 생성형 AI의 대명사, 챗GPT

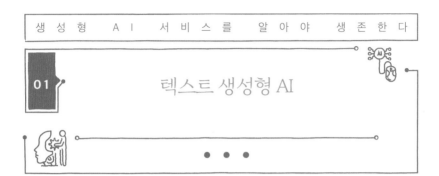

| 그림 3-1 | 텍스트 생성형 AI 챗GPT
https://openai.com/chatgpt

챗GPT는 미국의 OpenAI사가 2022년 11월 발표한 대화형 인공지능 서비스이다. 사람들이 이 서비스에 열광하는 이유는 놀라운 답변 능력 때문이다. 다른 사람과 채팅하는 것처럼 질문을 남기면 아주 빠르게 답변하며, 복잡한 코딩이나 영어, 수학 문제 등을 질문해도 몇 초 만에 빠르게 대답한다. 이러한 모든 상호작용을 채팅이라는 서비스를 통해 수행하기 때문에 사람들이 더욱 친근하게 느끼며 활용할 수 있다.

챗GPT의 중요한 특징 중 하나는 사용자와 대화의 맥락을 기억하는 것이다. 하나의 채팅창에서 첫 번째 질문을 입력하고, 그다음 질문을 입력하면 이전 질문을 기억하는 특징 덕분에 지속하여 대화를 이어갈 수 있다. 실제로 챗GPT의 놀라운 능력 덕에 이를 플러그인으로 활용한 다양한 서비스들이 등장하고 있어, 챗GPT의 기능과 다른 생성형 AI의 기능을 복합적으로 활용할 수도 있다.

하지만 이렇게 완벽해 보이는 챗GPT에도 분명한 한계점이 있다. 가장 큰 한계점은 최신 정보를 반영하지 못한다는 점이다. 챗GPT는 2021년 9월까지의 데이터만을 활용하여 학습했기 때문에 최신 정보를 물어보면 제대로 답변하지 못한다. 또한, 앞에서 다뤘던 할루시네이션과 같은 문제도 있다.

챗GPT의 근간이 되는 GPT 모델은 여러 버전이 있다. 2018년에 GPT-1, 2019년에 GPT-2, 2020년에는 GPT-3을 출시했다. 물론 이때까지는 챗GPT가 출시되기 전이므로 관련 전공을 한 사람들 정도만 관심이 있었다. 그리고 2022년 1월 마침내 GPT-3.5 모델을 출시했는데, 이 모델은 GPT-3 모델을 미세조정하여 개선한 모델이다. GPT-3.5모델은 챗GPT에서 활용하는 GPT 모델로 전작에 비해 인간 피드백 강화 학습을 추가하였고, 할루시네이션 현상, 편향성 등을 개선한 모델이다. 모델 발표 이후 누구나 사용 가능한 챗GPT(GPT-3.5기반)를 론칭하였다.

2023년 3월, OpenAI사는 GPT-4를 공개했는데, 전작과 달라진 큰 특징 중 하나는 멀티 모달^{Multimodal}을 도입하여 텍스트 데이터뿐만 아니라 이미지 등 다양한 종류의 데이터를 이해하고 처리할 수 있게 되었다는 점이다. 더불어 더 똑똑해지기까지 했다. 한국어를 비롯한 외국어에 대한 이해도 전작 대비 상당히 높아졌고, 미국 변호사 시험 등의 테스트에서도 뛰어난 성적을 거뒀다. 기억력도 훨씬 좋아져서 8,000개의 단어를 기억하던 GPT-3.5에 비해, 약 64,000개의 단어까지 기억하고 사용자의 질문에 맞춤형으로 대답할 수 있게 되었다.

하지만 GPT-4라고 해서 무조건 좋은 것만은 아니다. GPT-3.5에 비해 생성 속도가 비교적 느리고, 아직도 할루시네이션 문제가 완벽하게 해결되지는 않았으며, GPT-3.5와 마찬가지로 2021년 9월까지 한정된 기간의 정보를 제공한다. 또한, GPT-3.5는 무료로 사용할 수 있으나, GPT-4를 사용하려면 월 20달러를 내고 구독해야 한다. GPT-4를 사용하면 더욱 정확한 응답을 받을 수 있다는 장점이 있으므로 필요하다면 활용하는 것도 좋겠다. 다만, 학교 현장에서 교육용으로 사용할 때는 무료 플랜으로도 충분히 활용할 수 있다.

참고로 GPT-4를 무료로 사용할 수 있는 방법도 있다. 가장 쉬운 방법은 엣지 브라우저에서 마이크로소프트 빙챗^{MS Bing Chat}을 활용하면 된다. 빙챗은 챗GPT와 달리 최신 내용에 대한 답변이 가능하다. 물론, 빙챗도 GPT-4를 사용하므로 2021년 9월까지의 정보만 있으나, 부족한 것은 검색을 통해서 답변한다. 또한, 답변의 출처(링크)도 명확하게 밝혀주어 신뢰성을 더욱 높여주며, 채팅을 통해 원하는 이미지도 생성할 수 있다.

| 그림 3-2 | 마이크로소프트 빙챗(Bing Chat)

　지금까지 언급한 챗GPT, 빙챗 등 텍스트 생성형 AI는 학교 현장에서 정말로 다양하게 활용할 수 있다. 교수자의 업무를 경감할 수 있고, 수업 자료를 준비하는 데 활용할 수도 있다. 또한 학습자들은 자신들의 학습 보조 교사로 활용할 수 있으며, 과제를 수행하는 데 도움을 받을 수도 있다. 참고로 이번 장에서 다루는 도구들의 자세한 활용 방법은 다음 장의 다양한 수업 관련 사례에서 확인할 수 있다.

한국형 생성형 AI, 뤼튼

| 그림 3-3 | AI 포털을 표방하는 뤼튼
https://wrtn.ai/

    뤼튼^{wrtn.ai}은 한국형 생성형 AI 서비스로, 정식 론칭한 것은 2023년 1월이다. 서비스를 출시한 지 얼마 지나지 않은 2023년 6월에는 시리즈 A 투자를 유치하면서 생성형 AI의 돌풍을 이끌고 있다. 뤼튼은 GPT-4, 네이버의 하이퍼클로바 X, 자체 언어 모델 등 초거대 언어 모델을 활용한 인공지능 챗봇 포털 서비스를 운영하고 있어 이를 통해 다양한 일들을 수행할 수 있다.

    우선 채팅 서비스를 통해서 다양한 정보를 얻을 수 있는데, 챗GPT 등 기존 서비스들과는 몇 가지 차이점이 있다. 뤼튼은 한국어에 조금 더 특화된 서비스(글 쓰기, 요약, 번역 등)를 제공하며, 실시간 정보를 제공한다. 또한, 챗GPT에서 GPT-4 기능을 사용하려면 유료로 결제해야 하지만, 뤼튼에서는 무료로 사용할 수 있다. 더불어 뤼튼에서는 채팅을 통해서 이미지를 생성할 수 있어서 'OO 그려줘'라는 프롬프트만 입력하면 다양한 종류의 이미지를 바로 만들 수 있다.

뤼튼에서는 [툴]이라는 기능을 제공하는데, 예시로 제시된 툴을 통해서 다양한 목적에 맞는 콘텐츠를 빠르게 생성할 수 있다. 예를 들어 블로그, 리포트 초안, 자기소개서, 이메일, 유튜브 시나리오 등 다양한 유형의 콘텐츠를 손쉽게 만들 수 있다.

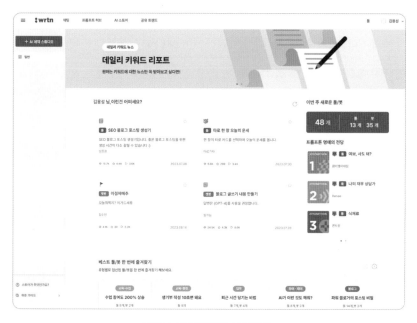

| 그림 3-4 | 뤼튼의 [AI 스토어] 기능

뤼튼의 [AI 스토어]에서는 다른 사용자가 직접 만든 여러 유형의 서비스를 쉽게 활용할 수 있다. 예를 들어 코드에 특화된 챗봇, 축구에 대한 답변을 잘하는 챗봇, 영어 대화를 잘하는 챗봇 등 여러 분야에 특화된 서비스를 이용할 수 있다.

하지만 뤼튼에도 단점이 있는데, 다른 이미지 생성형 AI 도구와는 달리 이미지 생성 품질을 조절하지 못한다. 미드저니 등 다른 이미지 생성형 AI 플랫폼은 미세조정을 통해서 이미지의 품질을 조절할 수 있으나, 뤼튼에서는 품질 조절이 어려우며 내려받은 이미지의 해상도도 높지 않다. 하지만 대부분 다른 이미지 생성형 AI는 영어를 기반으로 하나, 뤼튼은 한국어를 기반으로 하므로 편의성 측면에서는 장점이 있다.

뤼튼은 사용법이 간단해 초등학생부터 쉽게 사용할 수 있으며, 구글, 네이버 등의 아이디를 활용하여 쉽게 가입할 수 있다. 또한, 간단한 가입 절차만 거치면 모든 서비스를 무료로 활용할 수 있어, 학교 교육 현장에서 학습자들과 손쉽게 수업에 활용할 수 있다. 게다가 하나의 플랫폼에서 텍스트, 이미지 등의 멀티모달 서비스를 활용할 수 있으므로, 이 플랫폼 하나로 수업을 구성하기에도 편리하다.

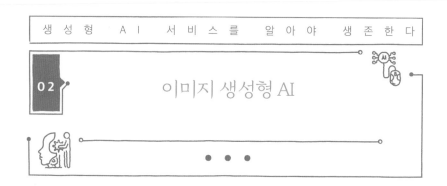

0 2 이미지 생성형 AI

• • •

이미지 놀이터, 플레이그라운드

| 그림 3-5 | **이미지 생성 도구 플레이그라운드**
https://playgroundai.com/

플레이그라운드^{Playground AI}는 이름에서 알 수 있듯이 이미지를 생성하며 놀

수 있는 놀이터와 같은 공간을 제공하는 이미지 생성형 AI 도구의 하나다.

비슷한 도구로 사용자들이 많이 사용하는 미드저니, 달리 3은 더욱 정교한 이미지를 생성할 수 있고, 상업적인 용도로도 활용할 수 있지만 유료로 결제해야 한다. 반면, 플레이그라운드는 구글 아이디를 통해서 쉽게 가입할 수 있으며, 대부분의 기능을 무료로 활용할 수 있다.

커뮤니티 피드^{Community Feed}에는 다양한 사용자들이 플레이그라운드에서 제작한 이미지들이 있으며, 해당 이미지를 제작하는 데 사용한 프롬프트를 무료로 확인할 수 있다. 따라서 다른 사용자의 프롬프트를 활용하여 새로운 이미지를 제작할 수 있으며, 프롬프트를 일부 수정하여 새로운 이미지를 생성할 수도 있다. 다만 프롬프트 입력에 한국어는 지원하지 않고 영어만 지원한다.

| 그림 3-6 | 플레이그라운드에서 생성된 이미지와 프롬프트

사용자가 원하는 프롬프트를 만들어 입력하고 [Generate] 버튼만 누르면 알아서 이미지들이 뚝딱 만들어진다. 생성된 이미지는 내려받을 수 있으며, 품질을 더욱 높일 수도 있다. 그리고 [Canvas] 기능을 통해 생성된 이미지의 일부분을 없애거나, 다른 이미지를 추가하는 등 수정도 가능하다. 또한, [Image to Image] 기능을 통해 내가 가진 사진을 기반으로 새로운 스타일의 사진을 재생성할 수도 있다.

| 그림 3-7 | 플레이그라운드 이미지 생성 예시

플레이그라운드에는 이미지 생성 과정에 필요한 다양한 미세조정 파라미터들이 있다. 어떤 생성 모델을 사용할지, 사이즈는 얼마로 할지, 프롬프트를 얼마나 정확하게 따를지 등 다양한 파라미터들이 있으며 이들을 조절하여 최적의 이미지를 만들어 낼 수 있다. 또한, 이미지 스타일을 변경할 수 있는 다양한 필터를 통해 동일한 프롬프트에 대해서 다른 느낌의 이미지를 만들 수도 있다.

플레이그라운드의 이미지 생성 기본 모델은 자체 모델과 스테이블디퓨전(1.5, XL) 모델을 사용한다. 더 빠르고 높은 품질의 이미지 제작을 원한다면 유료 플랜을 사용하는 것도 좋다.

하지만 플레이그라운드는 무료로도 괜찮은 품질의 이미지를 쉽게 만들수 있으므로 이미지 생성형 AI 중 학교 현장에서 활용하기에 가장 좋다. 이를 통해 교수자와 학습자는 다양한 수업과 활동에 이렇게 만든 이미지를 활용할 수 있을 것이다.

3D 이미지 생성, 스카이박스

| 그림 3-8 | **3D 이미지 생성 도구 스카이박스**
https://skybox.blockadelabs.com/

최근 메타버스라는 키워드가 큰 이슈가 되고 있으며, 교육 현장에서도 호응을 얻고 있다. 메타버스를 통해 가상의 학습 공간에 참여하여 수업을 듣고, 퀴즈를 풀며, 다른 학생들과 상호작용도 할 수 있다. 또한, 전 세계의 문화재나 위험한 건축 현장 등 우리가 쉽게 갈 수 없는 공간을 메타버스로 구성하여 교육에 활용할 수 있다.

스카이박스^{Skybox AI}는 생성형 AI 기술을 활용하여 360도 파노라마 이미지를 생성하는 서비스이며, 텍스트 입력만으로 3D 모델을 만들어낼 수 있다. 따라서 3D 모델링에 대한 기초 지식이 없어도 쉽게 메타버스 공간을 만들 수 있어 활용도가 매우 높다. 스카이박스는 블록케이드 랩^{Blockade Lab}에서 무료로 제공하는 서비스이며, 스테이블디퓨전을 생성 모델로 활용한다.

사용 방법은 영어로 된 프롬프트를 입력하고 [GENERATE] 버튼만 누르면 된다. 프롬프트의 길이는 총 383byte로 한정되어 있으며, 원하는 키워드를 쉼표로 구분하여 입력하거나 문장 형식으로 입력할 수도 있다. 생성 시간은 다른 생성형 AI와 비교하면 오래 걸리며, 입력한 프롬프트의 복잡도에 따라 시간이 더 걸리기도 한다. 사용자가 생성되는 3D 모델의 스타일도 직접 선택할 수 있어서, 원하는 유형의 스타일로 쉽게 변경할 수 있다. 생성된 결과는 jpg 형식으로 된 3d 텍스처 형태로 내려받을 수 있으며, 해당 파일을 오큘러스 등의 VR 기기에 넣어 활용할 수 있다. 또한, 완성된 결과는 url 형태로 타인에게 공유할 수도 있다.

더욱 높은 품질의 결과물을 얻으려면 최대한 상세하게 프롬프트를 입력하는 것이 좋으며, 가급적 키워드 중심으로 작성하는 것이 좋다. 또한, 사람이나 동물과 같은 특정 객체보다는 풍경이나 환경 등을 중심으로 생성하는 서비스라는 사실을 알고 사용하는 것이 좋다. 즉, 사람이나 동물 등의 객체는 잘 표현되지 않을 수 있다.

| 그림 3-9 | 스카이박스를 통해 생성한 결과물 예시

완성된 결과물은 리믹스 기능REMIX THIS을 통해서 추가로 수정할 수 있다. 즉, 완성한 결과물이 마음에 들 때 세부 요소를 수정하기 위해 사용하는 기능이다. 전체 구조는 그대로 유지하고, 배경이나 구조물의 색을 변경하거나 특정 구조물을 제거하는 등의 기능을 활용할 수 있다.

| 그림 3-10 | 리믹스 기능을 통해 변화를 준 결과물 예시

스카이박스는 다른 이미지 생성형 AI와 달리, 한 번에 하나의 작품만 만들 수 있다는 한계가 있어, 원하는 결과물을 얻으려면 여러 번의 생성 과정

을 거쳐야 한다는 단점이 있다. 하지만 양질의 결과물을 비교적 단시간 내에 얻을 수 있어 유용하게 사용할 수 있다.

학교 현장에서는 메타버스를 활용한 교육, 자신만의 3D 공간 만들기, 해외 유적지 만들어 보기 등 다양한 활동과 연계할 수 있다. 또한, 이 플랫폼에서 사용한 프롬프트를 다른 이미지 생성형 AI에서도 활용할 수 있으므로, 서로 다른 플랫폼 활용을 연계한 수업을 구성할 때도 유용하다.

로고 생성, 브랜드마크

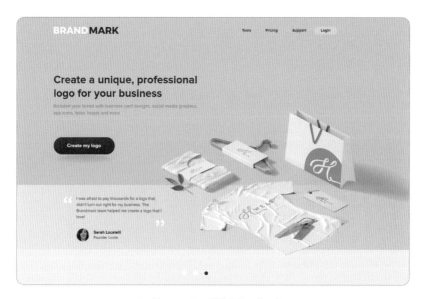

| 그림 3-11 | 로고 생성 도구 브랜드마크
https://brandmark.io/

누구나 한 번쯤 자신만의 회사를 창업해보고 싶다는 생각을 해 보았을 것이다. 회사의 대표가 되어 사업을 운영해보는 꿈을 꾸는 것이다. 요즘 학생들에게는 기업가 정신이라는 교육을 통해 취업만이 전부가 아니고, 창업이라는 진로도 있다는 것을 알려주기도 한다. 창업할 때 브랜드를 만들고 로고를 제작하는 것은 회사의 얼굴을 만드는 것과도 같다. 이러한 일들은 지금까지 디자이너의 손을 거쳐야 했으며, 꽤 전문적인 분야에 속했다. 단순히 로고나 브랜드를 만드는 것이 아니라, 각 회사가 추구하는 목표와도 일치해야 하기 때문이다. 게다가 학생들이 이러한 로고를 만드는 것은 상상도 할 수 없는 일이었다.

하지만 이제 로고를 생성할 수 있는 AI가 등장했다. 브랜드마크^{brandmark}는 생성형 AI 기술을 활용하여 브랜드 로고를 만들어 낼 수 있는 서비스다. 1백만 개 이상의 로고를 학습하여 사용자에게 적합한 최적의 로고를 만들어 낸다.

사용 방법도 간단해서 브랜드 이름, 슬로건(옵션), 브랜드 키워드, 색상 스타일을 선택하기만 하면 자동으로 로고를 제작해준다. 자동으로 제작된 로고는 상당히 다양한 유형이 나오며 사용자는 원하는 로고를 고르기만 하면 된다.

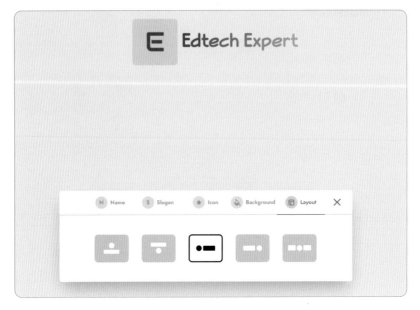

| 그림 3-12 | 브랜드마크 활용 예시

제작한 로고는 세부적으로 수정할 수 있는데, 브랜드 이름, 슬로건, 아이콘, 배경화면, 레이아웃 등을 직접 수정하여 나만의 로고를 제작할 수 있다.

로고를 내려받으려면 유료 플랜을 사용해야 하는데, 월별 구독 모델이 아니고 한 번 결제하면 계속 사용할 수 있는 권한을 준다. 교육 용도로 사용할 때도 무료로 제공되지는 않는다. 그러므로 생성한 로고를 내려받아 사용해야 하는 경우가 아니라면 로고 만들기 정도로 체험 활동을 수행하는 것이 좋다.

이외에도 브랜드마크에서는 다양한 기능을 추가로 제공한다. AI 색상 휠 AI Color Wheel이라는 기능은 회색조의 로고에 자동으로 다양한 색상을 입혀준다. 또한, 로고 크런치Logo Crunch라는 기능을 활용하면 저해상도의 로고를 업로드하여 고해상도의 로고로 제작할 수 있으며, 다양한 해상도의 로고로 변환할 수도 있다. 그리고 로고 랭크Logo Rank 기능을 통해 자신이 만든 로고를 업로드하고 독창성, 가독성, 색상/대비 등에 대한 점수를 확인할 수 있다.

학교 현장에서는 브랜드마크를 활용하여 학급 고유의 로고 제작, 자신만의 명함 만들기, 로고 디자인 대회 등을 통해 학습자들이 생성형 AI 기술을 직접 체험할 기회를 제공할 수 있을 것이다.

03 동영상 생성형 AI

나만의 가상 아나운서 생성, 플루닛 스튜디오

| 그림 3-13 | AI 휴먼 생성 플랫폼 플루닛 스튜디오
https://studio.ploonet.com/

생방송 뉴스를 진행하는 아나운서를 보면 어떻게 저렇게 말을 잘 하지? 나도 저렇게 할 수 있을까? 라는 생각을 해본 적이 있을 것이다. 하지만 실제로 카메라 앞에 서면 제대로 말을 할 수 없는 경우가 대부분일 것이다. 그렇다면 우리가 하고 싶은 대사를 아나운서에게 직접 읽어 달라고 부탁할 수는 없을까? 아나운서에게 직접 부탁하는 것도 매우 어려운 일이고, 실제로 아나운서를 만나기는 더욱 쉽지 않다. 최근 유튜버 등 온라인에서 활동하는 크리에이터 중 자신의 얼굴을 드러내지 않고 콘텐츠 제작 활동을 하는 경우도 많다. 자신의 얼굴에 가상의 가면을 씌우기도 하고, 실제로 말하는 것처럼 영상을 제작하여 넣는 경우도 있다. 요즘은 AI 휴먼과 관련된 기술이 상당히 좋아지면서 이를 활용하여 제작된 영상도 자주 만나볼 수 있다.

이렇게 나만의 AI 휴먼 아나운서를 만들 수 있는 서비스로 플루닛 스튜디오^{Ploonet Studio}가 있다. 이 서비스는 생성형 AI 기술을 활용한 방송, 영상 플랫폼이다. 사용자가 대본을 제공하면 AI 휴먼 아나운서가 자동으로 읽어주는 서비스이며, 다양한 AI 휴먼을 선택하여 활용할 수 있다.

이 플랫폼을 사용하면 기존에 모델을 섭외하고 촬영, 편집까지 해야 하는 프로세스를 획기적으로 단축할 수 있으며, 실제로 시간과 비용의 1/6 정도를 절약할 수 있다고 한다.

| 그림 3-14 | 플루닛 스튜디오에서 제공하는 다양한 메타 휴먼

먼저 다양한 메타휴먼 중 원하는 유형의 휴먼을 선택하고, 휴먼의 스타일
(정장, 캐주얼 등)을 선택한다. 그리고 다양한 자세(서 있는 자세, 의자에 앉은 자
세 등)를 선택한 후, 마지막으로 보이스 톤을 선택하면 1차 선택이 마무리된
다. 다음으로 스크립트를 입력해야 하는데, 사용자가 직접 제작한 스크립트
를 넣을 수도 있고 플러그인 형식으로 연결된 챗GPT에 프롬프트를 입력하
여 산출된 결과를 활용해도 된다.

| 그림 3-15 | 플루닛 스튜디오에서 제공하는 편집 기능

편집 창 하단에는 대본, 스크립트, 배경 등 다양한 영상 효과를 추가하는 기능이 있으며, [영상 생성] 버튼을 누르면 AI 휴먼이 내가 만든 스크립트를 자연스럽게 읽어주는 영상이 제작된다.

서비스에 가입하기만 하면 매월 20,000 크레딧이 무료로 제공되는데, 약 20분의 영상을 제작할 수 있는 크레딧이다. 20분 이상의 영상을 제작하려면 유료 플랜을 구매해야 한다. 물론, 교육 현장에서는 20분의 영상으로도 수업용으로 충분하게 활용할 수 있다.

플루닛 스튜디오는 학교 현장에서 다양하게 활용할 수 있는데, 학습자들의 뉴스 활용 수업에서 실제로 제작한 뉴스를 영상으로 만드는 활동을 할 수 있으며, 학급 소개 영상을 만들 수도 있다. 또한, 모둠별 발표를 할 때 이를 활용하면 조금 더 색다른 발표 영상을 제작할 수 있다.

텍스트만으로 동영상 생성, 픽토리

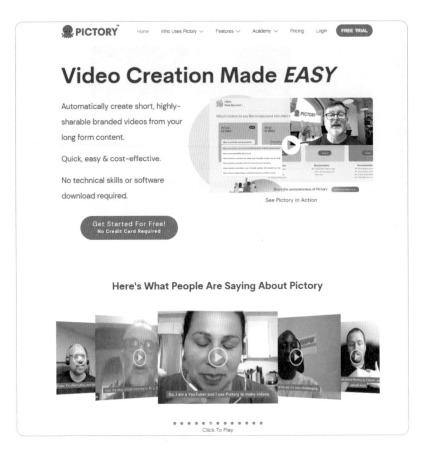

| 그림 3-16 | 동영상 생성 도구 픽토리
https://pictory.ai/

　　스크립트가 있을 때 이를 자동으로 영상으로 만들어준다면 꽤 많은 시간을 절약할 수 있을 것이다. 콘텐츠 생성 분야의 끝판 왕, 동영상 생성형 AI를 소개한다.

　　픽토리^{PICTORY}는 생성형 AI 기술을 활용하여 손쉽게 동영상을 제작해주는 서비스다. 별도의 설치가 필요 없으며 구글 아이디로 간편하게 가입할 수 있다. 입력하는 언어는 영어이며 한국어는 아직 지원하지 않는다.

픽토리 플랫폼에서는 [Script to Video], [Article to Video], [Edit Videos using Text] 등 여러 종류의 서비스를 제공한다. 그중에서 가장 유용하게 쓸 수 있는 [Script to Video] 서비스를 살펴보자.

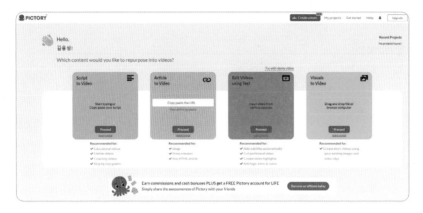

| 그림 3-17 | 픽토리에서 제공하는 다양한 서비스

[Script to Video] 서비스는 우리가 가진 스크립트를 입력하면 AI가 자동으로 해당 문장을 인식하고, 키워드를 추출하여 해당 키워드와 어울리는 영상을 제작해준다. 교육 현장에서는 교육용 영상이나 단계별 가이드 등을 제작하는 데 이 서비스를 활용할 수 있다. 정말 놀랍지 않은가? 우리가 가진 도서나 텍스트만 입력하면 영상이 자동으로 생성된다니! 예전에 소개 영상을 만들려고 영상 편집 프로그램으로 며칠을 고생한 기억이 새록새록 떠오른다. 하지만 이제는 AI의 도움으로 불과 몇 분만에 비교적 완성도 높은 영상을 제작할 수 있다.

그렇다면 간단한 사용법을 알아보자. 먼저 [Script to Video] 서비스의 [Proceed] 버튼을 누르면 나오는 Script editor에 영상의 제목과 스크립트를 차례대로 입력해야 한다. 여기에서 주의할 점은 스크립트는 줄 단위로 구분해야 한다는 점이다. 한 줄에 여러 스크립트가 들어가면 장면 하나에 이들 스크립트가 모두 포함되어 버리기 때문이다. 따라서 키워드가 잘 들어간 문장을 입력한 후 영상 제작 버튼^{Proceed}을 누르면 자동으로 스크립트가 포함된 영상이 제작된다. 다음은 스크립트의 예시이며, 해당 스크립트를 입력하면 다음 그림과 같은 결과를 확인할 수 있다.

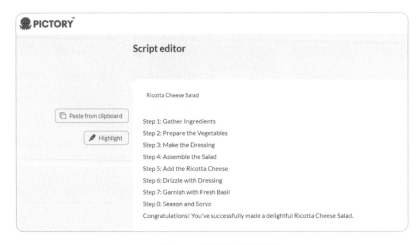

| 그림 3-18 | 픽토리 스크립트 예시

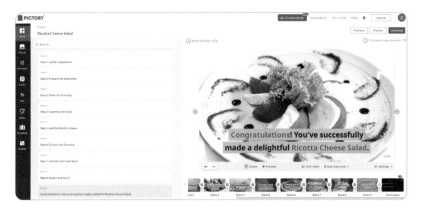

| 그림 3-19 | 픽토리 스크립트를 통해 생성된 결과물

생성한 영상은 편집 페이지에서 영상 순서를 조절하거나, 스크립트로 만들어진 샘플 영상을 쉽게 변경할 수 있다. 또한, 영상의 배경 음악을 변경하거나, 보이스 오버 기능을 통해 AI가 자동으로 스크립트를 읽게 할 수도 있다. 다만 한국어는 지원되지 않기 때문에 별도로 음성을 만들어서 올려야 한다.

서비스에 처음 가입하면 10분짜리 영상을 3개까지 무료로 만들 수 있게 지원한다. 그 이상은 월 19달러 이상을 지불해야 하므로 무료 플랜을 사용해보고 필요하다면 가입하는 것을 추천한다. 교육 현장에서도 학급 소개 영상 제작하기, 수행평가 결과 발표 영상 제작하기, 답사 영상 제작하기 등 다양한 용도에 픽토리와 같은 영상 생성 서비스를 활용할 수 있다. 픽토리에서 제공하는 다른 기능들도 교육용으로 충분히 활용할 수 있으니 추가로 사용법을 익혀 활용해도 좋겠다.

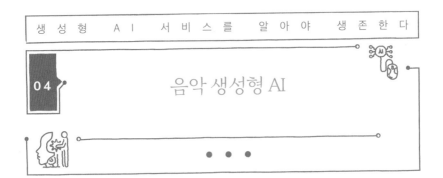

04 음악 생성형 AI

다양한 장르의 음악 생성, 아이바

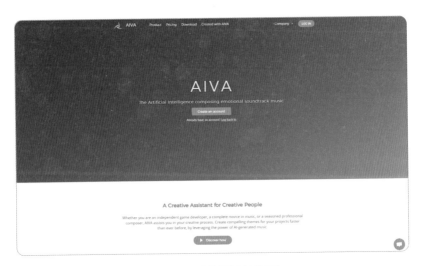

| 그림 3-20 | **음악 생성 도구 아이바**
https://www.aiva.ai/

필자는 음악 작곡과 관련된 경험이 전혀 없다. 학교 현장의 교사, 교수 등 대부분이 음악 작곡을 경험해본 적이 없을 것이다. 학생들도 대부분 마찬가지가 아닐까 한다.

만약 본인이 유튜브를 운영한다면, 유튜브에 사용할 배경 음악이 필요할 때가 있을 것이다. 또한, 학교 수업에서 동영상 제작 활동을 하여 유튜브 등에 올릴 때도 배경 음악이 필요하다. 이때 쉽게 구할 수 있는 음원을 내려받아 영상에 삽입할 경우 저작권 문제가 발생할 수 있다.

아이바^AIVA는 이러한 어려움을 해결해 줄 수 있다. 아이바는 Artificial Intelligence Virtual Artists를 의미하며, 작곡가 협회에 등록된 최초의 AI 작가로도 알려져 있다. 클래식, 재즈, 팝 등 다양한 장르의 음악을 생성형 AI 기술을 활용하여 클릭 몇 번만으로 만들어 낼 수 있다. 아이바는 사용자가 특정 음악 장르, 키, 길이 등을 선택하면 자동으로 입력에 맞는 음악을 생성해 준다.

| 그림 3-21 | 아이바가 생성할 수 있는 다양한 장르의 음악

아이바를 활용하면 배경 음악이 많이 활용되는 분야인 게임, 광고, 영화

등에 사용할 음악을 불과 몇 분만에 쉽게 만들어 낼 수 있다. 만약 원하는 스타일의 음악이 아니라면 계속 다른 음악을 생성할 수 있으며, 완성된 음악은 MP3, MIDI, WAV 형식의 파일로 내려받아 다양한 곳에 활용할 수 있다.

사운드로soundraw라는 서비스도 유사하지만, 실제로 음원을 내려받으려면 유료 결제가 필요하기 때문에 학교 현장에서 사용하기에는 적절치 않다. 물론, 사운드로와 비교할 때 아이바가 제공하는 음악 장르가 조금 더 적으나, 교육용으로 사용할 때는 큰 문제가 되지 않는나.

아이바는 바흐, 베토벤 등의 유명한 작곡가의 악보 데이터를 3만 곡 이상 학습하였고, 이 데이터를 기반으로 높은 완성도의 음악을 1분 내에 만들어 준다. 만약 기존 음악 스타일과 유사한 음악을 만들고 싶다면 기존 음악 파일을 업로드하고 이를 색다르게 변화시킬 수 있다.

아이바를 사용하기 위한 요금 정책을 살펴보면 무료 플랜은 한 달에 3곡까지 무료로 내려받을 수 있으나, 저작권은 아이바에게 있다. 하지만 월 33 유로를 지불하면 저작권까지 사용자에게 귀속되니 필요하다면 유료 플랜을 구매하여 활용하는 것도 좋겠다.

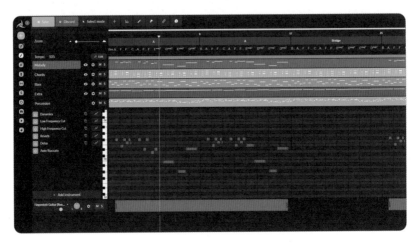

| 그림 3-22 | 아이바가 생성한 음악의 세부 편집 기능

생성한 음악을 세부적으로 편집할 수 있는 기능도 제공한다. 이 기능을 제대로 활용하려면 기본적인 음악 지식이 있어야 해서, 비전문가가 손을 대기는 어려웠다. 아마 음악과 관련된 공부를 조금이라도 해본 사람이라면 쉽게 음악을 자신만의 스타일로 수정할 수 있을 것으로 생각된다.

학교 현장에서도 아이바와 같은 음악 생성형 AI를 다양한 곳에 활용할 수 있다. 먼저 음악 교과 시간에 음악을 만들어 보는 프로젝트를 수행할 수 있으며, 유명한 작곡가와 유사한 음악을 만드는 활동도 해 볼 수 있다. 또는 사용자 제작 콘텐츠[UCC]를 만드는 활동에서 배경 음악을 직접 만들어 영상에 넣고, 이를 유튜브나 틱톡 등의 영상 공유 플랫폼에 활용할 수도 있을 것이다.

이미지로 음원 생성, 멜로바이츠

| 그림 3-23 | 다양한 기능이 있는 멜로바이츠
https://melobytes.com/en/

우리가 가진 이미지를 활용하여 음악을 제작할 수는 없을까? 생각보다 새로운 시도로 보이지만, 이제 생성형 AI의 도움으로 쉽게 음악을 제작할 수 있는 시대가 되었다. 배경 음악뿐만 아니라 가사가 있는 음악을 만들어

줄 수도 있다. 정말 예술가의 영역을 모조리 빨아들이고 있는 생성형 AI라고 해도 과언이 아니다.

이미지를 활용하여 음악을 제작하는 서비스 중 교육용으로 활용하기 편리한 것은 단연 멜로바이츠^{melobytes}이다. 가입은 구글 아이디로 간편하게 가입할 수 있으며, 한국어 서비스는 지원하지 않는다. 하루에 5개의 크레딧이 제공되어, 5개의 작품을 무료로 생성할 수 있다. 물론 추가로 이용하려면 유료 플랜을 구매해야 하지만 교육 현장에서는 대부분 무료 플랜으로도 충분하다.

멜로바이츠에는 다양한 기능이 있으며, 그중 AI를 활용하여 만들 수 있는 서비스들을 다음 그림에서 확인할 수 있다. 이미지를 노래나 사운드로 바꾸어 주는 기능, AI를 활용하여 스토리가 있는 비디오를 제작하는 기능 등 매우 다양한 서비스를 제공한다.

| 그림 3-24 | 멜로바이츠에서 제공하는 대표적인 기능들

여기서 모든 기능을 소개하기에는 한계가 있으므로, 이미지를 사운드로 변경하는 부분만 살펴보자. 나머지는 독자의 몫으로 남겨둔다. 기능 중 [AI Image to sound]라는 기능을 클릭하면 다음과 같은 화면이 나온다. 사용 방

법은 매우 간단한데, 이미지를 업로드하고 설정을 조금 조정한 후 [Create] 버튼을 누르면 끝이다. 생성된 음악의 톤이나 템포 등이 마음에 들지 않는다면 세부 설정을 미세조정하여 다시 만들면 된다. 다만, 앞서 말했듯이 하루에 무료로 만들 수 있는 개수가 정해져 있다는 점에 유의하자.

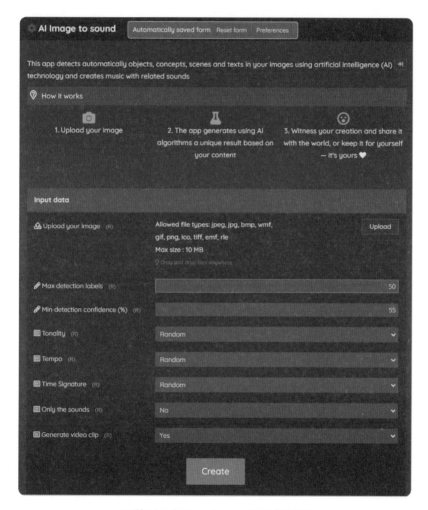

| 그림 3-25 | [AI Image to sound] 기능 활용 예시

이렇게 만든 음악은 음악만 내려받거나 음악과 이미지를 함께 비디오 클

립 형식으로 내려받는 등 다양하게 활용할 수 있다.

멜로바이츠에는 다 써보지도 못할 정도로 기능이 많으며, 이게 될까? 싶은 것들도 있다. 앞에서 보았던 플레이그라운드 같이 텍스트를 이미지로 바꾸어 주는 기능도 제공하며, 이미지를 활용하여 애니메이션을 그릴 수도 있다. 이외에도 다양한 기능들이 있으니 시간이 허락한다면 하나씩 활용해보기 바란다. 아마도 멜로바이츠는 AI 통합 서비스를 꿈꾸는 것 같다.

교육 현장에서 멜로바이츠를 어떻게 활용할 수 있을까? 이렇게 많은 기능으로 무장한 서비스를 활용하면 하나의 플랫폼에서 다양한 활동을 수행할 수 있을 것이다. 텍스트를 활용하여 이미지를 만들고, 그렇게 만들어진 이미지를 활용하여 노래나 배경 음악을 만들 수도 있다. 그리고 텍스트 생성형 AI를 활용하여 만든 스크립트를 기반으로 애니메이션 등을 제작할 수도 있겠다. 활용 가능성이 무궁무진하므로, 하루 크레딧 제한 부분만 잘 신경 쓴다면 학교 현장에서 유용하게 활용할 수 있을 것이다.

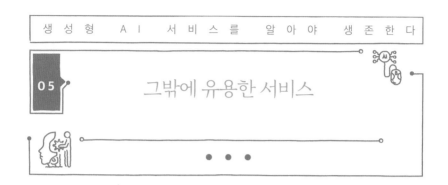

05 그밖에 유용한 서비스

. . .

프롬프트 검색, 프롬프트 히어로

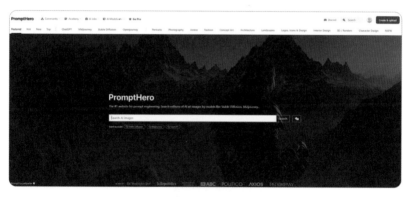

| 그림 3-26 | 프롬프트 검색 도구 프롬프트 히어로
https://prompthero.com/

생성형 AI를 활용하여 수업하다 보면 학생들과 가장 큰 문제에 부딪히는 것이 양질의 프롬프트를 만들어서 입력하는 부분이다. 프롬프트는 대부분 영어로 이루어져 있으며, 생성형 AI 서비스마다 원하는 프롬프트의 형식도 약간씩 다르다. 프롬프트를 제대로 입력하지 않으면 양질의 결과물을 얻기가 쉽지 않기 때문에, 사실 가장 중요한 작업이라고 해도 무방하다.

프롬프트 베이스 https://promptbase.com/라는 사이트도 이용할 수 있으나, 상대방이 올린 사진의 프롬프트를 보려면 약 3~4달러의 비용을 지불해야 한다. 따라서 학교 현장에서 활용하기는 어렵다.

지금 소개하는 프롬프트 히어로 PromptHero는 이러한 어려움을 해결해 줄 수 있는 서비스다. 생성형 AI 도구를 사용하여 제작한 다양한 이미지나 챗GPT 프롬프트를 검색할 수 있는 서비스인데, 대부분의 기능을 무료로 사용할 수 있다. 월 9달러의 비용을 내면 프롬프트 히어로 사이트 사체에서 이미지를 생성할 수 있어 조금 더 편리하다. 하지만 프롬프트만 얻고자 한다면 굳이 유료 결제를 하지 않아도 충분히 활용할 수 있다.

사용 방법도 간단하다. 예를 들어 우리가 만들고자 하는 이미지가 교량이라고 해보자. 프롬프트 히어로의 검색 창에 'bridge'라고 입력하면 교량과 관련된 다양한 이미지가 나온다. 검색된 이미지 중에서 원하는 이미지를 클릭하면 해당 이미지를 만드는 데 사용한 프롬프트가 나온다. 이 프롬프트를 활용하면 이미지 생성형 AI를 통해 유사한 이미지를 생성할 수 있다.

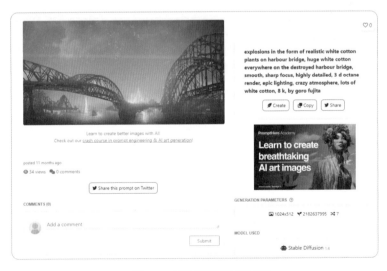

| 그림 3-27 | 프롬프트 히어로 활용 예시

챗GPT에 활용할 프롬프트도 검색을 통해서 얻을 수 있다. 예를 들면 스타트업 아이디어 생성기Startup Idea Generator, UI/UX 개발자를 위한 도우미UX/UI Developer, 미드저니 프롬프트 제작기Midjourney Prompt Generator 등 챗GPT 기능을 최고로 활용할 수 있는 프롬프트를 무료로 제공하고 있다. 사용자는 원하는 키워드로 챗GPT 프롬프트를 검색하고, 해당 프롬프트를 붙여 넣어 활용하기만 하면 된다.

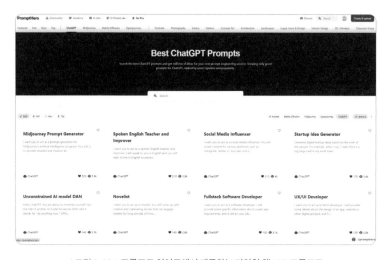

| 그림 3-28 | 프롬프트 히어로에서 제공하는 다양한 챗GPT 프롬프트

프롬프트 히어로에서는 가장 인기가 많은 프롬프트Hot, 신규 프롬프트New 등을 확인하는 기능을 제공하며, 챗GPT, 미드저니, 스테이블디퓨전 등에서 활용할 수 있는 프롬프트를 구분하여 제공한다. 즉, 사용자가 사용하는 플랫폼의 종류가 다르더라도 다양한 프롬프트를 얻을 수 있다.

이렇게 프롬프트 히어로를 학교 현장에서 이용하면 교수자와 학습자들은 자신들이 만들어야 할 텍스트나 이미지 생성에 필요한 기초 프롬프트를 다양하게 수집할 수 있으며, 이렇게 수집한 프롬프트를 여러 방법으로 조합하여 최상의 결과를 만들 수 있다. 또한, 어떤 프롬프트를 입력해야 원하는 결과물이 나오는지 감이 오지 않는 학습자들은 이러한 플랫폼을 통해서 기초 프롬프트 생성 방법을 익힐 수 있을 것이다.

프레젠테이션 생성, 감마앱

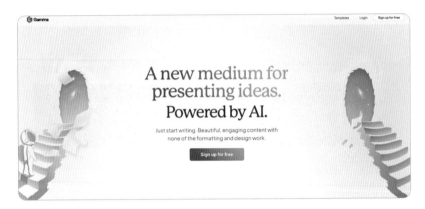

| 그림 3-29 | 프레젠테이션 제작 도구 감마앱
https://gamma.app/

학교 현장에서 발표 자료 작성은 항상 시간이 걸리고 어려운 일이다. 교수자나 학습자 모두에게 필요하지만 번거로운 업무 중 하나다. 하지만 감마앱을 사용하면 이러한 번거로움을 상당히 줄일 수 있다. 감마앱^{Gamma App}은 생성형 AI 기술을 활용하여 1분이면 원하는 주제의 프레젠테이션 초안을 만들어주는 서비스이다. 프레젠테이션 자료뿐만 아니라 문서, 웹페이지도 쉽게 제작해준다.

감마앱 서비스에는 생각보다 많은 장점이 있다. 우선 생성형 AI가 빠른 시간에 PPT를 자동으로 만들어 주기 때문에 사용자의 시간과 노력을 아낄 수 있다. 또한, 다양한 종류의 템플릿이 있어 사용자가 원하는 스타일을 쉽게 선택할 수 있고, 마음에 들지 않으면 쉽게 변경할 수 있다. 다른 생성형 AI 서비스는 영어만 사용해야 해서 불편한 점이 있지만, 감마앱은 한국어 서비스를 제공하므로 편리하게 사용할 수 있다. 또한, 웹에서 완성된 프레젠테이션은 PDF나 PPT 파일로 내려받아 다시 수정하여 활용할 수 있고, 다른 사용자와 공유하거나 공동 작업도 가능하다.

사용법도 간단해서 프롬프트에 원하는 주제만 입력하면, 해당 주제에 맞는 세부 목차들이 자동으로 생성된다. 목차가 마음에 들지 않으면 수정할 수 있으며, 최종 목차를 결정하고 버튼을 누르면 자동으로 프레젠테이션이 생성된다. 생성된 프레젠테이션은 순서 변경, 스타일 변경, 삽입된 이미지 변경 등 다양한 세부 작업을 추가로 할 수 있다.

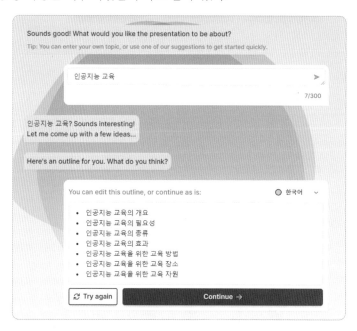

| 그림 3-30 | 감마앱을 활용한 프레젠테이션 생성 예시

감마앱은 서비스를 처음 가입한 사용자에게 400크레딧을 제공하며, 프레젠테이션을 1회 제작할 경우 40크레딧이 차감된다. 즉, 가입 후 10개의 프레젠테이션을 무료로 제작할 수 있고, 이후 월 20달러를 내면 무제한으로 서

비스를 이용할 수 있다.

하지만 감마앱은 아직 서비스 개발 초기 단계이므로 원하는 수준의 프레젠테이션 자료를 만들기는 어렵다. 초안을 만드는 정도로 생각하고, 구체적인 내용은 사용자가 직접 수정해야 한다. 그렇다고 해도 들이는 시간 대비 비교적 높은 품질의 결과를 얻을 수 있으므로 교육 현장에서 널리 활용할 수 있을 것이다. 교수자나 학습자가 발표 자료를 만드는 시간, 관련 자료나 그림을 찾는 시간 등을 획기적으로 줄일 수 있기 때문이다. 아마 지금까지 발표 자료 제작에 쏟았던 노력과 시간은 앞으로 새롭게 만들어질 생성형 AI 프레젠테이션 도구로 인하여 획기적으로 줄어들 것이다. 불과 몇 년 뒤면 PPT를 직접 하나하나 만들고 있는 사람을 이상하게 생각하는 날이 오지 않을까?

웹툰 생성, 투닝

| 그림 3-31 | 웹툰 생성 도구 투닝
https://tooning.io

최근 MZ 세대의 웹툰 이용 현황'을 살펴보면 10대인 Z 세대의 웹툰 이용 경험률은 87.6%이며 20대 이상의 밀레니얼 세대도 69.1%로 나타났다. 즉,

지금의 초중고생과 대학생들은 웹툰이라는 콘텐츠를 자연스럽게 소비하고 활용하는 세대인 것이다.

지금까지는 웹툰을 보기만 했지 자신이 원하는 웹툰을 제작한다는 것은 꿈에도 생각하지 못했을 것이다. 최근 웹툰 작가들의 유명세에 힘입어 웹툰 작가를 꿈꾸는 학생들도 많다. 웹툰을 그리려면 콘텐츠를 기획하고 그림을 그리며 채색도 해야 한다. 물론, 단순하게 그림만 잘 그린다고 해서 성공하는 것도 아니다. 지금까지는 그림에 정말 재능이 없는 사람들이 웹툰 작가가 된다는 것은 거의 불가능한 일처럼 여겨졌다.

그러나 이제는 누구나 원하는 웹툰을 그리는 작가가 될 수 있는 시대가 열릴지 모른다. 내가 원하는 웹툰을 생성형 AI가 '뚝딱'하고 그려주는 서비스가 등장한 것이다. 투닝Tooning은 2022년 CES에서 처음 선보이면서 사람들의 이목을 끌었고 최근에는 학교에서 교육용으로도 많이 사용하는 추세다.

투닝은 사용자의 스토리를 기반으로 웹툰을 만들어 주는 서비스다. 직접 그림을 그릴 필요 없고 텍스트만 입력하면 된다. 그러면 투닝에서 제공하는 생성형 AI가 자동으로 텍스트에 맞는 웹툰을 만들어 준다. 구체적으로 투닝 내에 [문장으로 툰 생성]이라는 기능을 통해서 특정 인물과 상황, 발화 부분을 입력하면 자동으로 상황에 맞는 배경과 캐릭터를 골라서 웹툰을 제작해 준다. 또한, 웹툰에 등장하는 캐릭터는 사용자가 직접 선택할 수 있으며, 캐릭터의 표정, 포즈, 발화 등 다양한 부분을 직접 변경할 수 있다.

| 그림 3-32 | 투닝으로 생성한 웹툰 페이지

　이용 요금은 무료 요금제와 프로 요금제(월 12,000원)가 있는데 교사나 교수 등의 교육자에게는 무료로 제공하고 있다. 현재 근무하는 학교와 대상 학년, 교사 재직 관련 서류를 첨부하여 신청하면 빠른 시간 내에 승인되어 다양한 기능을 무료로 활용할 수 있다. 학교 현장에서는 교과와 관련된 웹툰 만들기, 학교 폭력 예방과 같은 캠페인 관련 웹툰 만들기, 동아리 활동 등 다양한 활동과 연계할 수 있다. 학습자들은 학습뿐만 아니라 다양한 주제로 웹툰을 제작해 봄으로써 더욱 흥미로운 경험을 할 수 있고 다양한 창의력을 발휘할 수 있는 기회를 얻을 수 있게 된다.

생성형 AI와 함께하는
프로젝트 수업

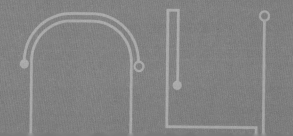

이번 장에서는 생성형 AI를 다양한 교과 및 전공 수업에서 활용할 수 있는 프로젝트 수업을 제시한다. 여기에서 제시하는 프로젝트 수업은 특정 교과나 학교급에만 한정된 것이 아니며 여러 교과의 주제를 융합하여 운영할 수 있는 사례다. 우선 주제를 크게 분류하여 각 프로젝트별 주요 활용 과목과 진공을 기재해 놓았다. 이들 사례를 바탕으로 교수자의 아이디어를 확장한다면 더욱 다양한 생성형 AI 활용 수업을 만들어 낼 수 있을 것이다.

AI 뉴스 제작 프로젝트

01

국어/언론/미디어 분야

최근 학습자들은 뉴스와 같은 텍스트를 읽는 것보다 동영상 매체를 통해 정보를 얻는 것을 더욱 선호한다. 실제로 한 통계에 따르면 네이버, 구글 등 검색엔진 대신 유튜브를 활용하여 검색한다는 사용자가 많았으며, 특히 10~20대가 다른 연령대에 비해 유튜브를 검색에 활용하는 비중이 높았다. 그만큼 학습자들은 유튜브와 같은 영상 매체에 익숙해져 있는 것이 사실이다. 이러한 상황에서 뉴스와 같은 텍스트 매체를 활용한 수업의 중요성은 더욱 커지고 있다.

신문 활용 수업 혹은 뉴스 활용 수업으로 불리는 NIE^Newspaper in Education라는 수업은 학습자들의 문해력과 비판적 사고 등을 향상할 수 있는 방법으로 다양한 교과목과 연계하여 활용되고 있으며, 이와 연계된 여러 연구도 이루어지고 있다. 한 연구 결과에 따르면 NIE 수업에 참여한 청소년은 그렇지 않은 청소년들보다 다양한 매체를 통해 뉴스를 더 많이 이용하는 것으로 나타났으며, 이는 자연스럽게 학습자들의 뉴스 리터러시 향상에 도움을 준다고 하였다.

이번 절에서 제시할 뉴스 제작 프로젝트는 특히 국어, 언론, 미디어, 교양 등의 수업에 활용할 수 있으며, 다양한 생성형 AI와 여러 교과의 연계를 통해 양질의 프로젝트 수업으로 이어나갈 수 있다.

- **대상** : 초·중·고·대
- **관련 과목** : 국어, 언론정보, 미디어, 저널리즘 등
- **활동** : 뉴스 기사 생성하기, 뉴스 기사 비평하기, 뉴스 기사 새로 작성하기, 뉴스 커버 이미지 생성하기, 뉴스 공유하기, 가상 아나운서를 활용한 뉴스 영상 생성하기, 생성된 뉴스 영상 공유하기
- **활용하는 생성형 AI 도구** : 챗GPT 또는 뤼튼, 플레이그라운드, 플루닛 스튜디오

뉴스 기사 생성하기

기존의 NIE는 일반적으로 다음과 같은 방법으로 수행한다. 먼저 수업 주제를 결정하고, 해당 주제에 맞는 다양한 뉴스나 신문을 검색한다. 최근에는 대부분 인터넷을 통해 뉴스를 검색하고 활용하기 때문에 검색한 뉴스를 출력하거나, 신문 일부를 오리기도 한다. 이후 해당 뉴스에 대한 자신의 생각을 표현한다. 긍정적인 부분, 비판적인 부분 등 다양한 사고를 통해 분석하여 자신만의 생각으로 정리한다. 이러한 과정을 통해 학습자들은 특정 주제에 대해 다양한 사고를 할 수 있으며, 이를 통해 미디어 리터러시 등의 역량을 향상할 수 있다.

생성형 AI의 발달로 이제는 뉴스 기사도 자동으로 작성하는 시대가 되었다. 학습자들도 이렇게 유용한 생성형 AI의 활용법을 습득하여 시대적인 경쟁력을 확보해야 할 필요가 있다. 따라서 여기서는 텍스트 생성형 AI를 활용하여 '미래 신기술'과 관련된 뉴스를 만들어 보는 수업을 진행한다. 다음은 텍스트 생성형 AI에 뉴스를 생성해달라고 요청하는 프롬프트의 예시다.

앞으로 약 10년 후에 개발될 자율주행차라는 주제로 기사 작성을 요청했으며, AI가 자동으로 적절하게 기사를 생성해주었는데 생각보다 기사의 질이 나쁘지 않다.

> 2034년 1월, 5단계 자율주행차가 CES에서 최초로 공개되었다는 가상의 뉴스 기사를 만들어줘. 기사 내용에는 개발된 자율주행차의 다양한 기능을 소개해야 하며, 20줄 이내로 작성하고, 중학생이 읽기 쉬운 수준으로 작성해줘.

제목 : Quantum Motors, CES 2034에서 놀라운 자율주행차 공개

2034년 1월 17일

라스베이거스, 네바다 - Quantum Motors가 CES 2034에서 "QuantumDrive"라는 매우 멋진 자율주행 자동차를 공개했습니다. 이 자동차는 매우 놀라운 일을 할 수 있습니다!

QuantumDrive에는 자체 눈처럼 작동하는 특수 센서가 있습니다. 이 센서는 자동차가 주변의 모든 것을 볼 수 있도록 도와주므로 어디로 가야 하는지, 어떻게 안전하게 지낼 수 있는지 알 수 있습니다.

인공지능이라는 놀라운 두뇌 덕분에 자동차도 매우 똑똑합니다. 이 두뇌는 정말 빠르게 생각하고 현명한 결정을 내릴 수 있습니다. 교통 체증을 원활하고 안전하게 운전하는 방법을 알고 있습니다.

차 안에는 편안한 좌석과 환상적인 엔터테인먼트 시스템이 있습니다. 나만의 개인 영화관을 갖는 것과 같습니다! 당신이 가야 할 곳으로 자동차가 당신을 데려가는 동안 당신은 게임을 하거나 멋진 가상 세계를 탐험할 수 있습니다.

그리고 무엇을 추측합니까? QuantumDrive는 휴대폰이나 태블릿과 같은 장치와도 대화할 수 있습니다. 길에 친구가 있는 기분! 좋아하는 모든 앱과 기능을 차 안에서 바로 즐길 수 있습니다.

안전은 QuantumDrive의 최우선 과제입니다. 문제가 발생할 경우를 대비한 백업 시스템이 있습니다. 또한 모든 사람이 안전하게 지낼 수 있도록 사람이 대신해야 할 때가 언제인지도 알고 있습니다.

Quantum Motors의 CEO인 Dr. Elizabeth Thompson은 이 놀라운 자동차에 대

해 정말 흥분했습니다. "QuantumDrive는 우리가 여행하는 방식을 바꿀 것입니다."
라고 그녀는 말했습니다. "모두에게 안전하고 편안하며 재미있을 것입니다."

QuantumDrive를 당장 사용할 수는 없지만 자율주행차가 우리 삶의 일부가 되는
미래를 향한 큰 발걸음입니다. 자동차가 모든 작업을 수행하는 동안 편안히 앉아 휴
식을 취하고 드라이브를 즐기는 것을 상상해 보십시오. 미래는 가능성으로 가득 차
있습니다!

하지만 생성형 AI에 모든 학습을 의존하면 안 된다. 생성형 AI를 통해 산
출된 결과물을 뉴스 기사로 바로 활용하기에는 뭔가 아쉬움이 남는다. 학습
자는 AI가 생성한 결과물을 맹신하는 습관을 버려야 하며, 항상 완벽하지
않은 결과물을 낸다는 관점으로 접근해야 한다. 따라서 앞에서 생성된 기사
를 기반으로 다음 활동을 수행한다.

1. 뉴스 기사 평가하기

생성형 AI가 만들어낸 뉴스 기사를 평가한다. 뉴스의 논리적 흐름, 기사의 품질, 현실
과의 괴리성 등 다양한 부분에 대한 평가를 수행한다. 이를 통해 학습자들은 생성된
뉴스를 있는 그대로 받아들이지 않고, 자신만의 뉴스 기사로 만들어 낼 수 있는 역량
을 향상할 수 있다.

2. 뉴스 기사 개선하기

학습자는 앞선 평가를 기반으로 현재 작성된 뉴스 기사를 자신만의 스타일로 개선한
다. 앞서 긍정적으로 생각했던 부분을 조금 더 강화하고, 비판적으로 생각했던 부분을
개선하여 자신만의 기사로 만들어 나가는 것이다. 뉴스 기사를 개선해 나가면서 논리
적인 문장 구성, AI가 작성한 부분 중 부족한 부분의 보완 등 다양한 활동을 수행할 수
있다.

3. 키워드 추출하기

학습자는 자신이 다시 작성한 뉴스 기사를 텍스트 생성형 AI에 입력하여 키워드 추출
을 요청한다. 이렇게 얻은 키워드는 뉴스 이미지 생성 작업에 활용한다.

AI가 작성한 기사를 학습자가 개선하여 수정한 결과 예시는 다음과 같다.

제목 : 현대자동차, CES 2034에서 놀라운 자율주행차 공개

2034년 1월 17일

현대자동차는 CES 2034에서 ≪A-lonic≫이라는 완전 자율주행 자동차를 세계 최초로 공개했다. 이 자동차에는 5단계 완전 자율주행을 구현하기 위한 다양한 기능들이 있다.

≪A-lonic≫에는 사람의 눈처럼 작동하는 특수 센서가 있으며, 이 센서는 자동차가 주변의 모든 것을 볼 수 있도록 도와주므로 주행 경로와 주변 환경 인식 등에 활용된다.

이번에 개발된 자율주행 자동차는 인공지능이라는 놀라운 기술 덕분에 더 빠르게 생각하고 이를 기반으로 결정을 내릴 수 있다. 이에 따라 교통 정체 구간을 빠르게 파악하고, 안전한 운전도 가능하다는 특징이 있다.

차량 내부에는 편안한 좌석과 환상적인 엔터테인먼트 시스템이 설치되어 있어 운행 중 영화 감상 및 게임 등 다양한 작업을 할 수 있다. 또한, 휴대폰이나 태블릿에 있는 다양한 앱을 차 안에서 바로 실행하여 활용할 수도 있다. 또한, 교통사고와 같은 위험한 상황이 발생할 경우 다양한 안전 장치가 탑승자를 보호한다.

현대자동차의 CEO는 이 놀라운 자동차에 대해 ≪A-lonic≫은 우리가 여행하는 방식을 혁신적으로 바꿀 것입니다."라고 이야기했다.

지금 당장은 "A-lonic"을 구매하여 활용할 수 없지만, 완전한 자율주행을 구현하는 자율주행차가 우리 삶의 일부가 될 날이 머지않았다. 자동차가 사람의 개입 없이 운전하는 동안 우리는 편안히 앉아 휴식을 취하고 드라이브를 즐기는 미래가 현실로 다가오고 있다.

키워드 : 자율주행, 차량, 현대자동차, CES 2034, 인공지능, 센서, 운전, 안전, 엔터테인먼트, 앱, 보호, CEO, A-lonic

뉴스 커버 이미지 생성하기

이제 앞서 제작한 뉴스를 활용하여 이미지를 생성해보자. 이미지 생성에는 플레이그라운드를 활용한다. 플레이그라운드에 프롬프트를 입력할 때는 영문으로 입력해야 하므로, 뉴스 기사의 키워드 중 이미지 생성에 적절한 키워드만 추출하여 영문으로 번역한 후 입력한다. 이때 유의할 점은 목적에 맞는 적절한 키워드를 선정해야 한다는 것이다. 프롬프트를 제대로 입력하지 않으면 올바른 이미지가 생성되지 않는다. 이후 이미지의 크기, 품질, 효과 등을 다양하게 조절하는 연습을 통해 원하는 목적에 맞는 이미지를 생성할 수 있다.

플레이그라운드에 다음과 같은 키워드를 입력하여 생성한 다양한 이미지 중에서 기사에 가장 적합한 이미지를 1~2개 선정한다. 이렇게 만든 이미지를 활용하여 뉴스의 커버를 장식할 수 있다.

> Autonomous driving, vehicle, Hyundai Motor Company, CES 2034, artificial intelligence, sensor, driving, safety, entertainment

| 그림 4-1 | 뉴스 기사의 키워드로 생성한 이미지 예시

패들렛을 활용하여 뉴스 공유하기

이렇게 제작한 뉴스를 패들렛으로 공유할 수 있다. 패들렛을 활용하면 자신이 제작한 뉴스를 다른 사람에게 공유할 수 있으며, 학습자들은 서로의 뉴스를 살펴보고 다양한 사고를 할 수 있다. 또한, 다른 학습자의 게시물에 댓글이나 반응 등으로 상호작용할 수 있어 활기차게 참여하는 수업을 유도할 수 있다.

다음은 앞서 다뤘던 미래 기술과 관련된 뉴스 기사를 학습자들이 제작하고 서로 공유한 결과를 나타낸 것이다. 패들렛을 통해 오프라인에서 비교적 노력이 많이 드는 수업의 형태를 손쉽게 구현할 수 있다.

Horizon Tower 공개: 비전을 제시하고 혁신적인 미래 빌딩

우리가 미래로 나아가면서 건축계는 2033년에 비범하고 혁신적인 건물이 건설될 것입니다. 건축 디자인, 지속 가능성과 기술이 통합된 이 건물은 우리의 도시 경관을 재정의하고 이것을 이용하는 모든 사람들의 상상력을 사로잡을 수 있게 됩니다. Horizon Tower는 건축과 환경적 책임 간의 조화에 대한 증거입니다. 지속 가능성을 핵심으로 하여 설계된 이 건물은 다양한 녹색 기술과 친환경 기능을 통합합니다. 자체 청소 태양열 패널, 고급 단열 시스템, 재생 가능한 자원에서 공급되는 지속 가능한 건축 자재와 같이 에너지 효율

혁신적인 StarQuest 공개: 2033년에 발사될 미래의 우주선

2033년에 발사될 혁신적인 우주선인 StarQuest는 우주 탐사를 혁신적으로 재편할 것이다. 이 우주선은 다양한 임무를 위한 고급 설계와 모듈식 기능이 특징입니다. 핵융합 기반 추진 시스템으로 비교할 수 없는 효율성과 속도를 달성하여 성간 여행의 길을 닦습니다. 최첨단 장비와 이미징 시스템을 갖춘 StarQuest는 천체 현상과 잠재적으로 거주 가능한 세계를 연구할 것입니다. 그것의 발사는 인류의 과학 발전 추구를 상징하는 협력적인 글로벌 노력을 나타냅니다. 우주선의 임무는 우주에 대한 우리의 지식을 확장하고 미래의

현대자동차, CES 2034에서 놀라운 자율주행차 공개

2034년 1월 17일

현대 자동차는 CES 2034에서 "A-Ionic"라는 완전 자율 주행 자동차를 세계 최초로 공개했다. 이 자동차에는 5단계인 완전 자율 주행을 구현하기 위한 다양한 기능들이 있다. "A-Ionic"에는 사람의 눈처럼 작동하는 특수 센서가 있으며, 이 센서는 자동차가 주변의 모든 것을 볼 수 있도록 도와주므로 주행 경로와 주변 환경 인식 등에 활용된다.

이번에 개발된 자율주행 자동차는 인공 지능이라는 놀라운 기술 덕분에 더 빠르게 생각하고 이를 기반으로 결정을 내릴 수 있게 된다. 이에 따라 교통 정체 구간을 빠르게 파악

| 그림 4-2 | 패들렛으로 공유한 뉴스 기사들

가상 아나운서를 활용하여 뉴스 영상 만들기

이제 영상으로 구성된 뉴스를 만들 준비가 끝났다. 앞서 뉴스 제목, 본문, 이미지 등 다양한 활동을 통해 준비한 자료를 활용하여 실제로 아나운서가 진행하는 뉴스를 만들어보자. 생성형 AI 플랫폼을 활용하면 가상 인간 아나운서가 자연스럽게 내가 만든 뉴스를 읽어준다.

가상 아나운서를 활용하기 위해 우리는 플루닛 스튜디오를 활용해보자. 자신이 만든 뉴스를 스크립트 창에 입력하고, 버튼만 누르면 자동으로 뉴스 영상을 제작해준다. 플루닛 스튜디오에서 원하는 메타휴먼과 스타일, 자세, 보이스를 선택하고, 앞서 제작한 스크립트를 붙여 넣는다. 스크립트 중 구어체에 어울리지 않는 것들을 수정하여 입력하면 더 자연스러운 결과를 얻을 수 있다.

| 그림 4-3 | 플루닛 스튜디오에 뉴스 기사 입력

스크립트까지 입력을 완료하면 다음과 같은 화면이 나오며, 이제 [영상 생성] 버튼을 누르면 뉴스 영상을 생성할 수 있다. 이때 원하는 파일 형식

(MP4, AVI, WMV, MOV)의 확장자를 선택하면 재생 가능한 동영상으로 만들어진다. 입력된 텍스트의 길이가 길다면 영상을 생성하는 데 시간이 소요될 수 있으므로, 적절한 길이의 텍스트를 입력하는 것도 중요하다.

| 그림 4-4 | 플루닛 스튜디오로 생성한 뉴스 영상

이렇게 생성한 동영상 역시, 패들렛으로 공유하여 서로 상호작용할 수 있으며, 수업 중 각각의 영상을 재생하고 이를 기반으로 토론이나 아이디어 생성 등 다양한 활동에 활용할 수 있다.

지금까지 텍스트 생성형 AI를 활용하여 수업 목표에 맞는 뉴스를 제작해 보았다. 이번 수업을 통해 학습자들은 AI를 통해 자동으로 생성된 뉴스는 완벽하지 않다는 점을 깨닫고, 자신만의 뉴스로 만들기 위해 비판적 사고로 접근하여 개선하는 노력을 수행하였다. 또한, 자신이 미래의 기자가 되었다고 생각하고, 뉴스와 연관된 이미지 생성과 가상 아나운서 제작 등을 직접 수행해 봄으로써 기자와 관련된 진로 체험 활동도 함께 수행할 수 있었다.

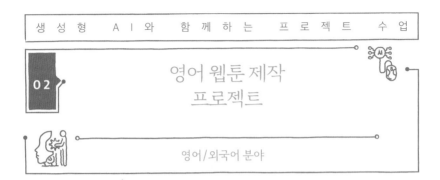

02 영어 웹툰 제작 프로젝트

영어/외국어 분야

초등학생부터 성인까지 영어는 항상 졸졸 따라다니는 과목이다. 최근엔 유치원생들도 영어 유치원에서 조기 교육을 받곤 한다. 사실 영어를 잘 구사하면 여러 가지 이점이 있다. 자신에게 기회가 더 폭넓게 주어질 수 있으며, 더 많은 자료들을 효과적으로 검색할 수 있게 된다. 영어를 활용한다면 한국어에만 한정된 검색보다 훨씬 더 많은 결과들을 도출할 수 있기 때문이다.

생성형 AI를 활용할 때도 영어의 중요성이 드러난다. 생성형 AI의 프롬프트는 한국어를 지원하기도 하지만, 대부분 영어로 입력해야 한다. 한국어로 입력하게 되면 영어로 입력할 때보다 나오는 결과물의 속도와 질이 다르다. 과거에는 영어를 배울 때 학교나 학원, 과외 등을 활용했지만, 이제는 생성형 AI가 이 자리를 넘보고 있다.

그럼 이제 생성형 AI를 활용하여 초중고뿐만 아니라 대학에서도 활용할 수 있는 외국어 학습법을 소개하겠다. 이번 절은 대부분 언어 기반의 학습이므로 주로 텍스트 생성형 AI를 활용한다. 여기서는 인공지능이라는 주제로 관련 분야에서 사용하는 용어와 작문, 그리고 관련된 웹툰을 만들어 보는 프로젝트를 수행해본다. 이를 통해 학습자들이 영어를 친숙하게 느끼고 조금 더 쉽게 다가갈 수 있을 것이다.

- **대상** : 초·중·고·대
- **관련 과목** : 영어, 외국어 등
- **활동** : AI 분야 영어 단어 비교하기, AI 주제에 대해 영작하고 교정 받기, 웹툰 시나리오 작성하기, 영어 웹툰 만들기
- **활용하는 생성형 AI 도구** : 챗GPT 또는 뤼튼, 투닝

AI 분야 영어 단어 비교하기

영어를 공부하면서 어려운 것 중 하나가 유사하게 활용되는 단어지만 약간은 다른 의미를 지닌 것들을 파악하는 것이다. 이들을 잘 구분하려면 해당 단어가 자주 사용되는 상황과 문장을 익히는 것이 도움된다. 다음은 그런 유형의 단어들 사이의 차이점을 파악하기 위해 챗GPT를 사용한 예시다.

챗GPT에게 영어 교사라는 역할을 지정해주면 실제 영어 개인 교사가 알려주는 것처럼 자세하게 알려준다. 예전에는 네이버, 구글 등의 자료를 계속 검색해서 공부해야 했지만, 지금은 채팅으로 입력하기만 하면 구체적인 답변을 척! 하고 내어준다.

 너는 이제부터 중학교 영어 교사야, Artificial Intelligence와 Machine Learning 이라는 단어가 사용되는 예시를 중학생들이 이해하기 쉬운 수준으로 3개씩 알려줘.

 물론입니다, 중학교 수준의 학생들이 이해하기 쉽도록 Artificial Intelligence와

Machine Learning이라는 단어가 사용되는 예시를 제공해 드리겠습니다.

Artificial Intelligence (AI) 사용 예시 :

"AI를 활용한 음성 비서, 예를 들어 Siri나 Google 어시스턴트는 우리의 목소리를 듣고 질문에 답해주거나 우리가 원하는 정보를 찾아줍니다."

(An example of using AI is voice assistants like Siri or Google Assistant that listen to our voice and answer questions or find information we need.)

"자율주행 자동차는 인공지능을 사용하여 도로 위에서 스스로 운전을 할 수 있습니다. 센서와 카메라를 통해 주위 환경을 인식하고, 안전하게 목적지까지 운전할 수 있습니다."

(Self-driving cars use artificial intelligence to drive themselves on the road. They can recognize the surrounding environment through sensors and cameras and safely drive to the destination.)

"AI 기술을 이용한 게임은 컴퓨터가 우리와 대결하며 게임에서 우리의 행동을 예측하고 반응할 수 있습니다. 예를 들어, 체스나 고스톱을 컴퓨터와 할 때 AI가 사용됩니다."

(Games that use AI technology allow us to play against the computer, which can predict and react to our moves. For example, AI is used in games like chess or go-stop when playing against the computer.)

Machine Learning (ML) 사용 예시 :

"기계학습은 음악 스트리밍 서비스에서도 사용됩니다. 우리가 어떤 노래를 듣고 있는지 기반으로, 시스템이 비슷한 음악을 추천해 줍니다."

(Machine learning is used in music streaming services. Based on the songs we listen to, the system recommends similar music to us.)

"학교에서 사용하는 언어 학습 앱은 기계학습을 이용해서 우리의 문법, 어휘, 발음 등을 평가하고 개선할 수 있습니다."

(Language learning apps used in school use machine learning to evaluate and improve our grammar, vocabulary, pronunciation, and more.)

"기계학습은 의료 분야에서도 중요하게 사용되고 있습니다. 의사들은 기계학습을 통해 환자의 건강 상태를 예측하고 질병을 조기에 발견하는 데 도움을 받을 수 있습니다."

(Machine learning is also crucially used in the field of healthcare. Doctors can utilize machine learning to predict patients' health conditions and aid in early disease detection.)

이 예시들을 통해 Artificial Intelligence와 Machine Learning이라는 단어가 다양한 분야에서 어떻게 활용되고 있는지에 대해서 이해할 수 있습니다.

결과를 보니 생각보다 쉽게 이해할 수 있도록 구체적인 예시와 함께 제시해 주었다. 만약 추가로 예시가 더 필요하다면 더욱 다양한 예시를 들어 달라고 계속해서 요청하면 된다. 챗GPT가 제시하는 다양한 예문을 통해 단어들 사이의 미묘한 차이를 이해하여 영어 단어 학습에 많은 도움을 얻을 수 있을 것이다.

AI 주제에 대해 영작하고 교정 받기

영어 학습의 또 다른 고민은 영작이다. 영작 공부를 혼자 할 때 가장 어려운 점은 나의 영작이 제대로 되었는지 확인할 길이 없다는 것이다. 또한, 단순하게 문법에 맞게 쓰는 것을 넘어 글을 자연스럽게 작성하는 것도 중요하다. 외국에 여행 갔을 때 간혹 한국어가 쓰여 있는 것을 본 적 있는가? 그중에는 무슨 말인지 알기는 해도 뭔가 어색한 문장들이 가득해서 원어민이 작성하지 않았다는 사실을 쉽게 알 수 있는 경우가 있다. 영어도 마찬가지다. 영어를 완벽하게 공부하지 않은 상황에서 작성한 문장들은 어색한 부분이 많을 수밖에 없다.

따라서 이번에는 생성형 AI를 활용하여 영작을 어떻게 교정하는지 예시를 들어 보겠다. 우선 영작을 위해서 다음과 같은 글을 생성했다.

너는 이제 작가야, 생성형 AI 중요성에 대해서 10줄 정도로 글을 써줘.

생성형 AI는 현대 사회에서 놀라운 영향력을 발휘하고 있습니다. 이 기술은 우리의 삶을 혁신하고 생산성을 향상시키며, 창의성과 혁신을 촉진합니다. 또한, 대량의 데이터를 분석하고 학습하여 새로운 통찰력과 지식을 생성하며, 연구와 개발에 큰 도움을 줍니다. 생성형 AI는 개인화된 경험을 제공하고, 자동화와 자율주행 기술의 핵심 요소로 작용합니다. 그뿐만 아니라 협업과 소통을 강화시키며, 빅데이터와의 상호작용으로 비즈니스에 새로운 가능성을 제시합니다. 그러나 이러한 기술의 발전은 도덕적, 윤리적인 고민을 유발합니다. 인공지능의 윤리와 개인 정보 보호 등 다양한 문제에 대한 논의와 정책 마련이 필요합니다. 따라서 우리는 이러한 생성형 AI의 잠재력과 동시에 책임 있는 사용과 발전을 추구해야 합니다.

이제 영작할 글이 완성되었다. 교육 현장에서 활용할 때는 직접 작성한 문장을 사용하는 것이 더 좋겠다. 다음으로 앞선 문장을 활용하여 영작을 해 보겠다. 조금 어색한 문장을 만들기 위해 구글 번역기에서 번역된 결과를 그대로 가져오겠다.

Generative AI is wielding incredible power in the modern world. It transforms our lives, enhances productivity, and promotes creativity and innovation. In addition, it analyzes and learns from large amounts of data to generate new insights and knowledge, which greatly aids research and development. Generative AI provides personalized experiences and serves as a key component of automation and self-driving technologies. In addition, it enhances collaboration and communication, and presents new possibilities for business through interaction with big data. However, these advances in technology raise moral and ethical concerns. It is necessary to discuss various issues such as artificial intelligence ethics and personal information protection and prepare policies. Therefore, we must pursue the potential of this generative AI, as well as its responsible use and development.

학습자가 작성한 영작문의 결과가 이와 같다고 생각하자. 생각보다 영작이 잘된 것 같지만 챗GPT에게 어떤 부분이 부족한지 물어보자.

내가 작성한 다음의 문장에서 문법적으로 틀린 문장을 알려주고 고쳐줘. 그리고 전체적으로 어색한 문장을 고쳐주고 어떤 부분을 고쳤는지도 하나씩 알려줘.

번역하신 문장은 전반적으로 잘 이해되는 내용이지만, 몇 가지 문법적인 오류와 어색한 표현이 있습니다. 아래에 고쳐야 할 부분과 어떻게 수정하였는지에 대한 설명을 제공하겠습니다.

수정된 문장 :

"Generative AI wields incredible power in the modern world, transforming our lives, enhancing productivity, and fostering creativity and innovation. Furthermore, it analyzes and learns from vast amounts of data to generate new insights and knowledge, greatly aiding research and development. Generative AI offers personalized experiences and serves as a crucial component of automation and self-driving technologies. Moreover, it improves collaboration and communication, and opens up new possibilities for businesses through interaction with big data. Nevertheless, these technological advancements raise moral and ethical concerns, necessitating discussions on various issues such as artificial intelligence ethics and personal information protection, and the formulation of policies. Therefore, we must pursue the potential of generative AI while ensuring its responsible use and development."

주요 수정사항 :

1. "is wielding" 대신 "wields"를 사용하여 동사의 시제를 통일하였습니다.

2. "promotes creativity and innovation"을 "fosters creativity and innovation" 으로 수정하여 보다 적절한 표현을 사용하였습니다.

3. "which greatly aids research and development"에서 "greatly"를 "vast"로 변경하여 강조하였습니다.

4. "presents new possibilities for business through interaction with big data" 를 "opens up new possibilities for businesses through interaction with big data"로 수정하여 좀 더 자연스러운 표현을 사용하였습니다.

5. "we must pursue the potential of this generative AI"에서 "this generative AI" 대신 "generative AI"를 사용하여 더 간결한 표현을 사용하였습니다.

처음에 작성한 문장의 오류를 비교적 잘 지적하였고, 조금 더 완성도가 높은 글로 작성해 주었다. 또한, 각 부분에 대한 수정 사항을 요청하니, 그에 대해서도 상세한 설명을 제시하였다. 결과를 보니 이제 작문하면서 어려움을 겪는 일은 점차 줄지 않을까 한다.

웹툰 시나리오 작성하기

이제 AI 기술을 소개하는 웹툰을 제작하기 위해서 챗GPT에 특정 기술에 대해서 대화하는 시나리오를 작성해 달라고 요청한다. 일명 역할극 형식으로 대화하는 것인데, 한 사용자가 질문하면 다른 사용자가 답변하는 형식으로 진행할 수 있다. 이번에는 AI 기술에 대해서 영어로 역할극을 수행하고자 한다고 요청하고 답변을 받아 보았다. 이 대화는 사용자가 직접 한쪽 대화를 작성하며 역할을 수행해도 되는데, 그러려면 챗GPT에게 '내가 답변할 때까지 기다려줘.'라고 이야기하면 된다.

 AI 기술에 대해서 역할극을 수행하려고 해. 중학생 수준에서 영어로 역할극 시나리오를 써줘.

 Scene : Classroom

Characters :

1. Sunwoo (Middle school student)
2. AI Assistant (AI)

Sunwoo : (Curiously) Hi, AI Assistant! I'm Sunwoo. How can you help me?

AI Assistant : Hello, Sunwoo! I'm AI Assistant. I can help you with various tasks, including finding information and answering questions. How can I assist you?

Sunwoo : Oh, then I need help with my school assignment. I want to find information about Artificial Intelligence technology.

AI Assistant : Great! Can you tell me the specific topic?

Sunwoo : I'm not sure... How about telling me about Artificial Intelligence technology?

AI Assistant : Sure! Artificial Intelligence refers to computers having human-like intelligence. It can understand language, perform speech recognition, analyze images, and solve problems. This brings convenience and innovation to our daily lives.

Sunwoo : That's amazing! How does Artificial Intelligence learn?

AI Assistant : Artificial Intelligence learns automatically through a method called Machine Learning. Machine Learning analyzes data and learns patterns to make decisions. For example, it can learn to distinguish between cats and dogs by looking at pictures or understand the meaning of sentences.

Sunwoo : That's fascinating! So, how will Artificial Intelligence impact our lives?

AI Assistant : Artificial Intelligence is transforming our lives. For instance, voice assistants allow us to interact with devices using our voices, making tasks easier and more efficient. Machine Learning helps in medical diagnosis, language translation, and personalized recommendations. It has the potential to improve various aspects of our lives.

Sunwoo : That's really interesting! Thank you, AI Assistant, for the enlightening conversation.

AI Assistant : You're welcome, Sunwoo! I'm here to help anytime you need. Good luck with your assignment!

Note : The above conversation is written in a conversational style for a middle school audience.

AI 기술에 대해 대화하는 간단한 시나리오를 작성하였다. 이제 웹툰을 제작할 기본 내용이 생성되었다. 이 시나리오는 웹툰 제작 이외에도 서로 역할극을 하거나, 상황극을 하는 등 다양한 부분에 활용할 수 있다. 그렇다면 이제 앞서 생성된 대화로 웹툰을 제작하기 위해 각 장면의 내용으로 나눠보자. 직접 내용을 나누는 것보다 챗GPT에게 부탁하면 조금 더 편리하다.

 위 상황극을 4컷짜리 웹툰으로 제작할 거야. 각 컷별로 대화를 나눠주는데, 웹툰에 들어갈 대화의 길이가 짧기 때문에 각 대화는 간결하게 요약해줘.

 Panel : Sunwoo and AI Assistant facing each other in the classroom.

Sunwoo : Hi, AI Assistant! Can you help me with my school assignment?

AI Assistant : Of course! How can I assist you?

Panel : Sunwoo asking AI Assistant about Artificial Intelligence.

Sunwoo : What is Artificial Intelligence?

AI Assistant : Artificial Intelligence is when computers have human-like intelligence. It can perform tasks like speech recognition and image analysis.

Panel : Sunwoo inquiring about Machine Learning.

Sunwoo : How does Machine Learning work?

AI Assistant : Machine Learning is a method where computers learn automatically through data analysis and pattern recognition.

Panel : Sunwoo curious about the impact of Artificial Intelligence.

Sunwoo : How does Artificial Intelligence affect our lives?

AI Assistant : Artificial Intelligence is transforming our lives, with applications like voice assistants and medical diagnosis enhancing various fields.

Based on this conversation, you can create a four-panel webtoon by illustrating each panel with the corresponding dialogue.

영어 웹툰 만들기

앞서 제작한 시나리오를 기반으로 웹툰을 제작한다. 이전에 소개했던 투닝^{Tooning}을 활용하여 웹툰을 제작해 보겠다. 투닝에서 제공하는 [문장으로 툰 생성]이라는 기능으로 기본적인 인물, 상황, 발화를 넣으면 해당 상황과 어울리는 웹툰이 자동으로 생성된다. 하지만 2인 이상이 발화할 경우 제대로 인식하지 못하는 경우가 있어, 상황이 일어나는 배경을 먼저 선정하고 관련 대화는 투닝을 통해서 직접 입력하였다.

| 그림 4-5 | 투닝으로 완성한 영어 웹툰

만들어진 웹툰을 보니 비교적 짧은 시간이 걸렸음에도 생각보다 완성도

가 높다. 이러한 방식으로 학습자들이 다양한 캐릭터와 상황을 설정해 영어 웹툰을 제작할 수 있다. 단순한 수업이 아니라 이렇게 생성형 AI를 활용한 활동을 함께하면 영어에 대해 느끼는 어려움을 개선하고, 흥미와 관심도를 높일 수 있을 것이다.

03 AI와 함께하는 발명품 제작 프로젝트

과학/발명 분야

이번에는 과학 및 발명 관련 과목과 관련된 프로젝트 수업을 소개한다. 발명품을 만든다는 것은 누구에게나 흥미로운 일이며, 다양한 아이디어가 바탕이 되어야 한다. 학교 현장에서는 학생 과학 발명품 경진대회와 같은 대회가 있으며, 이러한 대회에서 학생들은 다양한 아이디어를 통해 제작한 발명품을 선보인다.

발명품을 만드는 것은 학습자들에게 다양한 역량을 키워줄 수 있다. 발명품을 제작하는 과정을 통해 아이디어를 제품으로 구체화하는 능력을 키울 수 있으며, 특정 상황에 대한 문제 해결력과 문제를 해결해 나가는 과정에서의 인내심을 키울 수 있다. 그리고 새로운 아이디어를 탐색하는 과정에서 자연스럽게 혁신적인 제품들을 접하게 되고, 이를 기반으로 창의력을 키울 수 있게 된다. 여기에서 제시할 AI와 함께하는 발명 프로젝트는 과학, 발명 등의 수업에 활용할 수 있으며, 아이디어 생성 및 제작에 많은 도움이 될 것으로 생각한다.

발명 아이디어 탐색하기

발명에서 가장 중요한 것은 아이디어를 만들어 내는 것이다. 무(無)에서 유(有)를 창조하기란 생각보다 쉽지 않은 일이므로, 먼저 다양한 기존 발명품들을 탐색해보는 것도 매우 중요하다. 학생 과학 발명품 경진대회, 과학 전람회 등에서 입상했던 다양한 제품이나 시중에 나와 있는 발명품을 사전에 탐색하고, 이를 기반으로 새로운 아이디어를 찾는 것이 좋다. 하지만 아이디어가 제대로 떠오르지 않는 경우에는 챗GPT와 함께 아이디어를 구상해볼 수 있다.

 중학생이 발명할 수 있는 수준의 발명품 예시를 알려줘.

중학생이 발명할 수 있는 수준의 발명품 몇 가지를 제시해 드리겠습니다:

1. **자동화된 책 페이지 넘기기 장치** : 책을 읽을 때 페이지를 자동으로 넘겨주는 장치로, 독서 과정을 편리하게 만들어 줍니다.

2. **자동 식물 관수 장치** : 식물의 습도를 감지하여 자동으로 물을 주는 장치로, 식물의 생존과 관리를 도와줍니다.

3. **스마트 홈 알림 시스템** : 문이나 창을 열 때 알림을 보내는 시스템으로, 집 안의 안전을 유지하는 데 도움을 줍니다.

4. **무인 선박 모형** : 원격 조종이 가능한 작은 선박 모형으로, 간단한 수송이나 탐사 업무에 활용할 수 있습니다.

5. **소음 감지기** : 주변 소음을 감지하고 측정하는 장치로, 조용한 환경에서 집중력을 높이는 데 도움을 줍니다.

6. **휴대용 태양광 충전기** : 태양광 패널과 배터리를 결합하여 모바일 기기를 충전하는 장치로, 야외에서도 휴대품을 충전할 수 있습니다.

7. **자동화된 화분 이동 장치** : 화분을 자동으로 이동시켜서 햇빛을 고르게 받을 수 있도록 도와줍니다.

8. **자동화된 음식 배달 장치** : 음식을 배달하는 로봇이나 자동차로, 식당에서 집으로 음식을 안전하고 효율적으로 배달할 수 있습니다.

9. **스마트 화장실 조명 시스템** : 화장실에 들어가면 자동으로 켜지고, 일정 시간이 지나면 자동으로 꺼지는 조명 시스템으로, 에너지 절약에 도움을 줍니다.

10. **자동화된 쓰레기 분리 장치** : 쓰레기를 자동으로 분리하여 재활용 가능한 부분과 일반 쓰레기로 분리해주는 장치입니다.

위의 발명품들은 중학생이 제작 가능한 수준의 발명 아이디어입니다. 이를 바탕으로 자신만의 창의적인 발명품을 고민하고 제작해보세요!

챗GPT가 내어 놓은 발명 아이디어를 살펴보니 생각보다 다양하다. 하지만 실제로 너무 흔하거나 발명할 수 없는 것들도 종종 추천해주니 이러한 것들은 제외하고 실현 가능한 것들을 선정해야 한다. 또한 다양한 아이디어 중 활용할 만한 아이디어를 선정하고, 이를 구체화하는 작업이 필요하다. 실제로 학교급이나 학습자들의 수준에 따라서 선정되는 아이디어는 매우 다를 것이므로 여기에서 제시하는 것은 하나의 예시라고 생각하면 좋겠다.

발명 아이디어 구체화하기

앞서 제시된 발명 아이디어를 구체화하기 위한 작업을 수행한다. 여기서는 '자동화된 쓰레기 분리 장치'를 발명하려고 한다. 아이디어를 더욱 구체화하기 위해 챗GPT의 도움을 받아 보자.

 자동화된 쓰레기 분리 장치를 발명하려고 하는데, 발명품에 대해서 구체적으로 설명해줘. 이 발명품은 컴퓨터 비전 기술이 반드시 포함되어야 해.

 발명하려는 자동화된 쓰레기 분리 장치는 AI 기반의 컴퓨터 비전 기술을 활용하여 쓰레기를 자동으로 분리하고, 재활용 가능한 부분과 일반 쓰레기를 구분하는 기능을 갖춘 장치입니다. 다음은 발명품의 구체적인 설명입니다:

1. 센서 설치 : 장치에는 다양한 센서가 내장되어 있습니다. 이 센서들은 쓰레기를 감지하고, 쓰레기의 형태, 크기, 색상 등의 특징을 파악합니다.

2. 컴퓨터 비전 기술 : AI 기반의 컴퓨터 비전 기술을 사용하여 쓰레기를 실시간으로 분석합니다. 컴퓨터 비전 알고리즘을 통해 쓰레기의 이미지나 비디오 데이터를 처리하고, 재활용 가능한 쓰레기와 일반 쓰레기를 식별합니다.

3. 분리 과정 : 분석된 데이터를 기반으로 장치는 쓰레기를 재활용 가능한 부분과 일반 쓰레기로 분리합니다. 예를 들어, 플라스틱, 종이, 금속 등의 재활용 가능한 쓰레기와 음식물 쓰레기 등의 일반 쓰레기를 구분합니다.

4. 자동화된 분리 시스템 : 분리된 쓰레기는 각각의 컨테이너나 수집 장치로 이동합니다. 이 과정은 자동화되어 있어, 사용자가 따로 쓰레기를 분리할 필요가 없습니다.

5. 사용자 인터페이스 : 장치에는 사용자 인터페이스가 탑재되어 있어, 사용자는 분리된 쓰레기의 양이나 상태를 확인할 수 있습니다. 또한, 필요에 따라 설정을 조정하거나 분리 과정을 모니터링할 수 있습니다.

6. 학습 기능 : AI 알고리즘이 지속적으로 학습하며 쓰레기 분리 정확도를 향상시킵니다. 새로운 패턴이나 쓰레기 유형을 인식하는 능력이 개선되어, 장치의 성능이 지속적으로 향상됩니다.

이렇게 구성된 자동화된 쓰레기 분리 장치는 AI 기반의 컴퓨터 비전 기술을 활용하여 쓰레기를 효율적으로 분리하는 기능을 제공합니다. 이를 통해 재활용 가능한 자원의 회수율을 높이고, 일반 쓰레기의 양을 줄여 환경에 대한 부담을 감소시킵니다.

챗GPT가 내놓은 답변을 보니 발명품에 대해서 전반적으로 잘 설명하고 있다. 만약 마음에 들지 않는 부분이나 추가가 필요한 부분이 있다면 수정을 요청하여 발명품을 다듬어 나갈 수 있다.

발명 아이디어 구상도 그리기

다음은 발명품 구상도를 그려볼 차례다. 원하는 유형의 발명품을 결정했으면, 이를 상세하게 표현해본다. 이때 직접 스케치하거나 틴커캐드 등의 프로그램을 사용할 수도 있지만, 여기서는 이미지 생성형 AI를 활용하겠다. 앞서 소개한 플레이그라운드 등의 도구를 활용하여 아이디어를 구체화해보자. 먼저 플레이그라운드에 입력할 프롬프트 제작을 위해 프롬프트 히어로를 활용한다.

우선 프롬프트 히어로에 원하는 유형의 발명품과 관련된 키워드를 입력한다.(영문 입력 필요) 그리고 자신이 생각한 발명품과 유사한 그림이나 사진이 있다면 그것을 만들기 위한 프롬프트를 확인한다. 이 프롬프트 중 나의 발명품 이미지 생성에 적합하지 않은 프롬프트는 과감히 삭제하고, 추가로 필요한 프롬프트를 고민해서 더해보자.

플레이그라운드에 해당 프롬프트를 입력하여 여러 장의 이미지를 만들고, 그중 가장 적절한 이미지를 선택하여 활용한다. 다음 그림을 보면 여러 개의 분리 수거함이 만들어졌으며, 이를 통해 발명 디자인에 필요한 아이디어를 얻을 수 있다. 물론, 더욱 상세한 디자인은 이를 기반으로 세부적인 구상도를 그려야 할 것이다. 발명에서 생성형 AI를 활용하면 때에 따라서 미적으로 우수한 작품을 제작하기 위한 기반 아이디어를 얻을 수 있다.

|그림 4-6| 플레이그라운드로 생성한
발명품 이미지 예시

발명품 소개 영상 만들기

이렇게 만든 발명품을 다른 사람에게 소개하는 영상을 만들어보자. 이때
도 생성형 AI 기술을 활용하여 영상을 제작하는데, 텍스트를 활용하여 영상
을 제작할 수 있는 픽토리^{Pictory}를 활용한다. 픽토리에 앞서 만든 아이디어를
넣고, 자동으로 생성되는 영상을 통해 나의 발명품을 소개해보자. 이때 앞
서 만든 발명품 아이디어 상세 내용은 내용이 길어서 스크립트로 넣으려면
요약할 필요가 있다. 여기서 다시 챗GPT를 사용해보자.

 앞선 발명품 소개 내용을 번호별로 1줄로 요약하고 영어로 바꿔줘.

 1. 장치 내부 센서로 쓰레기 감지 및 특징 파악

2. AI 기반 컴퓨터 비전 기술로 쓰레기 분석

3. 분석 데이터를 기반으로 재활용 가능 쓰레기와 일반 쓰레기 분리

4. 자동화된 분리 시스템으로 분리된 쓰레기 이동

5. 사용자 인터페이스로 분리된 쓰레기 상태 확인 가능

6. AI 학습으로 쓰레기 분리 정확도 향상

1. Internal sensors detect and identify characteristics of trash.

2. AI-based computer vision technology analyzes trash in real-time.

3. Separates recyclable and non-recyclable trash based on analyzed data.

4. Automated separation system moves separated trash to respective containers or collection devices.

5. User interface allows for checking status of separated trash.

6. AI continuously learns to improve trash sorting accuracy.

이제 픽토리의 Script editor 창에 영상 제목과 각 슬라이드별 설명을 작성한다. 그리고 [Proceed] 버튼을 누르면 자동으로 영상을 생성해준다. 이때 주의할 점은 슬라이드별로 한 줄씩 입력해야 한다는 것이다.

| 그림 4-7 | 픽토리에 스크립트 입력

이렇게 발명품을 소개하는 영상이 생성되었다. 스크립트를 하나하나 눌러 해당 영상을 확인해보자. 생각보다 문장의 맥락을 잘 인식하고, 그에 맞는 이미지나 영상을 넣어 자연스럽게 완성되었다. 실제로 발표 자료로 활용하기에 손색이 없을 정도다. 만들어진 영상에 있는 이미지가 마음에 들지 않는다면 [Visuals] 탭을 클릭하고, 다른 이미지나 영상으로 변경할 수 있다.

또한 영상의 순서를 변경하거나, 배경 음악을 변경할 수도 있다.

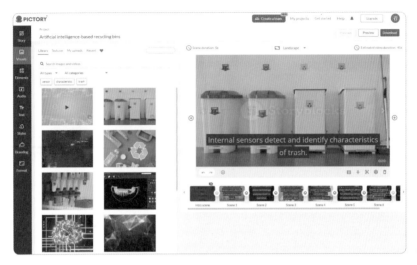

| 그림 4-8 | 픽토리로 완성한 발명품 소개 영상

04 아두이노를 활용한 자동 식물 관수 프로젝트

정보/SW/AI 분야

아두이노는 피지컬 컴퓨팅 도구로서 사용자가 작성한 코드를 활용하여 외부의 물리적인 환경에서 작동하는 여러 작품을 만들 수 있도록 도와준다. 아두이노는 누구나 사용하기 쉽도록 구성되어 있으나, C 언어 기반으로 코드를 작성해야 해서 이전에 C 언어를 배운 적 없다면 다소 어려울 수 있다. 또한, 코드에 문제가 발생할 경우 이를 해결하는 데도 상당한 노력이 필요하다. 하지만 이제 생성형 AI 기술을 활용한다면 아두이노 프로젝트를 조금 더 손쉽게 수행할 수 있다. 어려운 프로그래밍 과정에 도움을 받아, 시간도 절약하고 다양한 아이디어를 기반으로 코드를 작성하여 새로운 제품을 만들 수 있다.

이번 절에서는 아두이노를 활용한 '자동 식물 관수 시스템 제작' 프로젝트를 수행해본다. 목표는 아두이노로 화분의 수위를 감지하고 물이 부족해지면 자동으로 물을 주는 스마트한 시스템을 구현하는 것이다. 이 프로젝트는 사용자들에게 편의성과 자동화 기능을 제공하여 식물의 생장과 건강을 유지하는 데 도움을 줄 수 있다. 이번 프로젝트에서는 챗GPT를 활용하여 코드 작성에 도움을 받고, 틀린 부분도 수정하며, 새로운 아이디어를 내고 이를 기반으로 제품과 코드를 수정하는 등 다양한 활동을 수행한다.

아이디어 탐색하기

아두이노를 활용하여 어떤 작품을 만들지 고민하는 것은 상당히 중요한
데, 적절한 아이디어를 내는 것은 생각보다 어렵다. 학습자들의 모둠을 구
성하여 아이디어를 탐색하는 활동을 수행할 수도 있지만, 여기서는 생성형
AI의 도움을 받도록 하자. 챗GPT에게 다양한 아이디어를 요청하면 생각하
는 것 이상의 아이디어를 내어준다.

> **중학생이 할 수 있는 아두이노 프로젝트의 제목을 20개 알려줘.**

> • 스마트 홈 자동화 시스템 | • 온도와 습도 측정기 | • 자동식물 관리 시스템
> • 움직이는 로봇 팔 | • 무인 터렛 시스템 | • LED 조명 제어 시스템
> • 초음파 거리 측정 장치 | • 터치 센서 기반의 암호 잠금장치 | • 자동 물뿌리개
> • 자동 쓰레기통 개폐장치 | • 알람 시스템 | • 자동 라인 트레이서
> • 지능형 식물 성장 환경 제어 시스템 | • 감지기와 모터를 이용한 자동 문 개폐장치
> • 자동 식물 관수 시스템 | • RFID 출입 제어 시스템 | • 미니 게임 기기
> • 소리 감지 및 분석 시스템 | • 온도 제어를 통한 침대 난방 시스템
> • 장애물 회피 로봇

챗GPT가 중학생 수준에서 할 수 있는 아두이노 프로젝트들을 답변해주

었으며, 이중 자동 식물 관수 시스템을 제작하기 위해 조금 더 구체적으로 요청해보겠다.

작품 구상 및 코드 작성하기

앞서 얻은 아이디어인 식물 관수 시스템을 구성하려고 한다. 먼저 작품을 어떻게 만들지 구상해야 한다. 이를 위해 작품의 구조, 센서의 종류 및 위치, 액추에이터의 종류와 위치 등을 결정해야 한다. 여기서는 가장 일반적으로 간단하게 작품을 구성하고자 상세한 요청은 하지 않고 다음과 같이 프롬프트를 구성하여 입력하였다.

 아두이노를 활용한 자동 식물 관수 시스템을 구성하려고 해. 수행 과정, 코드, 연결 방법 등을 소개해줘.

 아두이노를 활용한 자동 식물 관수 시스템을 구성하기 위해 다음과 같이 수행 과정, 코드, 연결 방법을 소개해드리겠습니다.

필요한 재료 준비 :

- 아두이노 보드 (예: Arduino Uno) | • 호스 (물을 공급하는 데 사용)
- 펌프 모듈 (물을 퍼올리는 역할) | • 수위 센서 (물의 수위를 감지)
- 소켓 릴레이 모듈 (펌프 제어) | • 필요한 전선 및 저항 | • 화분 및 식물

아두이노와 센서, 모듈 연결 :

아두이노 보드와 각 센서, 모듈을 연결합니다. 연결 방법은 해당 모듈의 제조사 지침을 따릅니다.

아두이노 코드 작성 :

아두이노 개발 환경(Arduino IDE)을 열고 아래의 예시 코드를 작성합니다.

```cpp
// 물 주기를 위한 시간 간격 설정 (밀리초)
const unsigned long wateringInterval = 24 * 60 * 60 * 1000; // 24시간

// 물주기 기능을 제어할 핀 설정
const int pumpPin = 9;

// 수위 센서를 읽을 핀 설정
const int waterLevelPin = A0;

// 수위 센서에서 읽은 값의 임계치 설정
const int threshold = 500;

void setup() {
  pinMode(pumpPin, OUTPUT);
  digitalWrite(pumpPin, LOW);
}

void loop() {
  // 수위를 감지
  int waterLevel = analogRead(waterLevelPin);

  // 수위가 설정한 임계치보다 낮으면 물을 주기
  if (waterLevel < threshold) {
    digitalWrite(pumpPin, HIGH); // 펌프 켜기
    delay(1000); // 1초 동안 대기
    digitalWrite(pumpPin, LOW); // 펌프 끄기
  }

  delay(wateringInterval); // 설정한 시간 간격만큼 대기
}
```

1. 물주기 기능 설정 :

코드에서 wateringInterval 변수를 수정하여 물을 주는 주기를 조정할 수 있습니다. 예를 들어, 24*60*60*1000은 24시간을 의미합니다.

2. 센서와 모듈 연결 및 전원 공급 :

호스를 화분에 넣고, 펌프 모듈과 소켓 릴레이 모듈을 연결합니다. 전원을 공급하기 위해 아두이노 보드에 USB 케이블을 연결하거나 외부 전원 공급 장치를 사용합니다.

3. 화분과 아두이노 설치 :

화분을 원하는 위치에 배치하고, 아두이노 보드와 모듈을 적절한 위치에 설치합니다. 호스를 화분에 적절히 삽입하여 물을 공급할 수 있도록 합니다.

4. 코드 업로드 :

아두이노 개발 환경에서 작성한 코드를 컴파일하고 아두이노 보드에 업로드합니다. 이렇게 하면 아두이노가 프로젝트를 실행하며 화분에 자동으로 물 주는 기능이 작동합니다.

5. 테스트 :

아두이노가 제대로 동작하는지 확인하기 위해 수위 센서를 테스트합니다. 수위가 설정한 임계치 아래로 내려가면 펌프 모듈이 동작하여 물을 주는지 확인합니다. 필요에 따라 임계치나 물주기 주기를 조정하고 테스트합니다.

위의 과정을 따라하면 아두이노를 활용한 화분 자동 물주기 프로젝트를 구성할 수 있습니다. 프로젝트를 진행하면서 필요한 부품과 코드를 조정하거나 추가로 기능을 개선할 수도 있습니다.

실제 출력된 결과를 보니 막막했던 프로젝트를 쉽게 해결할 수 있을 것으로 보인다. 보다 세부적인 부분은 사용자가 직접 제작하면서 조정하는 것이 좋다. 그리고 진행하면서 변경된 계획은 지속적으로 챗GPT와 상호작용하면서 수행하면 많은 도움이 된다.

새로운 아이디어 추가하기

프로젝트 진행 중 새로운 아이디어가 떠오를 수 있는데, 이때에도 챗GPT의 도움을 받는 것이 좋다. 직접 코드를 공부하고 추가하는 것도 좋은 방법이지만, 작성 중 오류가 생긴다면 컴파일할 때 제대로 실행되지 않는 문제점이 발생할 수 있다. 따라서 추가하고자 하는 기능이나 아이디어가 있다면 챗GPT의 도움을 받아 코드를 수정할 수 있다. 코드 수정 이후에는 추가로 필요한 부품과 배치 등에 대한 도움도 받을 수 있으므로, 함께 요청해보자.

위 코드에 LED를 연결하여 수위 알림을 하고 싶은데, 코드에 추가해줘.

 아래와 같이 코드를 수정하여 LED를 활용하여 수위 알림을 추가할 수 있습니다.

```cpp
// 물 주기를 위한 시간 간격 설정 (밀리초)
const unsigned long wateringInterval = 24 * 60 * 60 * 1000; // 24시간

// 물주기 기능을 제어할 핀 설정
const int pumpPin = 9;

// 수위 센서를 읽을 핀 설정
const int waterLevelPin = A0;

// 수위를 표시할 LED 핀 설정
const int waterLevelLED = 13;

// 수위 센서에서 읽은 값의 임계치 설정
const int threshold = 500;

void setup() {
  pinMode(pumpPin, OUTPUT);
  digitalWrite(pumpPin, LOW);

  pinMode(waterLevelLED, OUTPUT);
  digitalWrite(waterLevelLED, LOW);
}

void loop() {
  // 수위를 감지
  int waterLevel = analogRead(waterLevelPin);

  // 수위가 설정한 임계치보다 낮으면 물을 주기
  if (waterLevel < threshold) {
    digitalWrite(pumpPin, HIGH); // 펌프 켜기
    digitalWrite(waterLevelLED, LOW); // LED 끄기
    delay(1000); // 1초 동안 대기
    digitalWrite(pumpPin, LOW); // 펌프 끄기
  } else {
    digitalWrite(waterLevelLED, HIGH); // LED 켜기
  }

  delay(wateringInterval); // 설정한 시간 간격만큼 대기
}
```

위 코드에서는 waterLevelLED 변수를 추가하여 LED를 제어합니다. 수위가 임계치보다 낮을 때는 펌프를 작동시키고 LED를 끄고, 수위가 임계치 이상일 때는 LED를 켭니다. 이렇게 하면 수위 상태에 따라 LED가 켜지거나 꺼지는 시각적인 알림을 제공할 수 있습니다. 필요에 따라 LED 핀 번호를 적절하게 수정하여 사용하세요.

물리적인 장치 연결하기

아두이노 프로젝트의 주제 선정부터 코드 작성까지 대부분을 챗GPT를 활용하여 구성하였다. 분명 챗GPT의 도움이 없었다면, 생각보다 많은 시간이 걸리는 프로젝트다. 하지만 챗GPT의 도움을 받아 빠르고 완벽하게 준비할 수 있었다. 다음은 실제 작품으로 제작해보는 단계이다. 앞서 언급한 단계에서 상세한 부품과 코드 작성까지 도움받았으나, 물리적인 장치를 서로 연결하는 작업은 따로 확인하지 않았다. 이번에는 부품을 어떻게 연결해야 할지, 그리고 선을 어떤 핀에 연결해야 할지 등을 다음과 같은 프롬프트로 질문한다.

 위 프로젝트에서 아두이노 부품과 핀 연결을 상세하게 알려줘.

 아래는 아두이노를 사용하여 화분 자동 물주기 프로젝트에서 필요한 부품과 그에 따른 아두이노 핀 연결 방법을 상세하게 안내한 것입니다.

1. 수위 센서 연결 :

아두이노와 수위 센서를 연결하기 위해 다음과 같은 핀 연결을 수행합니다:

VCC(Voltage Common Collector) : 수위 센서의 전원 핀을 아두이노의 5V 핀에 연결합니다.

GND(Ground) : 수위 센서의 접지 핀을 아두이노의 GND 핀에 연결합니다.

S(Signal) : 수위 센서의 신호 핀을 아두이노의 아날로그(A0) 핀에 연결합니다.

2. 펌프 모듈 연결 :

아두이노와 펌프 모듈을 연결하기 위해 다음과 같은 핀 연결을 수행합니다:

VCC : 펌프 모듈의 전원 핀을 아두이노의 5V 핀에 연결합니다.

GND : 펌프 모듈의 접지 핀을 아두이노의 GND 핀에 연결합니다.

IN(제어 핀) : 펌프 모듈의 제어 핀을 아두이노의 디지털 핀에 연결합니다. (예: 3번 핀)

3. LED 연결 :

아두이노와 LED를 연결하기 위해 다음과 같은 핀 연결을 수행합니다:

긴 다리(양극): LED의 긴 다리를 아두이노의 디지털 핀에 연결합니다. (예: 13번 핀)

짧은 다리(음극): LED의 짧은 다리를 아두이노의 GND 핀에 연결합니다.

위 연결 방법을 참고하여 각 부품을 아두이노 보드에 연결하고, 해당 부품을 제어하기 위한 코드를 작성하여 프로젝트를 구현할 수 있습니다.

각 부품들을 나열하고 연결 방법을 자세하게 안내하고 있다. 이 부품들은 전자 부품이므로 잘못 연결하면, 제대로 작동하지 않으며 부품이 과열되는 등 문제가 생길 수 있다. 하지만 챗GPT가 핀별로 상세한 연결 방법을 제공하므로 이러한 문제를 방지할 수 있다. 단, 부품 제조사마다 핀 연결 방법이 다를 수 있으니, 부품별 상세 설명을 반드시 확인해야 한다.

05 가상 스마트 도시 건설 프로젝트

기술/공학 분야

기술, 건축 공학, 토목 공학 등 관련 수업에서 활용할 수 있는 프로젝트 수업을 소개한다. 스마트 도시는 첨단정보통신기술ICT과 센서를 일상생활에 접목시켜 다양한 데이터를 수집하고, 수집한 데이터를 기반으로 인간 삶의 질을 개선하는 도시를 의미한다.

스마트 도시 건설 프로젝트는 학습자에게 여러모로 도움되는데, 그중 가장 중요한 것은 학문 간의 융합 교육을 수행할 수 있다는 점이다. 이 프로젝트는 단순히 스마트 도시 제작에 목적을 두는 것이 아니라, 해당 도시를 기획하고 구상해보면서 학습자들이 미래 최신 기술, 건설/토목 공학, 교통 공학, 지속 가능한 환경, 사회 변화 등 다양한 분야의 학문을 복합적으로 이해할 수 있게 돕는다.

여기에서 제시하는 스마트 도시 건설 프로젝트는 특히 중·고등학교 기술, 대학교의 건설, 토목 공학, 환경 공학 분야 등 다양한 수업에서 활용할 수 있다. 학습자들은 다양한 종류의 생성형 AI를 활용하여 프로젝트를 수행하고, 이를 통해 학문 융합적인 사고와 문제 해결력 등의 역량을 향상할 수 있다.

스마트 도시 계획하기

이번 절의 최종 목표는 가상의 스마트 도시를 건설하는 것이다. 이를 위해 우선 스마트 도시의 역할, 구성요소, 구조물 등 스마트 도시의 개요에 대해서 이해해야 한다. 이번 활동은 모둠별로 수행하는 것이 좋다. 먼저 모둠별로 다양한 아이디어를 구상해야 하는데, 아이디어 생성 과정에서 텍스트 생성형 AI의 도움을 얻으려고 한다. 가장 먼저 스마트 도시에는 어떤 건축물과 구성요소들이 있는지 묻고, 해당 글에서 키워드를 추출해달라고 요청하였다.

 스마트 도시에는 어떤 건축물과 구성요소들이 있는지 알려줘.

스마트 도시에서는 다양한 건축물과 구성요소들이 사용됩니다. 스마트 도시가 운영되기 위해서는 먼저 인프라가 구축되어야 합니다. 인프라에는 고속도로, 교량, 철도, 지하철 등이 포함됩니다.

또한, 광범위한 일반 건축과 함께, 스마트 도시에서는 스마트 홈, 스마트 빌딩, 또는 스마트 공간이라고 불리는 건축물이 많이 사용됩니다. 이러한 건축물들은 인터넷, 인공지능, 자동화 기술 등을 통해 연결되어 효율적으로 관리되거나 제공됩니다.

또한, 스마트 도시에서는 에너지 관리 시스템, 자동화된 교통 제어 시스템, 무선 네트워크, 공공 안전 시스템 등의 구성요소도 많이 사용됩니다. 이러한 요소들은 스마트 도시를 보다 효율적으로 관리하고 안전한 공간으로 만드는 데 큰 역할을 합니다.

 위 글에서 키워드를 추출해줘.

스마트 도시, 인프라, 고속도로, 교량, 철도, 지하철, 스마트 홈, 스마트 빌딩, 스마트 공간, 인터넷, 인공지능, 자동화 기술, 에너지 관리 시스템, 교통 제어 시스템, 무선 네트워크, 공공 안전 시스템

질문을 통해 스마트 도시에 들어가는 다양한 구성요소를 파악할 수 있었다. 스마트 도시에는 스마트 홈, 스마트 빌딩 등 건축물과 도로, 지하철, 교통 제어 시스템 등 다양한 인프라가 함께 어우러져 있다는 것을 알 수 있다. 또한, 스마트 도시에서 빠질 수 없는 자동화 기술, 무선 네트워크 등 다양한 최신 기술도 함께 등장하고 있다. 그렇다면 학생들이 가상의 스마트 도시를 구축할 때 어떤 점을 중심으로 제작해야 할까? 새로운 아이디어가 필요하므로, 프로젝트 수행과 관련된 아이디어를 만들어 달라고 요청하였다.

 학생들이 스마트 도시를 가상으로 구축하는 프로젝트를 수행하려고 해. 이와 관련된 아이디어를 제시해줘.

 아래는 학생들이 스마트 도시를 가상으로 구축하는 프로젝트에 대한 아이디어를 제공합니다:

- **스마트 도시의 인프라 구성요소 설계** : 학생들은 스마트 도시의 인프라를 구성하는 고속도로, 교량, 철도, 지하철, 스마트 홈, 스마트 빌딩, 스마트 공간 등을 설계하고 시각적인 모델을 제작할 수 있습니다.

- **스마트 도시에서의 교통 체계 분석** : 학생들은 스마트 도시에서 매일 이동하는 수많은 차량과 대중교통 시스템을 분석하고, 어떻게 더 스마트한 교통 시스템을 구축할 수 있는지 연구할 수 있습니다.

- **스마트 도시의 생태계 설계** : 학생들은 스마트 도시 내 생태계를 분석하고 이동 가

능한 생물의 경로와 거주 가능한 생물의 구역을 설계할 수 있습니다.

- **스마트 도시에서의 에너지 관리** : 학생들은 스마트 도시에서 에너지 사용량을 줄이기 위한 미래적인 시스템 개발과 구축 방법을 연구할 수 있습니다.

- **공공 안전 시스템 설계** : 학생들은 스마트 도시의 공공 안전 시스템을 고안하고, 응급 상황이 발생했을 때 신속하게 대응할 수 있는 시스템을 설계할 수 있습니다.

이러한 아이디어는 학생들이 스마트 도시 구축 프로젝트 수행 시 참고할 수 있습니다.

응답 결과를 확인하니 스마트 도시의 인프라, 교통 체계, 생태계 설계, 에너지 관리, 안전 관리 시스템 등으로 요약할 수 있으며, 추가로 아이디어가 필요한 경우 텍스트 생성형 AI에게 더 많은 질문으로 답을 얻을 수 있다.

스마트 도시 구성요소 결정 및 프롬프트 제작하기

이제 스마트 도시의 구성요소를 이미지 생성형 AI를 통해 직접 만들어보자. 이 단계에서 가장 중요하면서도 어려운 것이 특정 요소를 생성하기 위한 프롬프트를 생성하는 것인데, 여기서는 이를 돕는 프롬프트 히어로 플랫폼을 활용한다.

| 그림 4-9 | **프롬프트 히어로에서 구성요소 검색**

앞의 그림은 프롬프트 히어로 플랫폼에 'apartment'라는 키워드를 입력한 결과다. 학습자들은 자신이 원하는 건축물, 토목 구조물 등 다양한 구성요소에 해당하는 키워드를 입력하고 마음에 드는 이미지를 선택할 수 있다. 이미지를 선택하면 다음 그림과 같이 해당 이미지를 생성하는 데 사용한 프롬프트를 확인할 수 있다. 또한, 화면 우측 하단에는 해당 이미지와 유사한 이미지들도 확인할 수 있어 추가로 다양한 프롬프트를 확인할 수 있다.

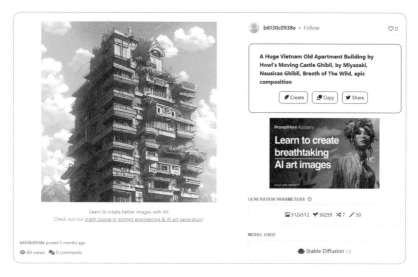

| 그림 4-10 | 프롬프트 히어로에서 프롬프트 확인

스마트 도시 구성요소 그리기

이제 각자가 원하는 스마트 도시의 구성요소 관련 프롬프트를 플레이그라운드와 같은 이미지 생성형 AI 플랫폼에 입력하고 결과를 확인한다. 프롬프트의 조합은 학습자들의 몫이며, 처음부터 양질의 결과물을 얻기는 쉽지 않으니 지속적으로 프롬프트를 수정하려는 노력이 필요하다. 스마트 도시의 구성요소 중 일부를 조합한 결과의 예시는 다음과 같다.

```
modern city,
futuristic buildings,
flying cars, smart
home, realistic,
smart cars in the
road
```

```
modern city, futuristic buildings,
flying cars smart home, realistic,
smart cars in the road, electric
plant, low poly, isometric art, 3d
art, high detail, artstation, concept
art, behance, ray tracing, smooth,
sharp focus, ethereal lighting
```

| 그림 4-11 | 프롬프트 조합으로 생성한 이미지 예시

이제 이렇게 학습자들이 각각 작업한 프롬프트와 생성된 이미지를 패들렛으로 공유한다. 같은 주제로 학습할 경우 하나의 주제를 기반으로 다양한 프롬프트들이 생성되므로, 다른 학습자의 결과물을 확인하고 새로운 아이디어를 얻어 자신의 프롬프트를 다양하게 수정해볼 기회가 된다. 따라서 생성된 모든 프롬프트와 결과물은 함께 공유하는 것이 좋다.

| 그림 4-12 | 프롬프트와 생성된 이미지 결과를 공유하는 예시

스마트 도시 메타버스 공간 만들기

앞서 다양한 프롬프트의 조합을 통해서 스마트 도시를 설계해보았다. 원하는 도시의 요소들을 추가로 구성할 수 있었고, 이를 기반으로 다양한 이미지를 생성할 수 있었다. 이제는 VR기기 등에서 활용할 수 있는 360° VR 이미지를 생성해보자. 스카이박스^{Skybox AI}에서 제공하는 원 클릭 360° 이미지 생성기를 활용하면 프롬프트의 조합만으로도 상당한 퀄리티의 360° 이미지를 생성할 수 있다.

앞서 제작한 프롬프트 중 가장 적절하다고 생각하는 프롬프트의 조합을 다음과 같이 입력하고 결과물을 확인한다. 출력된 결과물이 마음에 들지 않는다면, 재생성 또는 프롬프트의 조합을 변화시켜 여러 개의 이미지를 생성해본다. 그중 마음에 드는 이미지를 프로젝트의 최종 결과물로 저장하거나 타인에게 공유할 수 있다. 또한, VR 기기 또는 카드 보드 등을 활용하면 이렇게 만든 이미지를 VR 환경에서 볼 수 있어 결과물을 더욱 생생하게 확인할 수 있다.

```
modern city, futuristic buildings, flying cars, smart home,
realistic, smart cars in the road, electric plant, low poly,
isometric art, 3d art, high detail
```

| 그림 4-13 | 프롬프트의 조합으로 생성한 VR 이미지

06 모두가 행복한 대한민국 만들기 프로젝트

사회/지리 분야

세계 어느 나라나 마찬가지겠지만 대도시의 인구 쏠림 현상은 사회적으로 해결해야 할 문제 중 하나로 대두되고 있다. 대한민국도 물론 예외는 아니다. 2022년 기준 국내 인구는 2021년 대비 199,771명 감소했다.[1] 저출산 기조 확대 및 인구의 고령화로 인해서 역대 최대의 인구 자연 감소율을 기록하였다.

인구 감소 문제와 함께 떠오르는 것이 수도권 인구 쏠림 현상이다. 실제로 수도권에는 2023년 7월 기준 약 2,600만 명의 인구가 거주하고 있으며, 이는 전체 인구의 절반 이상(50.6%)을 차지한다. 이렇게 많은 비중의 인구가 수도권에 거주하는 이유는 무엇일까? 가장 큰 이유는 양질의 직장이 수도권에 몰려 있기 때문이다. 지방은 수도권에 비해 상대적으로 좋은 일자리가 많지 않다. 정부에서도 이를 잘 알기에 다양한 정책들을 펴고 있지만, 수도권 인구 집중 현상은 쉽게 해결될 기미가 보이지 않는다.

이번 활동은 학습자들이 이러한 문제를 다양한 관점으로 바라보고 미래 정책에 반영될 수 있는 창의적인 아이디어 제시를 통해 모두가 행복한 대한민국을 만들기 위한 프로젝트이다. 여기에서 제시하는 '모두가 행복한 대한민국 만들기' 프로젝트는 특히 초중고 사회, 역사 교과, 지리정보학 등 다양한 수업에서 활용할 수 있다.

- **대상** : 초·중·고·대
- **관련 과목** : 초등학교 사회, 중·고등학교 사회/지리, 대학의 사회학, 인구통계학, 지리정보학 등
- **활동** : 지역 문제 파악하기, 지리학적 위치 분석하기, 인구 문제 관련 토론하기
- **활용하는 생성형 AI 도구** : 빙챗, 챗GPT, 구글 어스(지리 정보 시각화용)

지역 문제 파악하기

최근 인구 문제는 아마 수도권을 제외한 대부분의 지역에서 겪는 현상일 것이다. 정부에서는 인구 감소 지역을 5년 단위로 지정[2]하여, 국가의 균형 발전을 위해서 노력하고 있다. 여기서는 인구 감소 지역으로 지정된 지역 중 충청남도를 대상으로 선정하고, 인구 감소의 원인은 무엇인지 그리고 대책은 어떤 것들이 있을지 탐색할 것이다.

가장 먼저 최근 인구 증감률을 파악하기 위해서 충청남도에서 인구 증가율이 낮은 도시를 텍스트 생성형 AI에게 질문한다. 우선 충청남도의 인구 증가율이 낮은 도시 상위 5개를 정리해 달라고 요청하였다. 챗GPT는 2021 년도까지의 데이터만 제공하기 때문에 최신 정보를 받을 수 없다는 문제가 있다. 따라서 최신 정보도 함께 제공하는 빙챗^{Bing Chat}을 이용하여 답변을 받아 보았다.

> 2023년 기준 충청남도에서 인구 증가율이 낮은 도시 상위 5개를 오름차순으로 표로 정리해줘. 표에는 도시명, 이전 인구수, 증감 인구수, 현재 인구수, 1년 증가율을 함께 표시해줘.

2023년 기준 충청남도에서 인구증가율이 낮은 도시 상위 5개를 오름차순으로 정리해드릴게요.

도시명	이전 인구수	증감 인구수	현재 인구수	1년 증가율
금산군	55,756명	274명 감소	55,482명	-0.49%
보령시	102,229명	192명 감소	102,037명	-0.19%
논산시	124,942명	591명 증가	125,533명	0.47%
서천군	49,465명	580명 감소	48,885명	-1.17%
태안군	61,808명	939명 감소	60,869명	-1.52%

위 표는 충청남도에서 인구증가율이 낮은 도시 상위 5개를 오름차순으로 정리한 것입니다[1]. 표에 따르면 금산군과 태안군이 각각 **-0.49%**와 **-1.52%**의 증가율로 하위권을 차지하고 있습니다[1].

[1]: 충남도 인구증가율 낮은 도시 상위5개

자세한 정보: 1. chungnam.go.kr 2. kostat.go.kr 3. ko.wikipedia.org   4 / 30 ●

아주 깔끔하게 잘 정리된 것처럼 보인다. 참고문헌도 함께 표시되어 세부적으로 사용자가 확인할 수도 있다. 하지만 여기서 할루시네이션 문제가 발생했다. 사실을 확인하고자 충청남도 공식 홈페이지에 들어가서 살펴보니 수치가 전부 달랐다. 물론 수치가 큰 폭으로 다르진 않고 적은 수준에서 차이가 났지만, 결과적으로 다르긴 달랐다. 챗GPT는 데이터가 없어 답변을 줄 수 없다고 하고, 구글의 바드[Bard]에서 생성한 결과도 같았다. 지속적으로 추가로 질문하여 인구수를 확인해보아도 정상적으로 나오지 않았다. 지금까지 개발된 텍스트 생성형 AI 기술로는 해결하기 쉽지 않은 문제로 보인다. 이는 추후 모델이 개선된다면 활용할 수 있는 방법이므로, 참고하기 바란다.

이번 프로젝트에서는 생성형 AI 활용에 제한이 있어 충청남도 홈페이지의 통계자료[3]를 검색해 보았다. 2023년 5월 기준 통계 자료를 확인하여 2022년 말 대비 인구 감소율이 가장 높은 도시 순으로 나열해 보면 다음과 같다.

	2022년 말	2023년 5월	연말대비 증감	증감률(%)
홍성군	98,068	96,952	-1,116	-1.14
부여군	62,343	61,800	-543	-0.87
논산시	112,617	111,717	-900	-0.8
서천군	49,964	49,620	-344	-0.69
보령시	97,157	96,666	-491	-0.51
태안군	61,335	61,095	-240	-0.39
서산시	176,413	176,085	-328	-0.19

| 표 4-1 | 충청남도 주민등록상 인구 증감 현황, 인구 감소율이 높은 순

다음으로 인구 증가율이 높은 도시 순으로 나열해보니 다음과 같았다.

	2022년 말	2023년 5월	연말대비 증감	증감률(%)
계룡시	44,475	45,523	1,048	2.36
예산군	77,385	78,768	1,383	1.79
아산시	334,539	337,007	2,468	0.74
당진시	168,253	169,071	818	0.49
금산군	50,092	50,314	222	0.44
공주시	102,571	102,731	160	0.16
천안시	657,559	658,213	654	0.1

| 표 4-2 | 충청남도 주민등록상 인구 증감 현황, 인구 증가율이 높은 순

지리학적 위치 분석하기

이제 인구 증가율이 높은 도시와 낮은 도시의 상대적인 위치 파악을 통해 어떤 위치에 있는 도시들의 인구가 증가하고 있는지 혹은 감소하고 있는지를 파악해보는 활동을 수행해보려고 한다. 이때, 도시들의 위치를 하나하나 파악하는 것이 좋으나, 실제로 지도에 도시들을 모두 나타내는 작업은 생각보다 쉽지 않다. 그러려면 KML 코드를 작성하고 이를 구글 어스에 넣는 작업을 해야 한다.

KML은 구글 어스, 구글 지도 및 구글 모바일 지도와 같은 브라우저에서 지리 데이터를 표시하는 데 사용되는 파일 형식[*]이다. 쉽게 말해 위도와 경도 좌표를 기반으로 만들어진 코드이며, 이 형식의 코드를 구글 어스나 구글 맵에서 불러오면 마커를 표시하여 지도에 시각화할 수 있다. 하지만 KML 코드를 작성하는 것은 생각보다 시간과 노력이 많이 소요되는 작업이다. 여기서 이러한 문제를 해결해 줄 구원 투수가 바로 챗GPT다. 즉, 앞서 도출된 인구 증가율 또는 감소율이 높은 도시를 기반으로 KML 코드를 작성하도록 챗GPT에게 도움을 요청해보자.

 각 도시를 구글 어스에 나타낼 수 있는 KML 코드를 작성해줘.

1. 홍성군, 부여군, 논산시, 서천군, 보령시, 태안군, 서산시 : 붉은색 마커로 표시
2. 계룡시, 예산군, 아산시, 당진시, 금산군, 공주시, 천안시 : 노란색 마커로 표시

```xml
<?xml version="1.0" encoding="UTF-8"?>
<kml xmlns="http://www.opengis.net/kml/2.2">
  <Document>
    <Style id="redStyle">
      <IconStyle>
        <Icon>
          <href>http://maps.google.com/mapfiles/kml/paddle/red-circle.png</h
        </Icon>
      </IconStyle>
    </Style>
    <Style id="yellowStyle">
      <IconStyle>
        <Icon>
          <href>http://maps.google.com/mapfiles/kml/paddle/ylw-blank.png</h
```

…중략…

이렇게 프롬프트 몇 줄로 약 120줄의 코드를 만들 수 있다. 코드가 길어 나머지 부분은 생략하였다. 이렇게 만든 코드를 복사하여 KML 형식으로 저장한다. KML파일로 저장하는 방법은 복사한 코드를 메모장에 붙여 넣은 후, [다른 이름으로 저장]을 눌러 '파일 이름.kml' 형식으로 저장하면 된다 (파일 형식: 모든 파일). 그렇다면 이 코드가 잘 실행되는지 확인이 필요하다. KML 코드는 구글 어스에서 활용할 수 있는 형식이므로, 먼저 구글 어스[5]에 접속한다. 구글 어스에서 좌측 상단의 메뉴바 버튼을 누르면 다음과 같은 화면이 표시되는데, 그중 [프로젝트(Projects)]를 선택한다.

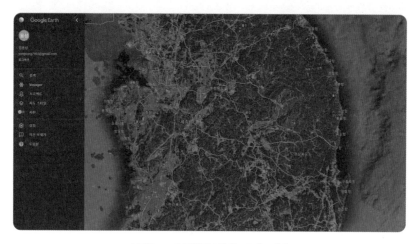

| 그림 4-14 | 구글 어스에서 프로젝트 생성

이어서 새 프로젝트 만들기를 선택하고 [컴퓨터에서 KML 파일 가져오기 (Import KML file from computer)] 메뉴를 이용하여 앞서 만든 KML파일을 가져온다. 이제 앞서 만든 파일을 실행한 결과를 살펴보자.

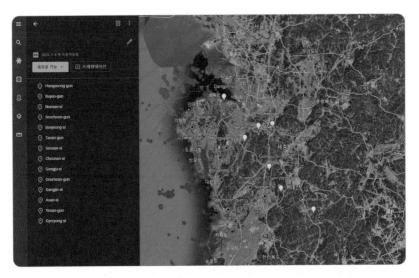

| 그림 4-15 | 구글 어스에 KML 코드로 표시한 여러 도시

출력 결과를 보니 한눈에 도시가 구분되는 것을 알 수 있다. 지리적인 정보를 전혀 모르는 상태에서 인구 증감률이 높은 도시와 낮은 도시를 구분하였고, 이 결과를 지도에 표시하는 것만으로도 의미 있는 결과를 얻을 수 있다. 붉은색 마커는 인구 감소율이 높은 도시이며 대부분 서해안 부근에 몰려 있는 것을 확인할 수 있고, 노란색 마커는 인구 증가율이 높은 도시이며 충청남도의 동쪽에 대부분 몰려 있다. 즉, 수도권이나 대전, 세종에 가까운 도시일수록 인구 증가율이 높으며, 반대의 경우는 인구가 감소하고 있는 것이다. 이렇게 간단한 분석을 통해 서쪽에서 동쪽으로 인구가 이동하고 있다는 사실을 쉽게 파악할 수 있다.

인구 문제 관련 토론하기

앞서 얻은 결과로 토론 주제를 만들 수 있다. 실제로 인구가 특정 지역에 집중되는 데이터를 보고, 지도에도 나타내 봄으로써 관련된 문제를 인식할 수 있기 때문이다. 그렇다면 토론 주제는 무엇으로 하면 좋을까? 막상 토론 주제가 잘 떠오르지 않는다면 챗GPT의 도움을 받아보자.

> 👤 충청남도에서 대전과 세종과 같은 대도시 근처에 있는 도시들로 인구의 이동이 심화되고 있는 반면, 대도시에서 멀어질수록 인구 감소 현상이 심화되고 있어. 이러한 문제에 대해 중학교 학급에서 토론하고자 하는데, 토론 아이디어를 10개 만들어줘.

🌀 중학교 학급에서 할 수 있는 토론 아이디어 10가지를 제안해 드리겠습니다:

1. 대도시로의 인구 이동이 발생하는 이유와 그 영향을 토론해보자.

2. 대도시 근처 도시로의 인구 이동이 현지 지역에 어떤 영향을 미치는지에 대해 의견을 나눠보자.

3. 인구 감소 현상이 발생하는 도시들이 직면하는 문제와 이에 대한 해결책에 대해 논의해보자.

4. 대도시와 멀어진 도시들이 갖고 있는 잠재력과 강점을 활용하여 인구 감소 현상을 극복할 수 있는 방법에 대해 토론해보자.

5. 지역 경제 발전을 위해 어떻게 대도시와 멀어진 도시들이 협력할 수 있는지에 대해 의견을 나눠보자.

6. 인구 이동이 주로 발생하는 대도시와 멀어진 도시들의 장점과 단점에 대해 논의해보자.

7. 대도시와 멀어진 도시들이 인구 감소 현상을 극복하기 위해 어떤 산업 분야에 주력해야 하는지에 대해 토론해보자.

8. 교육, 문화, 체육 등 지역 자원을 활용하여 인구 감소 현상에 대응하는 방안을 논의해보자.

9. 대도시와 멀어진 도시들이 주거 환경과 공공 서비스를 개선하여 인구 유입을 유도할 수 있는 방법을 토론해보자.

10. 지역 사회의 활력을 높이고 인구 유지에 기여할 수 있는 지역 축제, 이벤트, 관광 활성화 방안에 대해 의견을 나눠보자.

위의 아이디어를 활용하여 토론 주제를 선택하고, 학급 내에서 다양한 의견을 나누
며 생각을 공유할 수 있을 것입니다.

이러한 아이디어를 바탕으로 다양한 주제의 토론을 수행할 수 있다. 토론
주제 선정과 운영은 교수자의 재량에 따라 달리할 수 있으니 다양한 방식으
로 운영해 보는 것을 추천한다.

07 퓨전 레스토랑 오픈 프로젝트

가정/식품영양 분야

우리가 즐겨 먹는 다양한 음식은 누구나 관심이 있으며, 맛있는 음식을 먹고자 하는 것은 사람들이 항상 추구하는 바이다. 이번에는 가정, 식품영양 등 관련 수업에서 활용할 수 있는 퓨전 요리 개발 프로젝트를 소개한다. 퓨전 요리는 둘 이상 문화권의 요소가 혼합된 요리이다. 한국의 음식인 떡볶이와 로제 소스를 혼합한 음식인 로제 떡볶이, 찜닭 위에 치즈를 얹어 만든 치즈 찜닭 등 다양한 퓨전 요리가 있다. 하지만 퓨전 요리를 실제로 개발하기는 쉽지 않다고 한다. 왜냐하면 개별 요리 고유의 특성을 제대로 살려야 하기 때문이다.

한편, 최근 '골목 식당'이라는 TV 프로그램이 인기를 얻고 있는데, 이와 유사한 프로젝트를 기획해보자. 즉, 학습자가 자신만의 레스토랑을 개업하는 프로젝트 기획을 통해 문제 해결력, 창의력, 기업가 정신 등 다양한 요소를 길러보는 것이다. 결과적으로 학습자는 이를 통해 가정, 식품영양, 상업, 마케팅 등 다양한 분야의 학문을 복합적으로 이해할 수 있게 된다. 여기에서 제시하는 퓨전 레스토랑 오픈 프로젝트는 특히 초등학교 실과, 중·고등학교 가정, 대학의 식품영양, 마케팅 등 다양한 수업에서 활용할 수 있다.

- **대상** : 초·중·고·대
- **관련 과목** : 초등학교 실과, 중·고등학교 가정, 대학의 식품영양, 마케팅 등
- **활동** : 레스토랑 이름 결정하기, 판매 메뉴 결정하기, 대표 메뉴 레시피 만들기, 메뉴북 만들기
- **활용하는 생성형 AI 도구** : 챗GPT, 뤼튼 또는 플레이그라운드, 감마앱

레스토랑 이름 결정하기

이번 프로젝트에서 가장 먼저 할 일은 어떤 음식을 판매하는 레스토랑을 만들지 고민하는 것이다. 학습자는 자신 혹은 자신의 팀이 판매할 메뉴에 대해 논의하여 구체적으로 판매할 음식을 결정한다. 예를 들어 한국 음식, 일본 음식, 베트남 음식 중 판매에 적합한 음식을 결정하는 것인데, 퓨전 레스토랑이므로 두 개의 국가를 대표하는 음식들이 적절한 조화를 이루도록 하는 것이 중요하다.

다음으로 레스토랑에서 판매할 음식을 드러내는 레스토랑 이름을 고민해본다. 예를 들어 한국 음식과 베트남 음식을 퓨전으로 파는 레스토랑을 오픈하려고 한다면 두 국가의 음식을 레스토랑 이름에서 유추할 수 있도록 하는 것이 중요하다.

이때 텍스트 생성형 AI를 활용하여 각 국가의 음식 또는 문화적인 특성에 맞게 상호를 결정해보자. 예시로 한국 음식과 베트남 음식을 기반으로 한 퓨전 레스토랑을 오픈한다고 하면 다음과 같이 레스토랑 이름을 추천받을 수 있다. 결과가 마음에 들지 않으면 추가로 상세하게 질문하여 여러 가지 아이디어를 얻을 수도 있다.

한국 음식과 베트남 음식을 판매하는 식당을 만들고 싶어. 두 국가의 음식 특징을 잘 살려서 퓨전 음식을 판매하는 식당이야. 식당 이름을 지어줄 수 있어? 퓨전이라는 단어는 안 들어가게 해주고, 세련되게 지어줘.

물리적 거리에 상관없이 한국과 베트남의 음식 문화를 세련되게 결합한 식당 이름을 고려해 보았습니다:

1. **"아미티지오" (Amitegio)** : 이 이름은 "우정"이라는 의미로 한국어와 베트남어에서 가져온 합성어입니다. 음식을 통해 다양한 문화와 우정이 어우러지는 상상을 하게 합니다.

2. **"르 푸드 카페" (Le Food Cafe)** : 프랑스어인 "르"과 "카페"를 사용하여 세련된 분위기를 연상시키는 이름입니다. 한국과 베트남의 음식을 제공하는 독특한 카페 경험을 상상케 합니다.

3. **"푸즈오리진" (Food Origin)** : 이 이름은 두 나라 음식의 원본에 대한 경의와 존중을 나타내며, 세련된 분위기를 갖춘 식당을 상징합니다.

4. **"아모피아" (Amophia)** : 이 이름은 한국어에서 "아모"(사랑)과 베트남어에서 "피아"(음식)를 결합한 것입니다. 사랑으로 만들어지는 세련된 음식 문화를 강조합니다.

5. **"마블루" (Marblu)** : "마블"(대리석)과 "블루"(파란색)의 조합으로, 고급스러움과 독특한 분위기를 상징하는 이름입니다.

6. **"실크로즈" (Silkrose)** : 이 이름은 한국의 실크로드와 베트남의 장미를 연상시키는 조화로움을 갖춘 식당을 상징합니다. 섬세하고 우아한 분위기를 나타냅니다.

7. **"오리엔트 플레이트" (Orient Plate)** : 이 이름은 동양적인 매력과 고급스러움을 갖춘 음식을 제공하는 식당을 상징합니다. 한국과 베트남의 요리가 다채롭게 배치된 접시를 연상시킵니다.

8. **"에센스 쥬엘" (Essence Jewel)** : 이 이름은 한국과 베트남의 음식 문화의 핵심과 보석 같은 가치를 담아낸 식당을 의미합니다. 세련되고 특별한 경험을 암시합니다.

판매 메뉴 결정하기

이제 레스토랑에서 판매하는 메뉴를 결정하는 단계다. 여기서는 텍스트 생성형 AI에게 식당의 특징을 설명하고, 판매 메뉴를 추천해달라고 요청하였다. 결과를 살펴보면 두 국가의 음식을 퓨전하여 만든 요리를 제대로 추천하기도 하였으나, 그렇지 못한 경우도 보였다. 이럴 때는 부분적으로 다시 만들어달라고 추가로 요청할 수도 있다.

 앞에서 말했던 한국 음식과 베트남 음식을 판매하는 식당에서 판매할 다양하고 세련된 메뉴를 10개 만들려고 해. 각 메뉴와 특징을 설명해줘.

 한-베트남 퓨전 레스토랑에서 가장 유명하고 맛있는 메뉴 10가지를 소개합니다.

1. **불고기 반미(Bulgogi Banh Mi)** : 부드럽고 향긋한 한국식 양념 쇠고기(불고기), 절인 야채, 신선한 허브, 매운 소스 또는 덜 매운 소스로 속을 채운 정통 베트남식 반미 샌드위치입니다.

2. **포가 코리안 프라이드 치킨** : 베트남 쌀국수를 넣은 한국식 프라이드 치킨의 군침 도는 조합. 바삭바삭한 프라이드 치킨은 포(pho)에서 영감을 받은 유약으로 코팅되어 풍미가 조화롭게 어우러집니다.

3. **레몬그라스 새우구이 김치볶음밥** : 한국의 대표 김치볶음밥과 즙이 많은 레몬그라스 새우구이가 어우러진 만족스러운 요리. 김치는 톡 쏘는 매운맛을 더하고 구운 새우는 향긋하고 불 맛을 더합니다.

4. **닭갈비 춘권** : 한국식 매콤한 구운 닭고기(닭갈비), 혼합 야채 및 허브로 속을 채운 신선한 춘권에 디핑 소스를 곁들여 두 요리의 풍미를 보완합니다.

5. **Bun Cha BBQ Beef Bowl** : 구운 한국식 BBQ 쇠고기, 쌀국수, 신선한 허브, 절인 야채, 누옥 참 소스를 뿌린 베트남식 요리입니다. 그것은 불 맛과 달콤하며 톡 쏘는 맛의 조화를 제공합니다.

6. **포리또(Pho-ritto)** : 베트남 쌀국수와 브리또의 독창적인 퓨전. 쌀국수, 얇게 썬 쇠고기 또는 닭고기, 신선한 허브, 전통적인 쌀국수 양념을 큰 라이스 페이퍼 롤에 싸서 휴대하고 독특한 식사 경험을 할 수 있도록 구성되어 있습니다.

7. 김치 반세오(Kimchi Banh Xeo) : 베트남 반세오를 변형한 이 요리는 콩나물, 돼지고기 또는 새우로 속을 채운 바삭한 쌀 팬케이크에 한국의 주요 김치를 넣고 누옥 참 디핑 소스를 곁들입니다.

8. 불고기 비빔밥 : 한국의 대표 비빔밥으로 재운 불고기, 각종 야채, 계란 후라이, 매콤한 고추장 소스를 더했습니다. 질감과 풍미의 조화로운 균형을 제공합니다.

9. 포보쌈 : 베트남 쌀국수 국물에 부드러운 한우 보쌈을 곁들인 퓨전 요리. 풍부한 육수가 쇠고기의 풍미를 더해 편안하고 맛있는 조합을 만들어냅니다.

10. Banh Mi Kimchi Burger : 클래식 버거의 퓨전 트위스트. 육즙이 풍부한 쇠고기 패티 위에 톡 쏘는 김치, 절인 야채, 한국에서 영감을 받은 소스 선택. 독특하고 만족스러운 맛 프로필을 제공합니다.

이 메뉴 항목은 한식과 베트남 요리 최고의 요소를 결합하여 고객의 입맛을 사로잡을 유쾌한 퓨전을 만듭니다. 이 유명하고 맛있는 요리를 식당 메뉴에 포함시키는 것을 즐기십시오!

대표 메뉴 레시피 만들기

이렇게 선정한 메뉴는 어떤 레시피로 만드는 것일까? 물론 만드는 사람마다 요리 방법이 천차만별이겠지만 여기서는 불고기 반미 샌드위치라는 음식을 만드는 방법을 질문했다. 그 결과 비교적 표준이 되는 레시피를 상세하게 출력해주는 것을 볼 수 있다. 만약 수업 중 해당 레시피로 요리할 수 있는 시간적, 환경적 여유가 된다면 실제 요리로 제작하고, 소규모 대회를 개최해 보는 것도 좋을 것이다.

 앞의 메뉴 중에 불고기 반미 샌드위치를 만드는 방법을 알려줘.

 불고기 반미 샌드위치 레시피는 다음과 같습니다.

재료 :

불고기 양념 :
- 얇게 썬 쇠고기 500g(1파운드)(예: 등심 또는 립아이) | ·간장 4큰술 | ·흑설탕 2큰술

- 참기름 2큰술 | • 다진 마늘 2큰술 | • 다진 생강 2큰술 | • 막걸리나 맛술 1큰술
- 꿀 1큰술 | • 참깨 1큰술 | • 입맛에 따라 갓 갈은 후추

Banh Mi 샌드위치 :

- 바게트 또는 프렌치 롤빵 | • 마요네즈 | • 절인 당근과 무(아래 레시피 참조)
- 신선한 오이, 얇게 썬 것 | • 고수 잎 | • 칠리페퍼, 간장 또는 추가 양념(선택사항)

절인 당근과 무 :

- 채 썰거나 성냥개비 모양으로 자른 중간 크기 당근 1개
- 채 썰거나 성냥개비 모양으로 자른 작은 무 1개
- 쌀 식초 ½컵 | • 물 ½컵 | • 설탕 2큰술 | • 소금 1작은술

지침 :

1. 볼에 양념장 재료를 모두 넣고 잘 섞습니다. 얇게 썬 쇠고기를 넣고 골고루 코팅 될 때까지 볶습니다. 소고기를 최소 30분 동안 양념에 재우거나 풍미를 더하려면 밤새 냉장 보관하세요.

2. 쇠고기가 재워지는 동안 당근과 무를 절입니다. 작은 냄비에 쌀 식초, 물, 설탕, 소 금을 섞습니다. 설탕과 소금이 녹을 때까지 중불로 가열합니다. 다 녹으면 혼합물 을 식히십시오. 채 썬 당근과 무를 항아리나 그릇에 넣고 식힌 식초 혼합물을 그 위에 붓습니다. 맛을 더 좋게 하려면 최소 30분 동안 그대로 두거나 몇 시간 동안 냉장 보관하세요.

3. 그릴 팬이나 프라이팬을 중불로 가열합니다. 절인 쇠고기 조각을 양쪽에서 2-3분 동안 또는 완전히 익혀 약간 캐러멜화될 때까지 요리합니다. 불을 끄고 따로 보관 하십시오.

4. 바게트나 롤빵을 샌드위치 크기로 잘라 가로로 썹니다. 원하는 경우 빵을 가볍게 굽습니다.

5. 식빵 안쪽에 마요네즈를 발라줍니다. 식빵 한쪽에 구운 불고기 슬라이스를 겹겹 이 올려주세요.

6. 절인 당근과 무는 식초 혼합물에서 물기를 빼고 쇠고기 위에 듬뿍 얹습니다. 원하 는 경우 얇게 썬 오이, 실란트로 잎, 신선한 칠리페퍼를 추가합니다.

7. 기호에 따라 간장이나 원하는 양념을 소에 뿌려 풍미를 더할 수 있습니다.

8. 샌드위치를 닫고 부드럽게 눌러줍니다. 불고기 Banh Mi 샌드위치를 즉시 서빙하고 즐기세요!

이 레시피는 불고기 쇠고기, 절인 야채, 신선한 허브의 맛있는 맛을 결합하여 샌드위치 형태로 유쾌한 한-베트남 퓨전 경험을 선사합니다.

메뉴북 만들기

다음으로 각 메뉴를 소개하는 자료를 만들어 본다. 앞서 만든 불고기 반미 샌드위치를 예로 들어보자. 지금까지는 텍스트 생성형 AI만 활용했기 때문에 따로 음식과 관련된 이미지가 없다. 하지만 레스토랑에서 판매하는 음식 사진과 이에 대한 소개가 있다면 고객이 더 쉽게 원하는 메뉴를 선택할 수 있을 것이다. 따라서 이번에는 이미지 생성형 AI와 프레젠테이션 생성형 AI 도구를 모두 활용하여 메뉴북을 만들어본다.

불고기 반미 샌드위치라는 메뉴와 같이 인공지능이 생성한 메뉴는 실제로 관련 사진이 없는 경우가 많다. 따라서 새로 생성한 메뉴에 대한 사진을 AI와 함께 만들어보자. 여기서는 뤼튼을 통해 사진을 만드는데, 플레이그라운드와 같은 다른 이미지 생성형 AI를 사용해도 상관없다. '불고기가 들어간 반미 샌드위치 사진을 그려줘. 먹음직스럽고 사실감 있게 그려줘.'라는 프롬프트를 활용해보겠다. 사진을 그려달라고 요청했으나, 그림 형태로 나오는 경우도 있으므로 프롬프트를 적절하게 수정하여 활용하길 바란다. 뤼튼에서 생성된 결과는 다음 그림과 같다. 실제로 불고기가 들어간 반미 샌드위치 이미지가 생성되었고 이 이미지를 메뉴북에 활용할 수 있다.

| 그림 4-16 | 뤼튼으로 생성한 요리 이미지

이렇게 레스토랑에서 판매하는 모든 메뉴에 대해 사진을 생성하면 이를 활용하여 메뉴북을 만들 수 있다. 이번에는 프레젠테이션 생성형 AI인 감마 앱 gamma.app 을 활용한다. 감마앱에서 '한국&베트남 퓨전 레스토랑 소개'라는 프레젠테이션을 제작하는데, 우선 메뉴북의 제목만 입력하게 되면 자동으로 메뉴북 관련 내용을 생성해 준다. 생성한 내용이 우리가 만드는 목적과 맞다면 그대로 사용해도 되지만, 그렇지 않다면 레스토랑 소개, 메뉴 소개 등 관련 항목을 추가하여 상세한 내용을 만들어낸다.

| 그림 4-17 | 감마앱으로 제작한 프레젠테이션에 이미지를 넣어 완성한 메뉴북 예시

이제 AI가 완성한 프레젠테이션에 AI를 통해 생성한 이미지를 넣어 완성도를 높인다. 그림 예와 같이 음식 이미지와 소개를 넣어 메뉴북을 완성할수 있으며, 완성된 메뉴북을 패들렛으로 공유하여 다양한 활동과 연계할 수있다.

08 AI만 있으면 나도 예술가

음악/미술 분야

　이번에는 예술 분야 수업에서 활용할 수 있는 프로젝트 수업을 소개한다. 누구나 한 번쯤 자신만의 멋진 그림이나 음악을 만들어보고 싶다는 생각을 했을 것이다. 이제는 누구나 AI로 그림과 음악을 쉽게 만들 수 있는 시대가 되었다. 생성형 AI 도입 덕분에 일반인들도 예술 분야에 접근하기가 쉬워졌으며 학습자들도 마찬가지다. 교수자들이 이러한 이점을 활용한다면 과거에 단순하게 그림을 그리는 등의 활동을 넘어서 새로운 유형의 수업을 기획할 수 있을 것이다.

　이번 프로젝트는 생성형 AI 기술을 활용하여 미술과 음악 분야를 융합하여 진행하는 수업이다. 즉, 학습자들이 생성형 AI 도구를 활용하여 자신만의 스타일로 그림이나 사진을 만들고, 그에 어울리는 음악까지 만들어 내는 것이다. 완성된 작품은 서로 공유하여 어떤 작품이 더 우수한가도 겨뤄볼 수 있다.

　이번 프로젝트로 학습자들은 생성형 AI의 핵심 기술을 대부분 체험할 수 있어, 생성형 AI 활용 역량을 키울 수 있다. 또한, 학교 현장에서 다양하게 응용한다면 생성형 AI를 예술 분야 교과와 융합하여 활용할 수 있을 것이다.

- **대상** : 초·중·고·대
- **관련 과목** : 미술, 음악 등 예술 분야 과목
- **활동** : 그림 그리기 주제 결정하기, 프롬프트를 활용한 그림 그리기,
  생성된 이미지로 AI 음악 만들기
- **활용하는 생성형 AI 도구** : 챗GPT 또는 뤼튼, 플레이그라운드, 멜로바이츠

그림 그리기 주제 결정하기

예술과 관련된 프로젝트 수업에서 가장 필요한 것은 다양한 아이디어를 만들어 내는 것이다. 이때 챗GPT와 같은 생성형 AI 도구를 활용하면 더욱 창의적인 그림 아이디어를 얻을 수 있다. 또한, 이러한 아이디어를 기반으로 자신만의 새로운 아이디어를 얻을 수 있고 새로운 시각으로 프로젝트에 참여할 수 있어 더욱 창의적인 수업도 가능해진다. 이번 프로젝트에서는 자연이라는 주제를 활용하여 그림이나 사진을 제작하려고 한다. 따라서 자연과 관련된 AI 그림 그리기 프로젝트 주제를 추천해 달라고 프롬프트를 입력하였다.

> 🧑 **자연을 주제로 한 AI 그림 그리기 프로젝트를 하는데 주제를 20개 추천해줘.**

 무한한 푸른 하늘 | 신비로운 숲 속의 비밀 | 해안의 서핑 여행 | 화려한 꽃과 나비의 만남 | 산과 호수의 운명적 만남 | 도시 공원에서의 피크닉 | 석양 아래에서의 자연의 협주 | 신비로운 바다 속 신화 | 사막의 무한한 풍경 | 숲 속 마법의 문 | 푸른 언덕과 함께하는 소풍 | 새들의 춤과 날갯짓 | 밤하늘의 별과 달의 이야기 | 자연 속의 모험과 발견 | 황금색 가을의 변화 | 하얀 겨울 풍경과 눈의 이야기 | 동물들의 천국, 자연 보호 구역 | 열대 우림과 다양한 생물의 다채로움 | 자연 속의 평화로운 여정 | 새의 자유와 날개를 펴는 순간

정말 다양한 종류의 자연과 관련된 그림 그리기 주제를 추천해 주었다. 또한 주제 대부분이 명확하여 AI로 그림을 그리기에 적합한 것으로 판단된다. 여기서는 이들 중에 '새들의 춤과 날갯짓'이라는 주제로 그림 그리기 프로젝트를 진행해 보겠다.

프롬프트를 활용한 그림 그리기

원하는 이미지를 만들어 내려면 제대로 된 프롬프트가 필요하다. 우리가 만들 이미지를 대표하는 키워드를 생각해보자. 그리고 해당 키워드를 조금 더 다양한 프롬프트로 확장해보자. 여기서는 새와 관련된 프롬프트를 얻기 위해 'flying birds'라는 키워드를 기반으로 프롬프트 확장을 해보겠다. 챗GPT를 활용하면 다음과 같이 쉽게 프롬프트를 확장할 수 있다.

 "flying birds"라는 키워드를 스테이블디퓨전 이미지 생성형 AI에 입력할 프롬프트로 확장해줘.

 a flock of birds flying in formation, V-shaped, over a lake at sunset | 4k epic detailed photograph, shot on kodak, detailed bokeh, cinematic hbo, dark moody

결과를 보면 하나의 키워드를 활용하여 양질의 프롬프트가 생성된 것을 확인할 수 있다. 이제 이 프롬프트를 활용하여 이미지를 생성하는데, 생성형 AI 도구로는 플레이그라운드를 활용한다. 다음 이미지들은 챗GPT를 통해 확장한 프롬프트를 플레이그라운드에 입력하여 얻은 것이다.

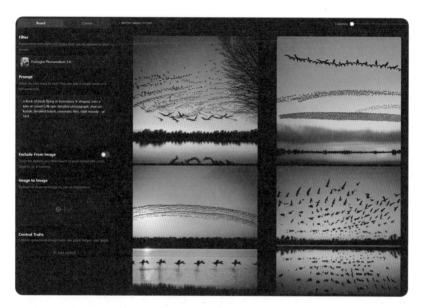

| 그림 4-18 | 플레이그라운드로 생성한 이미지

이처럼 챗GPT를 활용하면 자신이 직접 만든 프롬프트로 생성할 때보다 훨씬 좋은 품질의 이미지를 얻을 수 있다. 따라서 이미지를 생성할 때 적극적으로 활용하면 좋다.

이제 앞서 제작한 이미지 중 가장 적합한 이미지를 선정할 차례다. 가장 마음에 드는 사진을 고르고 내려받는다. 만약 원하는 스타일의 이미지가 나오지 않는다면 계속하여 재생성하거나 필터를 바꾸거나 프롬프트를 조금씩 변경해본다. 양질의 이미지를 생성하려면 귀찮지만 반드시 거쳐야 하는 작업이기 때문에 시간을 갖고 여러 번의 작업을 진행한다.

생성된 이미지로 AI 음악 만들기

이제 앞서 생성한 이미지를 활용하여 음악을 만들어 보겠다. 이때 이미지를 기반으로 음악을 생성하는 멜로바이츠^{melobytes}라는 생성형 AI 서비스를 활용한다. 앞서 만든 이미지를 멜로바이츠 사이트에 업로드하면 해당 이미지에 맞는 음악을 만들어 준다. 실제로 만들어진 음악이 이미지를 잘 나타내는지 확인하고, 적절하지 않다면 설정을 변경하여 여러 번 시도해본다. 필자는 기본 설정에서 비디오 클립 생성 부분만 '예'로 체크하고 진행하였다.

| 그림 4-19 | 멜로바이츠를 활용하여 이미지로 음악 만들기

　생성된 결과를 확인해보니 잔잔한 배경음과 함께 새들의 울음소리가 들리는 멋진 음악이 만들어졌다. 이 음악은 MP3, MIDI 형식으로 내려받을 수 있으며, 비디오 클립은 MP4 형식으로 내려받을 수 있다. 이제 이렇게 생성한 음악과 비디오 클립을 패들렛 등으로 다른 사용자와 공유하여 상호작용한다면 자신의 작품을 개선하거나 보완하는 등의 노력으로 이어질 수 있을 것이다.

09 나의 진로 찾기 수업

진로/창업/기업가 정신 분야

청소년들이 올바른 진로를 선택하는 것은 매우 중요한 일중에 하나다. 자신의 진로를 탐색하고 결정하는 일은 자신의 관심 분야와 성향, 관련 경험, 부모님의 조언 등 다양한 요소를 기반으로 수행한다. 초중고에서는 학생들이 자신의 올바른 진로를 찾아 나갈 수 있도록 다양한 경험을 제공하고, 지속적인 상담과 조언 등을 수행해야 한다. 다음은 2022 초·중등 진로 교육 현황조사[6] 결과 중 특히 살펴볼 만한 자료들을 정리한 것이다.

- 초·중·고 학생 모두 향후 참여를 희망하는 진로 활동으로 진로 체험을 가장 많이 응답했다.

  ※ 향후 참여 희망(진로 체험): [초] 85.1%, [중] 86.7%, [고] 84.3%

- 진로 정보 획득 경로는 '커리어넷(중 46.2%, 고 54.4%)', '학부모, 가족(중 40.5%, 고 21.9%)', '인터넷 동영상(중 24.0%, 고 25.4%)'이 큰 비중을 차지하는 것으로 나타났다.

  ※ [커리어넷] [중] (2019) 36.8% → (2022) 46.2%, [고] (2019) 50.7% → (2022) 54.4%

- 초·중·고등학교 관리자는 학교 진로 교육 활성화를 위한 필수 요소로 〈전문적인 인력 확보 및 역량 제고(초 37.7%, 중 46.9%, 고 53.2%)〉, 〈진로 교육 활성화를 위한 학교 교육과정 및 수업 개선(초 33.6%, 중 39.5%, 고 41.3%)〉, 〈진로 교육 관련 예산 및 환경 지원(초 44.6%, 중 34.4%, 고 28.3%)〉 등을 꼽았다.

결과를 살펴보면 학생들은 진로와 관련하여 진로 체험 활동을 가장 많이 원했다. 또한, 학교 관리자들이 요구하는 것은 진로 교육과 관련된 전문 인력 확보와 교육과정 및 수업의 개선이었다. 즉, 교육 현장에서는 진로 교육 전문 인력이 많이 부족한 상황이며, 이로 인하여 제대로 된 진로 수업이 이루어지지 않는다는 것이다. 따라서 이번에는 생성형 AI 시대에 학습자들에게 제대로 된 진로 수업을 할 수 있는 사례를 소개한다.

- **대상** : 초·중·고
- **교과** : 창의적 체험 활동(진로), 사회 등
- **활동** : 커리어넷 기반 기초 자료 탐색, 챗GPT와 상세한 진로 탐색하기, 20년 후 나의 명함 만들기
- **활용하는 생성형 AI 도구** : 챗GPT 또는 뤼튼, 브랜드마크

커리어넷 기반 기초 자료 탐색

앞선 조사 결과에 따르면 학생들은 진로 관련 정보를 주로 커리어넷을 통해서 얻는다고 한다. 커리어넷에는 초중고생뿐만 아니라 대학생까지 할 수 있는 다양한 검사가 있다. 커리어넷에는 중·고등학생용, 대학생용 심리 검사가 있으며, 주니어 커리어넷에는 초등학생용 검사가 준비되어 있다. 회원 가입을 하지 않더라도 자신의 진로와 관련된 검사를 수행해볼 수 있다. 단, 회원 가입을 하지 않으면 결과가 저장되지 않아 불편하니 가급적 가입하는 것을 추천한다.

| 그림 4-20 | 커리어넷의 진로 심리 검사

　다음은 대표적인 검사인 직업흥미검사와 직업적성검사를 수행한 결과다. 이와 같이 몇 개의 검사지 문항을 통해 학생들은 자신의 진로에 대해서 다양하게 생각해볼 수 있는 계기를 마련할 수 있다.

| 그림 4-21 | 커리어넷의 심리 검사 예시

챗GPT와 상세한 진로 탐색하기

커리어넷에서 얻은 기초 자료를 분석하여 관심 분야와 역량을 파악한다. 이를 바탕으로 챗GPT를 활용하여 조금 더 상세한 정보를 얻어보자. 먼저 나에게 어울리는 직업군에는 어떤 것들이 있는지 확인해보자.

나는 직업흥미검사에서 AI/소프트웨어 분야와 교육 분야에 흥미를 갖고 있다는 결과가 나왔어. 그리고 직업적성검사에서 언어 능력, 자기성찰능력, 창의력, 수리 논리력이 뛰어나나, 음악 능력과 신체 운동 능력은 다소 낮다는 결과가 나왔어. 나에게 추천해줄 수 있는 직업군은 어떤 것이 있을까?

AI/소프트웨어 및 교육에 대한 귀하의 관심과 언어 능력, 자기 성찰 능력, 창의성 및 수학적 논리에 대한 귀하의 강력한 기술을 기반으로 귀하에게 잘 맞는 몇 가지 직업 옵션이 있습니다. 다음은 몇 가지 권장 사항입니다.

1. 소프트웨어 엔지니어/개발자 : AI/소프트웨어에 대한 관심으로 소프트웨어 엔지니어링 또는 개발 분야에서 경력을 쌓을 수 있습니다. AI 알고리즘 생성, 소프트웨어 애플리케이션 개발 또는 지능형 시스템 구축 작업을 할 수 있습니다.

2. 데이터 과학자 : 강력한 수학적 논리 기술을 감안할 때 데이터 과학자로서의 경력을 고려할 수 있습니다. 데이터 과학자는 복잡한 데이터 세트를 분석하고 해석하여 의미 있는 인사이트를 도출하고 데이터 기반 의사 결정을 내립니다.

3. 인공지능 연구원 : AI에 대한 깊은 열정이 있고 그 분야의 경계를 넓히고 싶다면 AI 연구원으로 경력을 쌓을 수 있습니다. AI 기능을 향상시키기 위해 혁신적인 알고리즘, 모델 및 기술을 개발하는 작업을 합니다.

4. 교육 기술 전문가 : 교육에 대한 관심과 기술 능력을 결합하여 교육 기술 전문가로서의 경력을 탐색할 수 있습니다. 이 역할에서는 학습 경험을 향상시키기 위해 디지털 도구, 플랫폼 및 시스템을 설계하고 구현합니다.

5. 교수 설계자 : 뛰어난 언어 능력과 창의성으로 교수 설계자로서의 경력을 고려할 수 있습니다. 교수 설계자는 다양한 미디어 형식을 사용하여 대화형 및 매력적인 콘텐츠를 통합하여 교육 자료, 코스 및 커리큘럼을 개발합니다.

이것은 귀하의 관심사와 적성에 기반한 몇 가지 잠재적 진로에 불과합니다. 각 옵션을 추가 조사하고 탐색하여 장기 목표 및 열망에 가장 적합한 것을 결정하십시오.

이어서 하나를 골라 구체적인 정보를 요청해본다. 관심 있는 직업군이 하는 일은 무엇인지, 해당 직업을 가지려면 어떤 과정이 필요한지, 해당 분야에서 성공하려면 어떤 능력이 필요한지 등 다양한 정보를 요청할 수 있다.

 제시한 교육 기술 전문가에 관심이 가는데, 구체적으로 어떤 일을 하는지 알려줄래?

 교육 기술자로도 알려진 교육 기술 전문가는 기술을 교육 환경에 통합하여 교육 및 학습 경험을 향상시키는 데 중점을 둡니다. 일반적으로 수행하는 작업에 대한 개요는 다음과 같습니다.

1. **연구 및 분석** : Edtech 전문가는 교육의 최신 기술 발전 및 동향에 대한 최신 정보를 유지합니다. 그들은 연구와 분석을 수행하여 학습 결과를 향상시킬 수 있는 효과적인 기술과 도구를 식별합니다.

2. **기술 통합** : 교육자 및 교수 설계자와 긴밀히 협력하여 기술을 커리큘럼에 효과적으로 통합합니다. 여기에는 교육 및 학습 목표를 지원하기 위해 적절한 디지털 도구, 소프트웨어 응용 프로그램 및 교육 플랫폼을 선택하는 것이 포함됩니다.

3. **교육 및 전문 개발** : Edtech 전문가는 교육 기술을 효과적으로 사용하는 방법에 대해 교사, 관리자 및 기타 이해관계자에게 교육 및 전문 개발 세션을 제공합니다. 그들은 교실에서 기술을 구현하고 활용하는 데 필요한 기술과 지식을 구축하는 데 도움을 줍니다.

4. **커리큘럼 설계** : 교육자와 협력하여 기술이 풍부한 커리큘럼 및 교육 자료를 설계합니다. 여기에는 교육 목표에 부합하는 대화형 디지털 콘텐츠, 온라인 과정, 멀티미디어 리소스 및 평가를 만드는 것이 포함됩니다.

5. **분석 및 평가** : Edtech 전문가는 교육 기술 이니셔티브의 영향과 효과를 평가합니다. 그들은 데이터를 분석하고, 교육자와 학생으로부터 피드백을 수집하고, 교육 기술 전략의 개선 또는 조정을 위한 권장 사항을 제시합니다.

이렇게 챗GPT와 상호작용을 통해 진로와 관련한 다양한 질문을 하고 정보를 얻을 수 있다. 필요하다면 추가 조사나 질문을 통해 챗GPT로부터 얻은 정보를 더 확장하거나 구체화할 수 있으며, 이를 검토하고 보완하여 진로 계획을 수립하는 데 활용할 수 있다.

20년 후 나의 명함 만들기

20년 후 나는 어떤 사람이 되어 있을까? 20년 후의 나의 모습을 상상하고 이를 기반으로 자신을 브랜딩해보는 진로 체험 수업을 진행해보자. 이번에는 브랜드마크 서비스 https://brandmark.io/를 이용하며 과정은 다음과 같다.

① 자신만의 슬로건이나 브랜드를 만든 후, 브랜드마크 서비스에 입력한다.

② 브랜드 키워드를 입력하는 화면에 자신이 만든 브랜드와 연관된 키워드를 입력한다.

③ 원하는 색상 스타일을 선택한다.

④ AI가 자동으로 브랜드 로고를 생성한다.

⑤ 다양한 로고들이 자동으로 생성된 것을 볼 수 있다.

⑥ 가장 마음에 드는 로고를 선택하여 디자인을 완료한다.

이렇게 만든 로고를 기반으로 자신만의 명함을 제작하는 활동을 수행한다. 로고가 완성된 이후에는 파워포인트 등 발표 자료 저작도구를 활용하거나, 로고를 출력하여 자신만의 명함을 직접 꾸미는 활동으로 연계해도 좋다. 이 활동은 최종 완성물의 수준을 조절할 수 있기 때문에 학교급에 따라서 교수자가 적절하게 활용하거나 수정하는 방안을 고민해보아도 좋다.

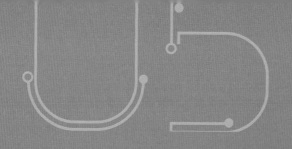

생성형 AI는
교사도 행복하게 한다

학교 현장에서는 생각보다 다양한 문서들을 작성해야 하고 처리해야 하는 일들도 많다. 지금까지는 이러한 일들을 교수자가 직접 수행하면서 소요되는 시간과 노력도 상당히 많았다. 하루에 주어진 시간은 한계가 있기에 해당 업무를 수행하는 데 시간을 많이 쓰게 되면, 실제로 수업 준비에 할애하는 시간이 많이 줄어들기 마련이었다.

하지만 생성형 AI를 적재적소에 활용하면 교수자도 행복한 학교 생활을 할 수 있다. 생성형 AI가 학교 현장에서 필요한 다양한 문서, 공문, 수업 지도안, 채점 기준표 등을 자동으로 작성해줄 수 있기 때문이다. 그것도 생각보다 적은 시간과 노력을 들여서 높은 품질의 결과물을 만들 수 있다. 최근에는 이러한 생성형 AI라는 막강한 도구를 제대로 활용하는 교수자들이 점차 늘어나고 있는 실정이다. 지금 이 책을 읽고 있는 독자들도 이러한 흐름에 맞게 다양한 활용법을 익히고, 본인의 실무에 활용할 필요가 있다.

학교 현장에서 교수자가 생성형 AI를 활용할 방법은 매우 다양하다. 이번 장에서는 초중고 또는 대학에서 교수자에게 도움되는 다양한 활용 사례를 위주로 정리해보았다. 이번 장에서 소개한 내용 이외에도 교수자 스스로 다양한 업무에 응용하여 활용할 수 있는 방안을 추가로 고민해 보는 것이 좋겠다.

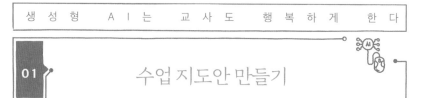

01 수업 지도안 만들기

수업준비

'교수학습 지도안', '교수학습 과정안' 등으로 불리는 수업 지도안. 초중고에 재직하는 교사라면 최소 수십 번은 작성해보았을 것이다. 제대로 된 집을 지으려면 설계도가 필요하듯, 좋은 수업을 하려면 제대로 된 수업 지도안이 필수다. 수업 지도안은 수업의 기본 방향을 설정하고 수업을 세부적으로 진행하기 위한 목적으로 제작한다. 수업 지도안에는 수업 목표, 수업 내용, 학생 활동, 교육 방법, 학생 평가 방법 등 수업에 필요한 대부분의 내용이 들어 있다.

더욱 나은 수업을 위해서 항상 수업 지도안을 작성하는 것이 바람직하지만, 학교 현장에서는 교사들이 수업 및 업무 등으로 인해 매번 수업 지도안을 작성하여 활용하기가 현실적으로 쉽지 않다. 하나의 수업 지도안을 완성하려면 생각보다 시간도 많이 걸리고, 써야 할 내용도 많기 때문이다. 하지만 우리에게는 생성형 AI가 있지 않은가? 생성형 AI에게 수업 지도안 작성을 부탁해보자. 물론 교사 개개인의 특성과 담당 과목에 100% 알맞은 수업 지도안을 생성할 수는 없겠지만, 일정 수준 이상의 결과물을 얻을 수 있다. 교사는 이 답변을 자신의 상황에 맞게 수정하여 활용하면 된다. 생성형 AI로부터 즉석으로 수업 지도안 초안을 받는 셈이다.

시험삼아 챗GPT에게 중학생 대상 1시간짜리 VR 기술 수업의 지도안을 제작해 달라고 해보았다.

 중학생에게 VR 기술에 대해서 수업을 진행하려고 해. 중학교 교사가 총 1시간에 걸쳐서 수업할 내용을 수업 지도안으로 제작해줘.

 수업 지도안 : VR 기술 소개 (중학생용)

목표 : 학생들에게 가상현실(Virtual Reality, VR) 기술에 대한 기본 개념을 이해시키고, VR의 활용 분야와 잠재적인 영향을 소개한다.

시간 : 1시간

1. 소개 (5분)

    a. VR에 대한 간단한 정의 설명

    b. VR이 어떻게 동작하는지 대략적인 개념 설명

    c. 현실과 가상현실의 차이점 간단히 설명

2. VR의 주요 구성 요소 (10분)

    a. 헤드셋: VR 경험을 위해 착용하는 기기 소개 (예: Oculus Rift, HTC Vive 등)

    b. 컨트롤러: 손으로 상호작용하는 방법과 중요성 설명

    c. 센서: 환경과 사용자의 움직임을 감지하는 역할 소개

3. VR의 활용 분야 (15분)

    a. 게임: 인기 있는 VR 게임 및 재미 요소 간단히 소개

    b. 교육: VR을 통한 실제 체험과 교육의 효과 설명

    c. 의료: 의사들이 훈련하고 환자들을 치료하는데 사용되는 사례 소개

    d. 예술과 문화: VR을 이용한 창작 활동과 예술 체험 소개

4. VR의 장점과 단점 (10분)

    a. 장점: 현실에서 불가능한 경험 제공, 교육적 가치, 창의력 향상 등

    b. 단점: 건강 문제, 가격, 사회적 문제 등의 주요 단점 설명

5. VR의 미래 전망 (10분)

    a. 기술 발전과 함께 미래 VR의 가능성 소개

b. 사회, 산업 및 문화에 미칠 영향에 대한 생각 공유

6. 마무리 (5분)

a. VR 기술의 잠재력과 한계에 대해 학생들의 생각 나누기

b. 추가 질문과 토론 시간 확보

c. VR 기술을 탐구하고, 향후 자신의 진로와 관련하여 고려할 수 있는 방향성 제시

참고 사항 :

- 시간은 학생들의 질문과 토론을 위해 충분히 확보해야 합니다.
- 데모나 실제 VR 경험을 제공하는 것은 학생들의 흥미와 이해도를 높일 수 있습니다.
- 학생들이 직접 VR 기기를 조작하거나 체험할 수 있는 시간을 마련하는 것이 좋습니다.
- 앞서 설명한 내용을 시각적인 자료, 그림, 도표 등을 활용하여 시각적으로 설명하는 것이 도움이 됩니다.
- 학생들의 흥미를 유발하기 위해 VR과 관련된 실생활 사례를 예시로 들어주는 것이 좋습니다.

따로 정보를 제공하지 않았는데도, 수업 목표는 물론 수업 흐름까지 대략적인 형태를 갖춘 수업 지도안이 완성되었다. 살펴보니 내용은 대체로 괜찮지만, 학생 활동이 없어 아쉽다. 종전의 프롬프트에, "세부적인 수업 내용을 같이 작성"해줄 것과 "학생들이 직접 다양한 활동을 통해 경험을 쌓으면 좋겠어."라는 두 가지 희망사항을 추가해보았다. 그랬더니 학생들의 체험 활동을 포함한 수업 지도안의 개요가 만들어졌다.

 좋아. 이번에도 중학생에게 VR 기술에 대해서 수업을 진행하려고 해. 중학교 교사가 총 1시간에 걸쳐서 수업할 내용을 수업 지도안으로 제작해줘. 수업은 도입-전개-결론 순으로 진행되며 각 단계별로 세부적인 수업 내용을 같이 작성해줘. 이때 학생들이 직접 다양한 활동을 통해 경험을 쌓으면 좋겠어.

 수업 지도안 : VR 기술 소개 및 체험 (중학생용)

시간 : 1시간

도입 (10분) :

1. 학생들의 관심을 끌기 위해 VR에 대한 실제 체험을 시작으로 합니다.

   a. 학생들에게 직접 착용할 수 있는 간단한 VR 헤드셋을 준비합니다.

   b. VR 헤드셋을 착용한 학생들에게는 간단한 VR 체험을 제공하여 VR의 재미와 흥미를 느낄 수 있도록 합니다. (예: 가상 공간에서의 탐험, VR 게임 체험 등)

2. VR이란 무엇인지 간단히 소개합니다.

   a. 가상현실(Virtual Reality)에 대한 정의와 개념 설명

   b. VR이 어떻게 작동하는지 기본적인 원리 설명

   c. VR이 가져다주는 장점과 다양한 활용 분야 소개

전개 (35분) :

3. VR 기술의 주요 구성 요소와 동작 원리에 대해 자세히 설명합니다.

   a. VR 헤드셋: 다양한 종류의 VR 헤드셋과 각각의 특징 설명

   b. VR 컨트롤러: VR 공간에서의 상호작용을 위한 컨트롤러의 역할과 기능 소개

   c. 센서: 사용자의 동작을 감지하고 반영하는 센서에 대한 설명

4. VR의 다양한 활용 분야를 탐색합니다.

   a. 게임: VR 게임의 장점과 다양한 장르의 게임 소개

   b. 교육: VR을 통한 체험 학습의 효과와 실제 사례 소개

   c. 의료: 의사들의 훈련과 환자 치료에 VR이 활용되는 사례 설명

   d. 문화와 예술: VR을 통해 예술과 문화를 새롭게 경험하는 방법 소개

5. VR의 장점과 단점에 대해 학생들과 토론합니다.

   a. VR이 제공하는 현실에서 불가능한 경험과 교육적 가치를 강조합니다.

   b. VR 사용 시 주의해야 할 건강 문제와 가격 등의 단점을 이야기합니다.

6. VR 기술의 미래 전망을 이해합니다.

   a. 빠르게 발전하는 VR 기술의 가능성과 확장 가능성 설명

   b. VR 기술이 사회와 산업에 미칠 영향에 대해 학생들의 아이디어와 의견 수렴

체험 (10분) :

7. 학생들이 직접 VR 기기를 조작하고 체험할 수 있도록 합니다.

   a. 학생들을 적절히 그룹화하여 VR 헤드셋을 체험하도록 안내합니다.

   b. 학생들이 다양한 VR 체험을 해볼 수 있도록 다양한 VR 앱과 게임을 준비합니다.

결론 (5분) :

8. 학생들과 함께 수업을 돌아보고, 중요한 학습 포인트를 강조합니다.

   a. VR 기술의 잠재력과 한계에 대해 학생들의 생각을 나누고 이해를 확인합니다.

   b. VR 기술을 탐구하고, 자신의 관심사와 진로에 적용할 수 있는 방향성을 제시합니다.

추가적인 질문과 토론 시간을 마련하여 학생들이 질문하고 궁금증을 해소할 수 있도록 도와줍니다.

    교사는 생성형 AI가 제작한 지도안을 자신만의 스타일로 다듬어 수업에 활용할 수 있다. 더 자세한 프롬프트를 입력하면 산출되는 결과물의 구체성이 더 높아지니, 익명성이 보장되는 한도 내에서 다양한 프롬프트의 조합으로 자신만의 지도안을 생성해보자.

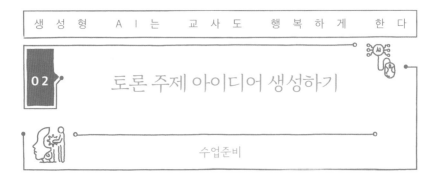

02

토론 주제 아이디어 생성하기

수업준비

　많은 업무로 여력이 달릴 때 일반적인 수업 지도안 초안을 부탁해도 좋지만, 생성형 AI에게 더 특수한 수업의 구상을 요청해 보아도 준수한 결과물을 얻을 수 있다. 예를 들어 토론 수업이 있다. 토론 수업은 특정 주제에 대해 서로의 의견을 근거를 들어 주장하며 서로를 설득하는 방식의 수업이다. 학습자들은 개별 혹은 집단으로 의견을 발표하고 상대방의 의견을 경청하면서, 상호 존중하고 배려하는 태도를 배우게 된다. 수업에 적극적으로 참여함은 물론, 논리적인 발표를 통해 의사소통 능력도 향상시킬 수 있다.

　교수자들은 토론 수업을 진행할 때 어떤 주제로 토론해야 하는지 고민하게 된다. 그리고 선택한 토론 주제로 수업이 원활하게 진행될지에 대한 걱정도 있다. 그래서 가르치는 과목과 연관된 다양한 토론 주제를 선정하고 운영하는 데 많은 시간과 노력이 필요하다. 하지만 생성형 AI를 활용하면 손쉽게 토론 주제를 만들고, 수업을 계획할 수 있다.

　다음은 챗GPT에게 '한국의 입시 정책', '환경 보호'라는 대주제를 제시하고, 그에 관련된 토론 주제를 10개씩 알려달라고 요청해본 결과다.

👤 한국의 입시 정책에 대해서 토론 수업을 진행하려고 해. 이와 관련된 토론 주제를 10개 알려줘.

🤖 토론 주제를 선택할 때 학생들의 관심과 의견을 고려하여 다양한 관점을 반영하는 것이 중요합니다. 다음은 한국의 입시 정책과 관련된 흥미로운 토론 주제 10개입니다:

1. 대학 입시의 현행 시험 방식은 공정한가요?

2. 한국의 대학 입시에서 사교육의 역할은 어디까지인가요?

3. 성적 우수자에 대한 가산점 정책의 효과는 어떤가요?

4. 전국 교육 평가(수능)의 장단점은 무엇인가요?

5. 한국의 대학 입학 사정관의 역할과 문제점은 무엇인가요?

6. 대학 입시에서의 인문과 과학 교육의 균형은 필요한가요?

7. 고등학교 성적과 대학 입시 성적 간의 연관성은 어떤가요?

8. 대학 입시에서 학교 우선 지원 정책의 올바름에 대해 토론해보세요.

9. 한국과 외국 대학의 입시 기준을 비교했을 때 어떤 차이점이 있나요?

10. 대학 입학 시 대체로 평가되지 않는 잠재력과 열정의 중요성에 대해 토론해보세요.

이러한 주제들은 입시 정책에 대한 다양한 시각을 탐구할 수 있도록 도와줄 것입니다. 학생들은 이 주제들을 바탕으로 자신의 의견과 근거를 제시하며 토론을 진행할 수 있을 것입니다.

👤 환경 보호에 대한 토론 수업을 진행하려고 해. 이와 관련된 토론 주제를 10개 알려줘.

🤖 환경 보호에 대한 토론 수업을 진행하는 것은 학생들이 환경 문제에 대해 인식하고, 다양한 관점을 고려하며 토론하는 기회를 제공하는 좋은 방법입니다. 다음은 환경 보호와 관련된 흥미로운 토론 주제 10개입니다:

1. 재활용 vs. 일회용: 일회용 제품 사용을 줄이는 것과 재활용을 장려하는 것 중 어떤 접근이 더 효과적인 환경 보호 방법일까요?

2. 기후 변화의 주범은 누구인가요? 기업의 책임과 개인의 역할에 대해 토론해보세요.

3. 생태계 보전과 경제 성장은 모순되는 개념인가요? 경제 발전과 환경 보호의 균형을 맞추는 방법에 대해 토론해보세요.

4. 대기 오염 대책: 개인의 행동 변화와 정부의 규제 중 어떤 접근이 대기 오염 해결에 더 효과적일까요?

5. 지속 가능한 농업과 산업: 환경 친화적인 농업 및 산업 방식을 도입하는 것이 필요한가요? 이에 대한 장단점을 토론해보세요.

6. 환경 보호와 직업: 환경 보호를 위해 직업과 경제적인 이득 사이의 균형을 맞추는 것은 어떤 도전이 있을까요? 이에 대한 대안을 토론해보세요.

7. 도시 개발과 자연 보호: 도시 확장과 자연 생태계 보전 사이의 균형을 유지하는 방법에 대해 토론해보세요.

8. 식량 생산과 환경: 인구 증가로 인한 식량 수요와 환경 보호의 필요성 사이의 갈등을 해결하는 방법에 대해 토론해보세요.

9. 환경 교육의 중요성과 방향성: 환경 교육을 통해 사회 전반적인 환경 인식을 높이는 것이 왜 중요한지 토론해보세요.

10. 개인 행동의 영향력: 개인이 취할 수 있는 작은 환경 보호 행동이 전체적인 변화에 어떤 영향을 미칠 수 있는지에 대해 토론해보세요.

이처럼 다양한 측면의 구체적인 토론 주제를 몇 초 만에 매우 빠르게 답변해 주었다. 만약 교수자가 상황 등을 포함시켜 조금 더 구체적으로 질문하게 되면 더욱 상세한 답변을 받을 수 있다. 그렇다면 앞서 받은 주제 중 하나를 골라서 이를 실제 토론 수업으로 구성해달라고 요청해보자.

👤 위에서 알려준 주제 중 '개인 행동의 영향력'을 활용해서 토론 수업 1차시를 구성해줘.

🔮 토론 수업의 1차시를 구성하기 위해 〈개인 행동의 영향력〉 주제를 활용해보겠습니다. 다음은 1차시 구성 예시입니다 :

1. 수업 소개 및 목표 설명 (5분)

- 수업의 주제와 목표에 대해 간단히 설명합니다.
- 학생들에게 〈개인 행동의 영향력〉 주제가 환경 보호에 어떤 관련성을 가지는지 알려줍니다.

2. 주제 소개 : "개인의 행동이 환경에 어떤 영향을 미칠까?" (10분)

- 학생들과 함께 개인의 행동이 환경에 미치는 영향에 대해 토론합니다.
- 학생들에게 다양한 예시를 들어가며 환경에 대한 개인 행동의 영향을 탐구합니다.

3. 토론 규칙 소개 (5분)

- 토론을 원활하게 진행하기 위해 토론 규칙을 설명합니다.
- 예를 들어, 존중과 경청, 적절한 발언 순서 등을 강조합니다.

4. 토론 주제 제시 : "개인의 소비 습관이 환경에 미치는 영향은 어떤가요?" (10분)

- 학생들에게 환경에 미치는 영향이 큰 소비 습관에 대해 생각해보도록 독려합니다.
- 예를 들어, 일회용품 사용, 에너지 소비, 음식 선택 등을 다룰 수 있습니다.

5. 토론 진행 (25분)

- 학생들을 2~3인 단위로 나누고, 서로 다른 의견을 가진 팀을 구성합니다.
- 각 팀은 자신들의 의견을 주장하고, 서로에게 의견을 제시하며 토론을 진행합니다.
- 학생들이 환경에 대한 개인 행동의 영향과 그 결과를 논리적으로 논증하도록 유도합니다.

6. 토론 정리 및 결론 도출 (10분)

- 토론의 주요 포인트와 다양한 의견을 정리합니다.
- 학생들과 함께 어떤 개인 행동이 환경 보호에 긍정적인 영향을 미칠 수 있는지,

개인적으로 정리합니다.

7. 토론 결과 공유 및 마무리 (10분)

- 각 팀에서 대표가 토론 결과를 발표하고, 서로의 의견을 공유합니다.
- 다양한 의견을 종합하여 개인의 행동이 환경 보호에 어떤 영향을 미칠 수 있는지에 대한 결론을 도출합니다.
- 학생들에게 개인이 취할 수 있는 작은 행동으로 환경 보호에 기여할 수 있다는 메시지를 강조합니다.

8. 수업 회고 및 피드백 (5분)

- 학생들과 함께 수업을 돌아보고, 토론 과정에서 어떤 점이 좋았는지, 개선할 수 있는 점은 무엇인지 피드백을 진행합니다.
- 학생들의 참여도와 이해도를 확인하고, 개인 행동의 영향력에 대한 이해가 향상되었는지 평가합니다.

9. 수업 마무리 (5분)

- 학생들의 참여에 감사하며 수업을 마무리합니다.
- 학생들에게 개인 행동의 영향력을 인시하고, 환경 보호에 적극적으로 참여할 수 있는 가능성을 믿어주는 마무리 멘트를 전합니다.

위와 같은 구성을 통해 학생들은 환경 보호와 개인 행동의 연관성에 대해 생각하고, 서로의 의견을 존중하며 토론을 진행할 수 있을 것입니다.

1차시를 적절하게 잘 구성해 주었으나, 시간을 전체적으로 조금 많이 할당했다. 교수자가 원하는 1차시의 시간(예: 45분, 50분 등)을 기반으로 프롬프트를 만든다면 그에 맞춰서 할당해주니 참고하기 바란다. 지금까지 수행한 간단한 방식으로도 얼마든지 좋은 토론 주제를 만들어준다. 교수자의 현재 상황에 맞는 다양한 프롬프트를 입력해보고, 자신만의 토론 주제와 아이디어를 생성해보자.

03 문제 해결/프로젝트 수업 시나리오 고안하기

수업준비

문제 해결 학습^{Problem Solving Learning} 또는 프로젝트 기반 학습^{Project-Based Learning}은 해결하기 어려운 실생활의 문제들을 학습자들의 다양한 활동을 기반으로 해결 방안을 탐색하는 수업 방법이다. 이때 교수자는 학습자 수준에 적절한 문제 상황이나 프로젝트를 제시해야 한다. 브레인스토밍으로 무인도에서 탈출하기, 수학 개념을 이용해 잠겨 있는 자물쇠 열기 등, 다양한 문제 상황과 프로젝트가 있을 것이다. 하지만 온갖 교과와 단원에 맞는 문제나 프로젝트를 개발하는 것은 쉽지 않으며, 교사에게 부담으로 다가올 수 있다.

이러한 어려움을 해결하기 위해서 생성형 AI인 챗GPT를 활용하여 다양한 문제 상황이나 프로젝트를 도출해볼 수 있다. 여기서는 과학, 기술 과목의 특정 단원을 문제 해결/프로젝트 중심 학습으로 설계할 것임을 알리고, 상세한 프로젝트 시나리오를 5개씩 받아 보았다.

> 나는 중학교 교사이고, 중학교 과학 과목의 '중력과 탄성력' 단원을 가르치려고 해. 이 단원을 프로젝트 중심 학습으로 설계할 거야. 학생들에게 제시할 프로젝트 시나리오를 상세하게 5개 작성해줘.

> 물리적인 개념을 프로젝트 중심 학습으로 가르치는 것은 흥미로운 방법입니다. 아

래에 중력과 탄성력 단원을 위한 다섯 가지 프로젝트 시나리오를 상세하게 제시해 드릴게요.

1. 탄성력 실험과 고무 공 경기대회 :

학생들은 탄성 고무 공을 이용하여 다양한 실험을 진행합니다. 고무 공을 높은 곳에서 떨어뜨리거나 튀기는 실험을 통해 탄성력의 원리를 이해하고, 그 과정을 동영상으로 기록합니다. 이후에는 그들이 직접 고무 공 경기를 개최하여 공의 튀기는 높이와 방향을 예측하고 경기를 통해 학습한 내용을 적용합니다.

2. 신문 브릿지 건설 프로젝트 :

학생들은 주어진 신문지와 테이프만을 이용하여 탄성력을 활용한 다리를 건설하는 프로젝트를 진행합니다. 다리의 가장 길게 버틸 수 있는 무게를 실험하고 각 그룹이 설계한 다리의 탄성력과 안정성을 설명하는 발표를 진행합니다.

3. 우주 탐사 로봇 설계 :

학생들은 마치 외계 행성을 탐사하는 로봇을 설계하는 역할을 맡습니다. 로봇이 행성의 특수한 중력 조건과 탄성력 환경에서 움직일 수 있도록 설계하고 모형을 제작합니다. 그들은 로봇이 어떻게 행성의 표면에서 움직이는지 설명하는 프레젠테이션을 준비합니다.

4. 풍선 로켓 발사 실험 :

학생들은 풍선을 활용하여 간단한 로켓을 만들고 발사 실험을 진행합니다. 풍선을 부풀려서 물체를 미끄러뜨리고, 로켓의 형태와 발사 각도를 조절하여 어떻게 해야 높게 올라가는지를 연구하고 그 원리를 설명합니다.

5. 중력과 미로 경주 게임 :

학생들은 중력의 역할을 이해하고 미로 경주 게임을 개발합니다. 미로 안에서 공이 중력의 영향을 받아 움직이는 상황을 모의하여 게임을 설계하고 프로그래밍합니다. 이를 통해 중력의 영향을 미로의 모양과 난이도에 따라 체험하고 학습합니다.

이러한 다양한 프로젝트 시나리오를 통해 학생들은 중력과 탄성력의 기본 개념을 탐구하고 실험을 통해 직접 경험하며 이해할 수 있을 것입니다.

생성된 프로젝트 수업 아이디어를 살펴보면 대부분 중학교 1학년 '중력과 탄성력'에서 다루는 내용을 기반으로 적절하게 생성된 것을 확인할 수 있다. 다만, 우주 탐사 로봇 등은 실제로 실현 가능성이 높지 않은 내용을 다루고 있으므로 수정 요청을 할 수 있다. 교수자는 해당 아이디어를 기반으로 조금 더 구체적인 아이디어로 발전시킬 수 있도록 프롬프트를 고도화할 수도 있다.

 나는 중학교 교사이고, 중학교 기술 과목의 '정보통신기술의 이해' 단원을 가르치려고 해. 이 단원을 프로젝트 중심 학습으로 설계할 거야. 학생들에게 제시할 프로젝트 시나리오를 상세하게 5개 작성해줘.

시나리오 1 : 디지털 스토리텔링 프로젝트

학생들은 프레젠테이션 소프트웨어 또는 비디오 편집 소프트웨어와 같은 멀티미디어 도구를 사용하여 디지털 스토리텔링 프로젝트를 만듭니다. 관심 있는 주제를 선택하고 ICT를 사용하여 이미지, 오디오 및 텍스트를 통합한 매력적인 디지털 스토리를 연구, 계획 및 생성합니다. 학생들은 자신의 이야기를 전달하기 위해 자신의 창의성과 ICT의 효과적인 사용을 보여주면서 학급에서 자신의 디지털 이야기를 발표할 것입니다.

시나리오 2 : 인터넷 안전 캠페인

학생들은 책임감 있는 인터넷 사용 및 온라인 안전에 대한 인식을 높이는 것을 목표로 하는 인터넷 안전 캠페인을 개발합니다. 그들은 일반적인 위험, 개인 정보 보호 문제 및 온라인 에티켓을 조사할 것입니다. 학생들은 포스터, 인포그래픽 또는 프레젠테이션을 만들어 소셜 미디어 안전, 개인 정보 보호 또는 온라인 사기 식별과 같은 주제에 대해 동료를 교육합니다. 그들은 학급에서 캠페인을 발표하고 디지털 시민 의식의 중요성에 대해 토론할 것입니다.

시나리오 3 : 데이터 분석 및 시각화

학생들은 특정 관심 주제와 관련된 데이터를 수집하고 분석합니다. 설문 조사를 수행하거나 실제 데이터를 수집하거나 공개적으로 사용 가능한 데이터 세트를 사용할 수 있습니다. 학생들은 스프레드시트 또는 데이터 시각화 소프트웨어와 같은 ICT 도구를 사용하여 의미 있는 방식으로 데이터를 구성, 분석 및 제시합니다. 그들은 차트, 그래프 또는 대화형 시각화를 만들고 학급에서 발견한 내용과 통찰력을 설명합니다.

시나리오 4 : 스크래치로 코딩 개념 탐색

학생들은 블록 기반 프로그래밍 언어인 스크래치를 사용하여 코딩의 기초를 배웁니다. 시퀀싱, 루프, 조건문과 같은 코딩 개념을 탐구하여 대화형 스토리, 애니메이션 또는 간단한 게임을 만듭니다. 학생들은 자신의 프로젝트를 학급과 공유하고 자신이 적용한 코딩 개념을 설명하고 창작물을 통해 컴퓨팅 사고력에 대한 이해를 보여줍니다.

시나리오 5 : 디지털 에티켓 가이드

학생들은 책임감 있고 존중하는 온라인 행동에 대한 지침과 팁을 제공하는 디지털 에티켓 가이드를 연구하고 만듭니다. 온라인 커뮤니케이션, 네티켓, 사이버 괴롭힘 방지 및 디지털 발자국과 같은 주제를 다룰 것입니다. 학생들은 프레젠테이션 소프트웨어 또는 그래픽 디자인 도구를 사용하여 시각적으로 매력적인 가이드를 디자인합니다. 학생들은 책임 있는 디지털 시민의식의 중요성을 강조하면서 디지털 에티켓 가이드를 학급에 발표할 것입니다.

이와 같이 필요한 과목에서 다양한 유형의 프로젝트나 문제 상황을 빠르게 답변받을 수 있으며, 결과를 토대로 원하는 세부 내용을 상세하게 추가 질문한다면, 실제 수업에서도 잘 활용할 수 있을 것이다. 예시로 '정보통신기술의 이해' 단원 프로젝트 시나리오 중 하나를 골라 추가 질문을 통해 실제 수업을 설계해 보았다. 결과물이 썩 훌륭하다. 이렇게 프로젝트의 주제 선정부터 실제 수업 설계까지 생성형 AI를 통해서 수행할 수 있는 셈이다.

 중학교 기술 과목의 '정보통신기술의 이해' 단원에서 제시한 프로젝트 시나리오 중 '디지털 스토리텔링 프로젝트'로 1차시 수업을 설계해줘.

 수업 제목 : 디지털 스토리텔링 : ICT로 창의력 발휘

수업 시간 : 60분

학년 수준 : 중학교

학습 목표 :

1. 디지털 스토리텔링의 개념과 정보통신기술(ICT)에서의 적용을 이해합니다.

2. 시각적 요소, 오디오 및 내러티브 구조를 포함하여 매력적인 디지털 스토리의 요소를 탐색합니다.

3. 디지털 스토리를 만들고 제시하기 위해 ICT 도구를 사용하는 기본 기술을 개발합니다.

4. 디지털 스토리텔링 과정을 통해 창의성, 비판적 사고 및 효과적인 의사소통을 촉진합니다.

재료 :

- 인터넷 접속이 가능한 컴퓨터 또는 노트북
- 프레젠테이션 소프트웨어(예: PowerPoint, Google 프레젠테이션)
- 오디오 재생을 위한 헤드폰 또는 스피커

수업 계획 :

1. 소개 (10분)

- 수업에서 학생들을 환영하고 '정보 및 통신 기술의 이해' 단원에 대한 개요를 제공합니다.
- 오늘날의 디지털 시대에 디지털 스토리텔링의 개념과 그 의미를 설명합니다.
- 스토리텔링의 힘과 ICT 도구를 사용하여 스토리텔링을 강화할 수 있는 방법에 대해 논의합니다.
- 매력적인 디지털 스토리의 예를 제시하여 학생들에게 영감을 주고 참여를 유도합니다.

2. 디지털 스토리의 요소 (15분)

- 디지털 스토리의 필수 요소인 시각 자료, 오디오 및 내러티브 구조를 소개합니다.
- 이야기를 뒷받침하고 감정을 불러일으키기 위해 적절한 시각 자료를 선택하는 것의 중요성에 대해 토론합니다.
- 배경 음악이나 음성 내레이션과 같은 스토리텔링 경험을 향상시키는 오디오의 역할을 설명합니다.
- 명확한 시작, 중간 및 끝을 포함하여 잘 구성된 내러티브의 중요성을 강조합니다.

3. 디지털 스토리텔링을 위한 ICT 도구 탐색 (20분)

- 프레젠테이션 소프트웨어(예: PowerPoint, Google Slides)와 같이 디지털 스토리를 만드는 데 널리 사용되는 ICT 도구를 소개합니다.
- 선택한 ICT 도구를 사용하여 디지털 스토리에 영상, 오디오 및 텍스트를 통합하는 방법을 시연합니다.
- 온라인 소스에서 적절한 시각 자료를 선택하거나 자신의 사진을 사용하는 과정을 학생들에게 안내합니다.
- 오디오를 가져오거나 녹음하고 디지털 스토리에 추가하는 방법을 설명합니다.
- 학생들이 ICT 소프트웨어 내에서 다양한 기능과 도구를 실험하도록 격려합니다.

4. 그룹 활동: 디지털 스토리 만들기 (15분)

- 학생들을 3-4명의 소그룹으로 나눕니다.
- 각 그룹에 디지털 스토리(예: 개인적인 경험, 역사적 사건, 허구의 이야기)에 대한 특정 주제를 할당합니다.
- 각 그룹에 노트북이나 컴퓨터를 제공하고 디지털 스토리를 만드는 데 협력할 수 있도록 합니다.
- 필요에 따라 도움과 지침을 제공하면서 그룹 사이를 순환합니다.

5. 발표 및 반성 (10분)

- 각 그룹은 자신의 디지털 스토리를 학급에서 발표할 기회를 갖게 됩니다.
- 학생들이 그들이 따랐던 과정, 그들이 직면한 어려움, 프로젝트 동안 그들이 내린 창의적인 선택을 공유하도록 격려합니다.
- 디지털 스토리를 만들고 발표한 경험을 반영하기 위해 간단한 학급 토론을 촉진합니다.
- 효과적인 의사소통의 중요성과 스토리텔링 기술 향상에 있어 ICT의 역할을 강조합니다.

6. 정리 및 숙제 (5분)

- 수업에서 다루는 핵심 사항을 요약합니다.
- 학생들이 온라인에서 디지털 스토리텔링 리소스 또는 예를 탐색할 수 있도록 숙제를 할당합니다.
- 학생들에게 디지털 스토리를 저장하고 다음 수업을 준비하도록 상기시킵니다.

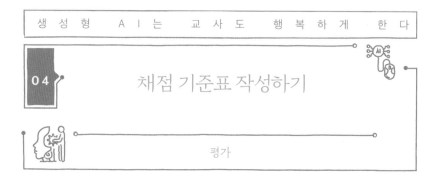

04 채점 기준표 작성하기

평가

　학교에서는 프로젝트 학습이나 수행평가 등 다양한 유형의 평가가 이루어진다. 이러한 평가 결과를 점수로 척도화하는 방법 중 가장 널리 사용하는 것이 평가 기준표(이하 루브릭, Rubric)를 통한 평가다. 루브릭은 '학습자들의 다양한 활동을 질적으로 평가하기 위한 도구'로서 학습 과정 및 결과 등을 전적으로 평가할 때 사용하는 일련의 기준이다.

　루브릭을 제작할 때 교수자는 학습자가 이해하기 쉬운 용어를 사용해야 하며, 설정한 기준을 사전에 학습자들에게 공개해야 한다. 그리고 이 기준에 따라 엄격하게 평가를 수행해야 한다. 교수자는 다양한 평가에 루브릭을 사용함으로써 객관적이고 일관성 있는 평가를 수행할 수 있으며, 학습자는 루브릭을 통해 자신의 성과물을 미리 계획하고 평가할 수 있어, 이를 기반으로 양질의 결과물을 산출할 가능성이 커진다.

　생성형 AI를 이런 긴요한 루브릭 제작에도 활용할 수 있다. 루브릭에 들어가는 평가 척도, 세부적인 평가 기준을 생성형 AI가 자동으로 생성해주며, 교수자의 성향 및 평가의 종류 등에 따라 다양하게 기준을 변화시킬 수 있다.

다음은 중학교 수학 과목의 루브릭 작성을 요청하는 프롬프트다. 아주 간단한 한 줄만으로 이렇게나 상세한 루브릭이 도출된다.

 수학 이차 방정식의 평가 루브릭을 제작해주는데, 점수는 100점 만점, 각 평가 척도는 5단계로 구성해줘.

 이차 방정식 평가 루브릭

점수: 100점 만점

1. 이차 방정식의 구성 (20점)

- 0점: 이차항, 일차항, 상수항이 모두 없거나 불완전한 형태의 식.
- 5점: 이차항, 일차항, 상수항이 모두 포함되었으나 형식적인 오류가 있음.
- 10점: 이차항, 일차항, 상수항이 모두 포함되고 올바른 형태의 식이지만, 계수 값이 부적절하거나 분수 형태로 표현됨.
- 15점: 이차항, 일차항, 상수항이 모두 포함되고 올바른 형태의 식이며, 계수 값도 적절함.
- 20점: 이차항, 일차항, 상수항이 모두 포함되고 올바른 형태의 식이며, 계수 값도 적절하고 간결함.

2. 판별식의 활용 (20점)

- 0점: 판별식을 활용하지 않거나 부정확하게 계산함.
- 5점: 판별식을 활용하였으나 계산 과정이 부족하거나 실수가 있음.
- 10점: 판별식을 올바르게 활용하였으나 해의 개수를 제대로 파악하지 못함.
- 15점: 판별식을 올바르게 활용하고 해의 개수를 정확하게 파악함.
- 20점: 판별식을 정확하게 활용하여 해의 개수와 특성을 정확하게 파악함.

3. 해 구하기 (30점)

- 0점: 해를 구하는 논리나 계산 과정이 부족함.
- 10점: 해를 구하려는 시도가 있었으나 계산 과정이 부족하거나 실수가 있음.
- 20점: 해를 구하려는 시도가 있었으며 계산 과정도 일부 제대로 진행되었으나 완전한 해가 아님.

- 25점: 해를 구하려는 시도가 있었으며 계산 과정도 제대로 진행되었고 일반적인 해를 구함.
- 30점: 해를 정확하게 구하고 계산 과정도 체계적이며 명확하게 제시함.

4. 그래프 그리기 (20점)

- 0점: 그래프를 그리지 않음.
- 5점: 그래프를 그렸으나 축의 라벨이나 범위가 부적절함.
- 10점: 그래프를 그렸으며 축의 라벨과 범위가 적절함.
- 15점: 그래프를 그렸으며 축의 라벨과 범위가 적절하고 그래프의 모양이 대략적으로 올바름.
- 20점: 그래프를 정확하게 그리고 축의 라벨과 범위가 적절하며 그래프의 모양이 올바름.

5. 문제 해결 능력 (10점)

- 0점: 문제 해결 과정이 부족하며 전체적인 해결 방법을 이해하지 못함.
- 3점: 일부 문제 해결 시도가 있으나 전체적인 해결 방법을 제대로 이해하지 못함.
- 6점: 문제 해결에 대한 시도가 있으며 전체적인 해결 방법을 어느 정도 이해하고 적용하려는 노력이 있음.
- 8점: 문제 해결에 대한 시도가 명확하며 전체적인 해결 방법을 이해하고 적용하려는 노력이 보임.
- 10점: 문제 해결에 대한 명확하고 효과적인 접근 방법을 통해 문제를 해결함.

이번에는 학교급을 바꿔서 대학이다. 대학의 교직 분야 과목에 대한 루브릭 작성을 요청해 보았다.

 사범대학 수업에서 교수가 학생에게 기술 교육 과목의 교수학습 지도안 과제를 제시하고, 이를 평가할 수 있는 루브릭을 만들어 줘. 점수는 100점 만점이고, 평가 척도는 5개로 나눠줘.

 다음은 기술 교육 과목에서 교수-학습 계획 작업을 평가하기 위한 샘플 루브릭입니다. 루브릭은 100점 만점의 5가지 평가 수준으로 나뉩니다.

기술 교육에서 교수-학습 계획 작업을 평가하기 위한 루브릭 :

등급 척도 :

5 : 우수(90-100)

4 : 좋음(80-89)

3 : 만족스러움(70-79)

2 : 개선이 필요함(60-69)

1 : 만족스럽지 못함(0-59)

기준 및 설명 :

콘텐츠 지식(30점) :

- 5 : 주제에 대한 뛰어난 지식과 이해를 보여줍니다.
- 4 : 주제에 대한 좋은 지식과 이해를 보여줍니다.
- 3 : 주제에 대한 만족스러운 지식과 이해를 나타냅니다.
- 2 : 주제에 대한 지식과 이해에 약간의 차이가 있음을 보여줍니다.
- 1 : 주제에 대한 지식과 이해가 부족함을 나타냅니다.

수업 계획(25점) :

- 5 : 수업 계획이 체계적이고 명확하며 학습 목표와 일치합니다.
- 4 : 학습 계획이 구성되고 대부분 학습 목표와 일치합니다.
- 3 : 학습 계획이 다소 체계적이고 학습 목표와 부분적으로 일치합니다.
- 2 : 수업 계획에서 학습 목표의 조직 및 조정이 부족합니다.
- 1 : 수업 계획이 체계적이지 않고 학습 목표와 일치하지 않습니다.

수업 전략(25점) :

- 5 : 학생들을 참여시키는 다양한 효과적인 교육 전략을 사용합니다.
- 4 : 학생들을 참여시키는 적절한 교육 전략을 활용합니다.
- 3 : 일부 교육 전략을 구현하지만 학생 참여는 제한적입니다.
- 2 : 학생을 참여시키지 않는 비효율적인 교육 전략을 사용합니다.
- 1 : 학생들을 참여시키기 위해 적절한 교육 전략을 사용하지 않습니다.

평가(15점) :

- 5 : 학습 목표에 부합하는 포괄적이고 적절한 평가 방법을 포함합니다.
- 4 : 대부분 학습 목표와 일치하는 적절한 평가 방법을 포함합니다.
- 3 : 일부 평가 방법을 포함하지만 학습 목표와 완전히 일치하지 않습니다.
- 2 : 학습 목표와 일치하지 않는 비효율적인 평가 방법을 포함합니다.
- 1 : 학습 목표에 맞는 적절한 평가 방법을 포함하지 않습니다.

커뮤니케이션 및 전문성(5점) :

- 5 : 뛰어난 커뮤니케이션 능력과 전문적인 행동을 보여줍니다.
- 4 : 훌륭한 의사소통 능력과 전문적인 품행을 보여줍니다.
- 3 : 만족스러운 의사소통 능력과 전문적인 품행을 보여줍니다.
- 2 : 의사소통 기술과 전문적인 행동에 약간의 차이가 있음을 보여줍니다.
- 1 : 부적절한 의사소통 능력과 프로답지 못한 행동을 보입니다.

총점 : 100점

참고 : 루브릭은 교수와 코스의 특정 요구 사항과 기대치에 따라 조정 및 맞춤화될 수 있습니다.

결과물을 확인하면 여러 방식으로 루브릭을 구성할 수 있다는 사실이 보인다. 이 정도 수준의 결과를 순식간에 얻을 수 있으므로, 처음부터 루브릭 항목을 일일이 고민하기보다는 도출된 결과를 수정해 활용하는 편이 더 효율적이다. 틀이 충분히 갖춰져 있기 때문에, 일부분 수정만으로도 교수자 자신이 추구하는 평가 방향에 맞는 루브릭을 손쉽게 구성할 수 있을 것이다.

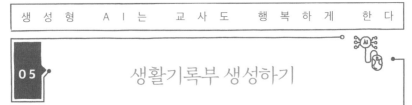

생활기록부 생성하기

평가

초중고에서 활용하는 학교 생활기록부는 학생 입장에서 본인의 출결, 수상, 체험 활동, 교과학습 등 다양한 내용이 기록된 문서이며, 대학 입시에서도 중요한 역할을 한다. 생활기록부를 보면 해당 학생이 어떠한 태도로 학교 생활을 했는지, 학업 능력은 어떤지, 어떤 잠재력을 갖고 있는지 등을 종합적으로 판단할 수 있다. 생활기록부 내에는 정량적인 수치로 파악할 수 있는 자료와 정성적인 자료가 있는데, 교사는 정성적인 자료의 대부분을 담당한다. '행동특성 및 종합의견'은 담임교사가 학생의 종합적인 면을 기재하는 부분으로, 가장 큰 영향력을 미치는 부분이다.

지금까지 생활기록부는 상당히 과중한 업무였다. 담임교사가 모든 학생을 대상으로 직접 문구 하나하나를 작성해야 하기 때문이다. 대부분의 학교에서는 생활기록부를 기재해야 하는 시즌이 다가오면 바짝 긴장을 하곤 한다. 하지만 이 책을 읽는 독자는 이러한 어려움을 덜 수 있을 것이다. 바로 생성형 AI의 도움을 받음으로써 말이다.

여러분이 준비해야 할 정보는 학생의 기본 성향과 태도다. 활발한 성격인지, 차분한 성격인지, 교우 관계가 원만한지, 학업 태도가 좋은지 등, 학생의 특성은 정확히 알고 있어야 한다. 많은 교사가 이 부분의 어려움은 없지만,

학생의 여러 성향과 태도를 자연스러운 문장으로 종합하기는 참으로 쉽지 않은 일이다. 이번에는 생성형 AI를 통해 생활기록부 작성을 일부 자동화해보자.

생활기록부 작성에는 두 가지 방식을 활용할 수 있다. 첫 번째는 텍스트 생성형 AI를 직접 활용하는 방식이다. 텍스트 생성형 AI에 다음과 같은 프롬프트를 입력하여 '행동특성 및 종합의견' 부분을 작성해보았다. 이때 학생의 신상이 특정될 콘텍스트는 제공하지 않도록 각별히 유의한다. 그리고 '행동특성 및 종합의견'만 써 달라는 프롬프트를 입력하지 않으면 다른 항목 내용도 추가로 나오는데, 그러한 부분은 생활기록부 작성에 필요 없으니 제한하는 편이 더 낫다. 다음 결과를 살펴보면 행동특성 및 종합의견에 요청한 내용이 제대로 들어가 있다

> 👤 창의성이 뛰어나고 대인관계 능력이 좋은 학생에 대해서 고등학교 생활기록부를 작성하려고 해. 이 학생은 어른들에게 항상 예의 바른 행동을 해. 행동특성 및 종합의견만 써줘.

> ⑤ **행동특성 및 종합의견** :
>
> **예의 바른 행동** : [학생 이름]은 항상 어른들에게 예의 바르고 적절한 행동을 보여줍니다. 그/그녀는 학교 내에서 교사들과 직원들에게 공손하고 존중하는 태도를 갖추며, 항상 예절을 지킵니다. 그/그녀의 행동은 학교 내에서 좋은 모범을 제시하며, 다른 학생들에게도 긍정적인 영향을 주고 있습니다.
>
> **종합의견** : [학생 이름]은 창의성이 뛰어나고 대인관계 능력이 탁월한 우수한 학생입니다. 그/그녀는 어른들에게 항상 예의 바르고 모범적인 행동을 보여줍니다. 그/그녀의 창의성은 학교 내에서 새로운 아이디어와 해결책을 제시하는 데 큰 도움이 되었으며, 대인관계 능력은 학급 내에서의 협력과 조화로운 관계 형성에 기여했습니다. [학생 이름]은 학교 커뮤니티에 긍정적인 영향을 미치며, 앞으로의 성공적인 미래가 기대됩니다.

두 번째는 생활기록부에 특화된 생성형 AI 플랫폼을 활용하는 것이다. 아직 이것만을 전문으로 하는 플랫폼은 없다. 하지만 뤼튼의 'AI 스토어'를 활용하면 손쉽게 생활기록부 내용을 작성할 수 있다. AI 스토어에는 우리가 일상생활에서 활용할 수 있는 다양한 툴이 있는데, 대표적으로 블로그 글 생성기, 유튜브 채널명 생성기, 영어 이메일 작성기, 오늘의 운세 등이 있다. 여기서는 '행동발달 누가기록'이라는 툴을 활용한다. 상세한 프롬프트를 입력하지 않더라도, 학습태도, 교우관계, 성격을 클릭하기만 하면 손쉽게 생활기록부 결과물을 얻을 수 있다.

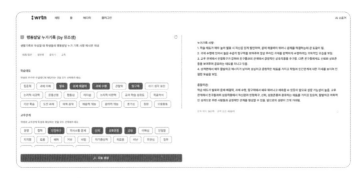

| 그림 5-1 | 뤼튼의 '행동발달 누가기록' 툴을 이용해 생성한 생활기록부 결과물 예시

지금까지 두 가지 방법으로 생활기록부를 생성하는 방법을 살펴보았다. 첫 번째 프롬프트를 활용한 방법은 학생의 세부적인 특성 및 능력을 고려하여 좀 더 개인화된 결과물을 받을 수 있다. 두 번째 생성형 AI 플랫폼 내의 툴을 활용한다면 좀 더 빠른 결과물을 손쉽게 얻을 수 있지만, 개인화된 결과물을 산출해 내기가 쉽지 않다. 교사는 이들 두 가지 방법 중 본인에게 적절한 방법을 선택하여 활용할 수 있으며, 산출된 결과물을 자신만의 스타일에 맞게 일부 변형하여 활용하는 지혜도 필요하다. 무조건 생성형 AI의 결과물을 복사해서 쓰는 것보다 교사의 창의성과 노력이 들어간다면 학생들에게 값진 보답이 될 수 있을 것이다.

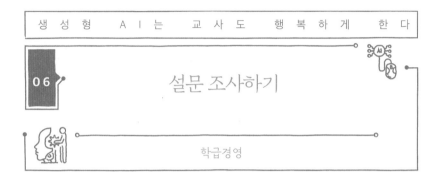

설문 조사하기

학급경영

초중고에서 담임교사인 경우, 학급경영도 수업 준비 못지않게 중요한 업무 영역이다. 한 해 동안 다양한 개성을 가진 학생들로 이루어진 한 반을 잘 꾸려 나가려면, 학생 각자에 대해 잘 알 필요가 있다. 이때 학생들을 대상으로 설문 조사를 수행하면, 학생들과 관련된 정보를 파악하는 데 도움이 된다.

그중 가장 중요한 것이 학기 초 설문 조사다. 학생의 관심사, 개인의 성향, 학습 방법 등 다양한 부분을 파악할 수 있으며, 이를 기반으로 교사는 1년간 해당 학생을 지도하기 위한 큰 그림을 그릴 수 있다. 따라서 교사는 자신의 성향이 반영되면서 학생들의 다양한 특성을 파악할 수 있는 설문지를 구성해야 한다. 인터넷 등에서 찾은 설문 양식은 교사 개개인이나 학급 학생들을 고려하지 않은 획일적인 것이므로, 실제 교사와 학생, 학교의 특수한 상황에 맞게 조정하는 작업이 필요하다. 이때도 생성형 AI의 도움을 받으면 빠르고 효율적으로 일을 처리할 수 있다.

챗GPT에게 설문의 종류(학기 초 설문), 설문 주체인 '나'의 설문 의도, 설문 대상인 학생들의 특성, 설문을 통해 달성하고자 하는 목표 등을 프롬프트화해 제시하고, 설문지를 작성해 달라고 부탁했다.

나는 중학교 교사인데, 학생들에게 학기 초 설문을 수행하려고 해. 나는 학생들에게 엄격한 학급 규칙을 준수하도록 해. 우리 학교의 지역은 학구열이 매우 높아. 이 설문을 통해서 학생들의 기본적인 정보를 알고 이것을 기반으로 1년간 학생을 지도하려고 해. 설문지를 작성해줘.

물론, 학생들의 기본적인 정보를 수집하기 위한 설문지를 작성해드리겠습니다. 아래는 중학교 학생들에게 대상으로한 학기 초 설문지 예시입니다. 설문지 내용은 학생들의 개인 정보와 학업 관련 사항을 파악하는 데 도움이 될 수 있도록 다양한 주제로 구성하였습니다.

[학교 이름 및 날짜]

안녕하세요, 여러분! 이번 학기에 함께 시간을 보내게 될 중학교 교사입니다. 학생 여러분의 개인적인 정보와 학업 관련 사항에 대해 알아보기 위해 아래 설문지를 작성해주시면 감사하겠습니다. 여러분의 솔직하고 정확한 응답이 중요하며, 설문 결과는 학생들을 지도하는 데 사용될 예정입니다.

1. 이름 :

2. 성별 :

3. 생년월일 :

4. 거주 지역 :

5. 학습 관련 질문 :

   a. 지난 학기 성적: (A, B, C, D, F 중 선택)

   b. 가장 좋아하는 과목:

   c. 가장 어려운 과목:

   d. 학교 활동 중 특별히 관심 있는 분야:

   e. 공부할 때 가장 편한 환경:

   f. 학습에 어려움을 겪을 때 자주 찾는 도움을 주는 방법:

6. 학교 생활 관련 질문 :

   a. 학교에서 좋아하는 친구들과의 활동:

   b. 학교에서 해보고 싶은 동아리나 활동:

c. 학교 생활 중 어려움을 겪을 때 자주 찾는 도움을 주는 방법:

d. 학교에서 가장 기대하는 것:

7. 학급 규칙 관련 질문 :

a. 엄격한 학급 규칙을 준수하는 데 어떤 어려움이 있을 수 있을까요?

b. 엄격한 학급 규칙이 학습에 어떤 영향을 미치는 것 같나요?

8. 부모님과의 관계 :

a. 부모님과 잘 지내나요? (예/아니오)

b. 부모님과 가장 가까운 때는 언제인가요?

c. 부모님과의 갈등을 해소하는 데 힘든 점이 있을까요?

9. 기타 :

여러분이 꼭 전해주고 싶은 메시지나 기타 어떤 사항이 있으면 적어주세요.

응답해주신 모든 내용은 비밀이 보장되며, 여러분의 학습과 성장을 돕는 데 사용될 것입니다. 질문에 대한 정직한 답변에 감사드리며, 행복한 학기가 되길 바랍니다!

감사합니다.

[교사 이름]

위의 예시 설문지를 참고하여 중학교 학생들에게 맞는 내용으로 수정하시면 됩니다. 학생들의 의견을 존중하고 학습에 대한 이해도를 높이는 데 도움이 되길 바랍니다. 좋은 학기를 보내시기를 기원합니다!

이번에는 한 발 더 나아가, 생성형 AI 기반 설문 조사 플랫폼인 '모아폼 ko.moaform.com'을 이용해 설문지를 제작해보겠다. 모아폼은 다른 텍스트 생성형 AI 플랫폼보다 속도가 비교적 느리다는 단점은 있으나, 전체적으로 보았을 때 설문만 만들 것이라면 가장 시간을 아낄 수 있는 플랫폼이다. 이번에 만들려는 설문 정보는 이렇다.

목적 : 기술 교과목에 대한 학기 말 만족도 조사

대상 : 중학교 2학년

유형 : 5지선다

설문 개수 : 20개

회원가입 후 [+새 설문 만들기] → [AI 설문 만들기(Beta)] 버튼을 차례로 클릭하면, 다음처럼 [AI 설문 만들기] 창이 열린다. 왼쪽 빈칸에 앞의 정보 그대로 프롬프트를 입력하고 [보내기]를 클릭하자. 잠시 기다리면 오른쪽 칸에 텍스트 생성형 AI가 자동으로 설문 항목을 생성해 준다. 상세한 편집을 위해 안내를 따라 하단에 활성화된 [만들기] 버튼을 누른다.

| 그림 5-2 | 모아폼으로 설문지 생성하기

다음처럼 편집 가능한 화면이 나타난다. 문항이나 답변을 직접 수정하고, [보기 무작위 배열]이나 [보기 점수 배정] 등의 설문 기능도 사용할 수 있다.

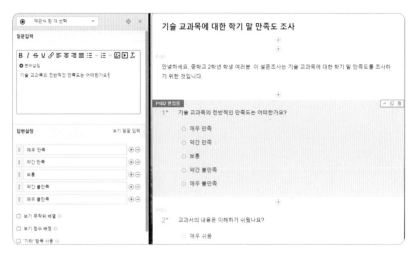

| 그림 5-3 | 모아폼으로 설문지 편집하기

이외에도 이론 수업이나 프로젝트 수업에 대한 피드백 설문, 체육대회나 소풍 등 학교 행사 결과에 대한 설문 등, 학교에서 이루어지는 다양한 유형의 설문을 손쉽게 제작하고 활용할 수 있다.

설문 조사에 생성형 AI를 활용할 때 주의할 점은 만들어진 설문을 그대로 가져다 쓰지 않는 것이다. 생성된 답안을 설문지의 초안이라고 생각하고, 여러 번 프롬프트를 다듬거나, 때론 직접 질문을 적절히 수정해야 한다. 그래야 최종적으로 자신에게 맞는 설문 문항을 만들 수 있으며, 양질의 조사 결과를 얻을 수 있다.

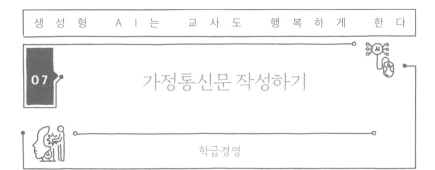

07 가정통신문 작성하기

학급경영

초중고에서 가정통신문은 학부모와 교사의 소통을 위한 연결고리 중 하나다. 교사는 학생들에게 가정통신문을 보내 학교에서 일어나는 다양한 일정을 공유하고, 필요한 조사 등을 수행할 수 있다. 학부모 입장에서는 아이가 직접 전하지 못한 학교와 관련된 내용을 문서를 통해 정확하게 전달받을 수 있다.

가정통신문은 학교에서 계획하고 운영하는 체험 학습, 방과 후 활동, 과학 대회 등 다양한 내용을 담아 전달하게 되며, 교사 입장에서는 매번 이렇게 다양한 유형의 가정통신문을 제작하여 발송하려면 시간과 노력이 많이 소요된다. 하지만 생성형 AI를 활용하게 되면 더욱 효율적으로 가정통신문과 알림장 등을 작성할 수 있다.

다음은 중학교에서 중간고사 성적표를 발송하고 이를 학부모가 확인하기를 바라는 내용의 가정통신문을 생성하는 프롬프트 예시다.

 중학교 학생의 학부모에게 가정통신문을 보내려고 하는데, 중간고사 성적표를 발송했고 학부모가 이를 확인하기를 바란다는 내용을 작성해줘.

 [학교 로고 또는 이름]

[날짜]

가정통신문

존경하는 학부모님께,

학생 여러분의 중간고사가 종료되었으며, 중간고사 성적표를 발송하였음을 알려드립니다. 이번 중간고사에서 학생들은 열심히 노력하여 자신의 학업 성취를 확인할 수 있었습니다.

우리 학교는 학생들의 학업 성취와 성장을 중요하게 생각하고 있으며, 학부모님과의 협력을 통해 더 나은 교육 환경을 만들어가고자 합니다. 중간고사 성적표를 확인하신 후에는 학생의 학습 상태를 함께 이해하시고, 응원과 격려를 부탁드립니다.

학부모님의 관심과 참여는 학생들의 자신감 향상과 학업적 성취에 큰 영향을 미칩니다. 자녀와의 지속적인 대화와 학업 계획에 대한 이해를 통해, 학생들이 성공적인 학업 생활을 할 수 있도록 돕겠습니다.

만약 성적표에 관련하여 궁금한 사항이나 걱정 사항이 있으시면, 언제든지 학교로 연락 주시기 바랍니다. 우리는 학생들의 성공을 위해 최선을 다할 것을 약속드립니다.

감사합니다.

[학교장 성함]

[학교 이름 및 주소]

[연락처]

다음은 교내 체험 학습을 위하여 동의서를 받아야 할 때 사용하는 프롬프트 예시다. 날짜와 포함되어야 하는 내용, 분량 제한 등 프롬프트의 구체성을 높이니 조금 더 다듬어진 결과물을 볼 수 있다.

5월 10일에 우리 학교 학생들이 체험 학습을 가게 되는데, 참석 동의서를 받아야 해. 체험 학습 일정과 비용, 참석 희망 여부가 각각 분리된 번호로 포함되어야 해. 분량은 20줄이 되어야 해.

제목 : 5월 10일 체험 학습 참석 동의서 요청

안녕하세요, ○○초·중학교 교무실입니다.

저희 학교에서는 5월 10일, 학생들에게 체험 학습 기회를 제공하게 됩니다. 이번 체험 학습에서는 ○○(체험 학습 내용)을 다룰 예정이며, 학생 여러분들에게 즐거움과 유익한 체험을 제공하겠습니다.

학생들이 체험 학습에 참석하기 위해서는 참석 동의서를 작성하셔야 합니다. 동의서 작성을 위해 아래의 사항을 확인하시기 바랍니다.

1. 체험 학습 일정 : 5월 10일(월) ○○시 ~ ○○시

2. 체험 학습 장소 : ○○(체험 학습 장소)

3. 참가비 및 비용 : ○○(참가비 및 비용 내용)

※ 참고사항 ※

- **참석 동의서 작성 기한** : ○○년 ○○월 ○○일(월)
- **제출 방법** : ○○ 학부모님 드롭박스에 업로드 / 교무실 제출

학부모님께서는 참석 여부에 따라 참석 동의서를 작성해주시기 바랍니다.

[참석동의서 양식]

1. 학생 성명 : ○○학생

2. 체험 학습 일정 : ○○년 ○○월 ○○일(월) ○○시 ~ ○○시

3. 체험 학습 장소 : ○○(체험 학습 장소)

4. 참가비 : ○○(참가비 내용)

5. 참석 희망 여부(예 / 아니오) : ○○

체험 학습은 학생들이 세상을 보는 눈을 넓히고, 다양한 경험을 폭넓게 쌓을 수 있는 기회입니다. 많은 학부모님들의 관심과 참여를 부탁드립니다. 미리 이번 체험 학습에 참석하실 의향이 없으신 분은 반드시 반대의사를 표현해주시기 바랍니다.

감사합니다.

앞서 언급한 바와 같이 생성형 AI를 활용하여 학교에서 발송하는 가정통신문을 작성하게 되면 교사의 업무 처리 시간을 단축할 수 있어, 좀더 핵심적인 업무에 시간을 쏟을 수 있을 것이다.

이번 장에서는 교수자가 학교 업무에서 생성형 AI를 활용할 수 있는 다양한 사례를 제시하였다. 최근 상당수의 회사에서 생성형 AI를 업무에 활용하여 생산성을 높이고 있다. 학교 현장에서도 물론 많은 관심을 보이고 있지만 그 정도까지는 아닌 것 같다. 필자가 조사한 간단한 통계 수치만 보아도 교수자들의 생성형 AI 활용 경험은 비교적 부족한 편이며, 관련 연수 진행 시 생성형 AI를 전반적으로 경험한 교수자는 50명 중 2~3명에 정도에 지나지 않았다. 이는 한편으로 교수자 본인이 생성형 AI를 잘 활용할 수 있는 역량을 기른다면, 다른 교수자들과 비교하여 충분한 경쟁력을 가질 수 있다는 것으로도 생각해볼 수 있다.

따라서 교수자들은 이러한 도구들의 유용함을 깨닫고 이를 적극적으로 활용할 수 있도록 해야 할 것이다. 또한, 앞서 제시한 사례뿐만 아니라 교수자가 필요한 부분을 추가로 찾아 활용한다면 교수자 본인의 역량과 생산성이 더욱 높아질 수 있을 것이다. 이 책을 읽은 독자들이 앞으로 교육 현장에서 생성형 AI를 모르는 사람이 없도록 주변의 많은 교수자들에게 유용함을 전달해주기 바란다.

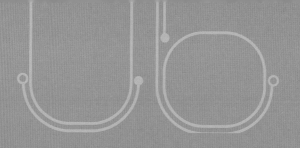

생성형 AI와
우리 교육의 미래

인공지능이 세상 사람들을 놀라게 한 2016년. 그 후 교육계도 시대에 맞춰 변화하려 노력했고, 일선 학교에서 SW/AI 교육을 하기 시작했다. 하지만 지금까지의 AI 교육은 대개 특정 영역에 국한되었다. 초중고에서는 실과와 정보, 기술, 대학교에서는 컴퓨터공학과의 울타리를 넘지 않은 것이다. 초중고 교사들도 마찬가지다. AI 교육은 특정 과목 교사의 담당이라고만 생각했고, 비교적 익히기 쉬운 블록 코딩조차 관심이 없는 경우가 많았다. 필자는 현직 교사 대상 연수를 많이 진행하는데, 거기서 기본적인 AI 교수법이나 여러 과목과의 융합 방안을 이야기하면, 생소하게 생각하는 선생님들이 많았다. 이렇게 된 원인은 아마 '인공지능 교육'이란 키워드가 교사 자신에게 와닿지 않았기 때문이리라. 사실 지금까지는 수업에 인공지능을 융합하지 않아도 큰 문제가 없었다.

하지만 생성형 AI의 등장으로 학교 현장도 바빠지고 있다. AI가 최소한의 블록 코딩조차 없이 텍스트 몇 개만 입력하면 원하는 답을 해주고, 토론 주제도 던져주며, 그림도 만들어주는 시대가 열렸기 때문이다. 이미 학생들 일부는 이러한 변화를 빠르게 감지하고 관련 기술을 적극적으로 수용하여 더 똑똑하게 AI를 활용하고 있다. 이렇듯 현실이 변했기에, 학교 현장 역시 반드시 변해야 하는 시기에 놓였다. 학교와 교수자, 교육법, 학생 지도법 등 대부분의 교육 패러다임을 전환해야만 한다. 그러지 않는다면 우리 교육의 미래는 밝을 수 없다. 이번 장에서는 시작된 시대의 파도 앞에서, 학교 교육이 어떻게 대처해 나가야 할지에 대해 필자 소신껏 고찰해보고자 한다.

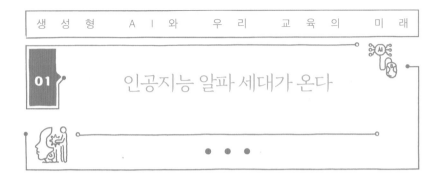

생 성 형 A I 와 우 리 교 육 의 미 래

01

인공지능 알파 세대가 온다

'인공지능을 쥐고' 태어난 아이들

2018년 출판된 책《90년생이 온다》는 최근 젊은층이 어떻게 사고하고, 어떤 특징을 가지고 있는지를 상세하게 소개하며 사회적 반향을 일으켰다. 아마 여러분도 'MZ 세대(밀레니얼 세대와 Z세대를 통칭하는 말)'라는 말을 자주 들어봤을 것이다. 기성 세대는 MZ 세대를 개인주의가 강하고, 자기만 생각하는 사람으로 생각하는 경향이 많다. 하지만 이 세대의 가장 큰 특징은 인터넷, 모바일 장치 및 소셜 미디어의 사용 증가와 친숙함[1]이다. 즉, 어린 시절에 인터넷이라는 매체를 쉽게 접하고, 이를 통해 다양한 정보를 습득한 세대를 의미한다.

아이들이 태어나면 가장 먼저 배우는 단어가 엄마, 아빠일 것이다. 필자도 아이가 태어난 후 '엄마', '아빠'라는 단어를 말하기 시작했을 때를 정말 기뻤던 순간으로 기억한다. 요즘에는 그 트렌드가 좀 달라지고 있는 것 같다. 최근 영국에서 생후 18개월 된 아기가 배운 첫 언어가 엄마, 아빠가 아닌 '알렉사'라는 아마존 인공지능의 이름이었다는 보고[2]가 있었다. 이러한 일화를 통해 우리 사회에 인공지능과 같은 최신 기술이 얼마나 깊숙하게 침투

해 있는지를 유추할 수 있다.

　최근에는 '알파 세대'라는 신조어도 등장했다. 알파 세대는 스마트폰이 대중화된 이후인 2010년대 초반부터 2020년대 중반 출생자들을 의미[3]한다. 이 세대 아이들은 대부분 아날로그 환경보다 디지털 환경에 익숙하다. 컴퓨터나 태블릿으로 공부하고 과제를 수행하는 빈도가 높으며, 궁금하거나 흥미가 생기는 것은 유튜브, 틱톡에 검색한다. 온라인 수업에도 큰 거부감이 없으며, 새로운 플랫폼이나 서비스를 시도하는 데도 별다른 어려움이 없다. 이처럼 알파 세대는 디지털 기반 환경과 상호작용하고 있으며, 그 안에는 인공지능 기술이 스며들어 있다.

　그렇다. 알파 세대를 탄생부터 인공지능과 함께 살아온, '인공지능 세대'라고 불러도 무방할 것이다. 이들이 활용하는 서비스 대부분에는 효율 목적으로 설계된 인공지능 기술이 함께한다. 스마트폰을 켜면 인공지능이 나를 인식하여 잠금을 풀어주고, 공부할 때는 최적의 학습 자료와 커리큘럼을 추천해준다. 내가 하는 질문에 적절한 답을 해줄 뿐 아니라, 원하는 그림도 예쁘게 그려준다. 이렇듯 알파 세대는 일상생활에서 인공지능을 자연스럽게 소비한다.

　필자가 종종 초중고 특강을 위해 학교에 방문하면 요즘 학생들이 어떻게 지내는지 어느 정도 확인할 수 있다. 곳곳에 컴퓨터나 스마트기기는 물론, 엔트리 같은 블록 코딩 프로그램까지 자연스럽게 다루는 아이들이 보인다. 수학을 좋아하면 수학 문제집을 풀고, 영어를 좋아하면 영어책을 재미있게 읽는 것과 비슷하게, 컴퓨터로 무언가 하는 것을 게임과 유사한 활동으로 인식하고 있는 것 같다. 이는 블록 코딩도 마찬가지다. 지도학습, 비지도학습 같은 개념은 잘 몰라도, 내가 제공한 사진을 학습한 인공지능이 새로운 사진을 정확하게 분류해낼 수 있다는 사실은 상당수가 경험적으로 알고 있다. 사실 학교에서 코딩 교육을 시작한 지는 불과 얼마 되지 않았으나, 변화는 빠르게 가시화된 듯하다. 이처럼 학생들은 프로그램의 기본 구조, 알고리즘, 제어/반복 개념 등, 프로그래밍에 필요한 기초 역량을 갖추어 나가고 있다. 인공지능, 머신러닝과 친숙해지는가 하면, 자신만의 프로그램까지 만들 정도다.

알파 세대를 맞이한 교육 현장에 필요한 변화

자, 디지털 기기를 제일 잘 다룰 수 있는 세대, 어려서부터 인공지능 기술을 숨쉬듯 활용해본 세대, 이들 '알파 세대'가 성인이 됐을 무렵의 미래를 한번 상상해 보자. 누구나 자신이 필요한 앱, 프로그램을 직접 만들어 쓰는 세상이 될 것이다. 알파 세대는 그 어떤 세대보다 코딩에 익숙하다. 기성 세대가 학교에서 수학과 과학을 배웠던 것처럼, 이들은 학교에서 의무적으로 코딩을 배운다. 코딩 교육은 대부분 실습으로 이루어져 있어 아이들의 흥미를 끌기에 충분하다. 까닭에 수업 내용을 꽤 오랫동안 기억하고 활용할 수 있다. 인공지능 세대는 프로그래밍의 원리와 활용 방법, 인공지능 기술의 원리 등을 체득하고, 앱과 프로그램을 DIY하는 최초의 세대가 될 것이다.

코딩 대중화도 이들의 등을 받쳐준다. 점차 코드를 활용하기보다 응용 플랫폼을 통해 노코드로 하는 개발이 주류가 되고 있다. 장벽이 낮아지는 만큼, 새로운 시도를 거침없이 하는 사람들이 경쟁에서 우위를 차지할 것이다. 알파 세대와 기성 세대가 이 경쟁에서 한판 붙으면 결과는 어떨까? 필자는 어렸을 때부터 AI 등 최신 정보 기술을 자연스럽게 소비해온 인공지능 세대의 승리를 확신한다. 바로 이들이 미래를 주도할 것이며, 그 파급력은 지금의 MZ 세대보다 훨씬 클 것이다.

또한, 생성형 AI를 자유자재로 활용하는 세상이 될 것이다. 알파 세대는 어찌 보면 생성형 AI의 탄생과 함께하는 최초의 어린 세대다. 그들과 이 책을 읽는 여러분이 함께 앉아 생성형 AI 활용법을 배운다고 해보자. 누가 빠를까? 관련된 배경 지식은 여러분이 훨씬 많겠지만, 생성형 AI 도구 활용 역량은 인공지능 세대 아이들이 여러분을 충분히 능가할 터다. 사실 똑같은 게임을 하더라도 어린 아이들의 숙련 속도는 정말 빠르다. 생성형 AI 기술의 눈부신 발전 속도를 기성 세대는 좀처럼 따라잡지 못하더라도, 인공지능 세대는 어릴 때부터 생성형 AI 도구를 거리낌 없이 학업, 생활에 써본 경험을 바탕으로, 어렵지 않게 직업이나 일상에서 경쟁력을 높일 수 있을 것이다. 그 잠재력은 무궁무진하다.

그렇다면 교육자로서 미래의 주축이 될 알파 세대를 도우려면 어떤 준비가 필요할까?

첫째, 코딩, 인공지능 교육을 한층 더 강화해야 한다. 2022 개정 교육과정으로 정보 교과 시수가 늘어나므로, 알파 세대가 코딩과 인공지능을 더 많이 접하게 될 것은 확실하다. 우리가 준비할 것은 늘어난 시수를 체계적 교육으로 연결할 수 있는 여러 지원책이다. 우선 4장에서처럼 생성형 AI를 포함한 인공지능을 여러 교과와 융합한 수업으로 설계하고 사례를 만들어 학교 현장에 보급하는 노력이 필요하다. 예를 들어, 수학에서 데이터 분석과 인공지능 모델링을 포함한 문제 해결 과정을 학습하거나, 언어에서 자연어 처리 기술과 문학 작품 분석을 결합하는 등, 다양한 수업 프로그램이 가능할 것이다.

둘째, 다양한 학생들이 꾸준하게 AI를 체험할 기회를 제공해야 할 것이다. 아울러 학생들이 AI 기술을 활용해 자신의 일상 문제를 해결하는 것을 목표로 삼는 것이 좋다. 그러려면 학교 정규 교과에서의 노력도 필요하지만, 학교 밖 프로그램을 적극적으로 활용하는 것도 좋다. 방과 후 학교 프로그램, 생활과학교실 프로그램, AI 체험 캠프 등, 다양한 프로그램을 설계하고, 관심 있는 학생들이 참여할 기회를 제공해야 한다.

마지막이자 꼭 필요한 과제는 교사들의 인식 변화다. 아무리 좋은 프로그램을 만들어서 보급하더라도 학교 현장에서 교사가 활용하지 않으면 아무 쓸모가 없다. 교사들이 손쉽게 AI 교육 프로그램을 활용할 수 있도록 접근성을 높이는 한편, 여러 사례를 통해 AI 교육을 어렵지 않게 여러 분야의 과목과 연계할 수 있음을 보여 교사의 인식 변화도 이끌어야 한다.

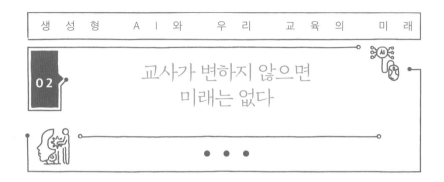

02

교사가 변하지 않으면
미래는 없다

● ● ●

옛말과는 다른 스승의 현실

옛말에 "스승의 그림자도 밟지 않는다."라는 말이 있다. 과거 교수자들은 상당히 존경받는 지위에 있었으며, 스승과 제자라는 확고한 위계를 갖고 있었다. 이는 학교의 특성에서 비롯된 것이다. 학교는 학생들에게 지식을 전수하는 곳이지만, 더불어 사회 규범 형성에서도 중요한 역할을 담당한다. 사회학자 드리븐[S. Dreeben]에 따르면, 학교는 현대 산업 사회에서 생활하는 데 요구되는 핵심 사회 규범을 내재화시키는 '규범적 사회화' 기관이다. 그는 학교의 역할에서 지식과 기술 교육보다 사회 규범 습득이 더 핵심적이라고도 주장했다. 어쨌든 학교는 지식과 사회 규범을 배워 사회 구성원으로 거듭나는 장이며, 그 핵심 역할을 수행하는 이는 단연 교사였다. 그런 만큼 과거 학교에서 교수자의 중요성은 아무리 강조해도 지나치지 않았다.

학생들은 교사에 대해 어떻게 생각할까? 일례로 2022 초·중등 진로교육 현황조사 결과[4]를 보면 초중고생 희망 직업 순위에서 교사가 1~2위로 최상위권을 차지하고 있다. 또한, 장래 희망을 선택할 때 가장 중요하게 고려하는 요소로 초중고생 모두 '내가 좋아하는 일이라서'(초등학생 50.3%, 중학생

46.4%, 고등학생 42.6%)라고 응답했다. 전반적으로 학생들 사이에서는 교사의 일과 역할에 대해 긍정적인 이미지가 형성되어 있음을 엿볼 수 있는 대목이다.

구분	초등학생		중학생		고등학생	
	직업명	비율	직업명	비율	직업명	비율
1	운동선수	9.8	교사	11.2	교사	8.0
2	교사	6.5	의사	5.5	간호사	4.8
3	크리에이터	6.1	운동선수	4.6	군인	3.6
4	의사	6.0	경찰관/수사관	4.3	경찰관/수사관	3.3
5	경찰관/수사관	4.5	컴퓨터공학자/소프트웨어 개발자	2.9	컴퓨터공학자/소프트웨어 개발자	3.3
6	요리사/조리사	3.9	군인	2.7	뷰티디자이너	3.0
7	배우/모델	3.3	시각디자이니	2.6	의사	2.9
8	가수/성악가	3.0	요리사/조리사	2.6	경영자/CEO	2.5
9	법률전문가	2.8	뷰티디자이너	2.3	생명과학자 및 연구원	2.5
10	만화가/웹툰작가	2.8	공무원	2.3	요리사/조리사	2.4

| 표 6-1 | 2022 초·중등 진로교육 현황조사 결과 상위 10개 직업 순위 (단위: %)

그렇다면 교사는 자신의 일을 어떻게 생각할까? 올해(2023년) 한국교원단체총연합회에서 발표한 '제42회 스승의 날 기념 교원 인식 설문조사 결과'[5]는 생각보다 충격적이었다. 조사에 따르면, '교직 생활에 만족하나'라는 질문에 '만족한다'라고 응답한 비율이 23.6%밖에 되지 않았다. 2006년 당시 첫 설문조사에서 67.8%가 '만족한다'였던 것과 비교하면 형편없는 결과다. 또 '다시 태어나도 교직을 선택하겠나'라는 질문에 '그렇다'라고 응답한 비

율은 20%밖에 되지 않았으며, 이 항목 또한 역대 최저치를 기록했다고 한다. 교사들이 느끼는 교직 생활의 가장 큰 어려움으로는 '학생 생활지도'와 '학부모와의 관계'가 꼽혔으며, '교권이 잘 보호되는가'라는 질문에도 '그렇지 않다'는 응답이 69.7%나 되었다. 이러한 설문 결과 몇 개만으로도 학교 현장에서 교사들이 느끼는 감정을 충분히 유추할 수 있다.

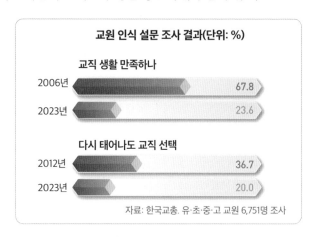

│그림 6-1│ 교원 인식 설문조사 결과 중 교직 생활 만족도

이렇듯 교사라는 직업에 대한 인식은 학생과 교사 양측에서 판이하다. 학생들은 교사가 되고 싶어 하는데, 정작 현직 교사는 교사로서의 삶에 만족하지 못한다. 교사는 미래에 어떤 성격의 일이 될까? 과거에는 전문성을 갖고 무언가를 가르치는 직업은 비교적 희소성이 있었다. 또한, 배움을 구하려면 학교나 학원에 가야만 했다. 그러나 지금은 누구나 지식을 가르칠 수 있게 되었다. MOOC, 유튜브 등에서 바다 건너 유명 대학 강의를 듣는가 하면, 사설 온라인 교육이 널리 보급되면서 전 세계 어디나 학교고, 누구나 교사가 될 수 있다는 것이 엄연한 현실이 되었다.

이 중대한 시기에 엎친 데 덮친 격으로 다른 경쟁자까지 등장했으니, 바로 '인공지능 교사'다. 요즘 교육계 종사자들이 가장 궁금해하는 점은 '인공지능이 교사를 대체할 수 있는가?'이다. 이미 변화는 시작되었다. 현재 어려운 수학 문제 사진을 찍으면 자동으로 대신 풀어주고, 맞춤 학습 코스를 추천해주는 등, 뛰어난 교육 AI가 여럿 서비스되고 있다. 특히 최근에는 교사보다 월등한 지식을 갖고 아주 빠른 시간에 상당히 정확한 결과물을 낼 수 있는 생성형 AI가 나타나면서, 교사나 교수 같이 가르치는 직업이 점차 사라지리라는 우려가 더욱 커지고 있다. 생성형 AI와 연계된 영어 인터뷰 피드백 서비스, 프로그래밍 학습 서비스들은 챗GPT 이전과는 품질 측면에서 차원이 다른 결과물을 보여준다. 일단 경험한 학생들은 AI 교사에게 열광할 수밖에 없으며, 학습자의 이런 평가는 교사라는 직업의 존립으로도 이어질 수 있다.

교육뿐 아니라 행정적 측면도 그렇다. 앞서 5장에서 실감했겠지만 교사, 교수가 하는 업무의 상당수는 생성형 AI로 처리할 수 있고, 그 결과 일자리를 위협받게 될지도 모른다. 업무 자동화 도구들은 생성형 AI 서비스로 무장하여 편의성이 크게 향상되었다. 엑셀로 며칠 걸리던 작업도 프롬프트 몇 줄 만으로 금세 끝나고, 한참을 공들이던 수업 자료도 주제만 있다면 프레젠테이션 제작까지 뚝딱이다. 게다가 생활기록부 작성 같은 교사 고유의 업무도 생성형 AI의 자동화 영역에 점점 포함되고 있다. 정말 교사는 AI로 대체되는 것일까?

생성형 AI 시대의 인간 교사

필자 개인적으로는 'AI 대체' 전망이 일부는 맞고 일부는 틀렸다고 본다. 물론 이제 AI가 교사보다 훨씬 잘할 수 있는 분야가 많은 것이 현실이다. 하지만 교사는 사람이고, 인공지능은 기계라는 사실을 간과해서는 안 된다.

인간 교사는 기계와 다르게 사람을 만나 배워야 하는 감정, 즉 인간의 따뜻한 면을 갖고 있다. 학창 시절에 선생님이 가르쳐 주셨던 지식은 비교적 잘 기억나지 않지만, 선생님의 따뜻한 말 한마디는 큰 기억에 남곤 한다. 선생님의 따뜻한 지도와 격려, 칭찬이 한 학생의 인생을 바꿀 수도 있다.

현시대 교수자의 역할은 지식 전달 이상으로 청소년들, 대학생들이 올바른 인성을 형성할 수 있도록 도와주는 것이다. 교수자와 학습자 간 상호작용을 통해 상대에게 공감하는 법, 진심을 전하는 법을 자연스럽게 체득하게 함으로써 이들의 성격과 사회성, 공동체 의식 형성에 큰 영향을 미치는 것이다. 특히, 어린 나이의 학생일수록 이러한 영향을 더 크게 받을 수 있다. 사람은 사회적인 동물이기에 소속 집단에서 상호작용을 통해 자신의 입지를 인정받아야 하며, 교감하고 협동하면서 다른 사람의 의견을 수용할 줄도 알아야 한다. 따라서 학교에서의 교육은 지식 전달도 중요하지만, 미래 사회에서 올바른 구성원이 될 수 있도록 이끌어주는 것이 더욱 중요하다. 이것이 바로 인공지능이 교사를 대체할 수 없는 가장 큰 이유다.

그럼에도 불구하고 상술했듯 생성형 AI 교사는 이미 우리 곁에 온 현실이다. AI와 공존해야 하는 지금, 우리는 교수자의 역할을 어떻게 재정의해야 할까?

첫째, 생성형 AI와 교수자는 상호보완적인 관계로 성장해 나가야 한다. AI가 더 잘할 수 있는 분야는 AI에게 맡기고, 교수자가 잘할 수 있는 분야에 더 신경쓰는 것이다. 그렇다고 수업을 모두 AI에게 맡길 수는 없다. 우리가 그토록 지양해온 지식 전달 위주의 수업이 될 위험이 크기 때문이다. 따라서 교사는 수업 전반과 학생 상담, 공감대 형성 등 고유 업무를 그대로 도맡고, AI는 보조 교사, 즉 튜터로 삼아 학생들의 다양한 질문에 답변하고, 과제나 아이디어 생성 등을 돕는 역할을 수행하게 해야 한다. 이런 식으로 인간 교사와 AI 튜터가 상호보완적인 관계로 협력한다면 교육의 시너지를 극대화할 수 있을 것이다.

둘째, 교수자는 수업을 혁신적으로, 제대로 설계해야 한다. AI도 할 수 있는 단순한 지식 전달 수업에는 아무 차별점이 없다. 따라서 프로젝트 수업이나 문제 해결 수업과 같이 학습자들의 참여를 끌어내며 지식을 자연스럽게 습득할 수 있는 수업을 설계해야 한다. 물론 모든 수업에 혁신적인 방법을 적용하기는 어렵겠지만, 이러한 유형의 수업을 적극적으로 활용하여 변화하는 노력이 필요하다.

셋째, 학습자와 사회적 상호작용을 더욱 강화해야 한다. 교수자는 학습자들이 교수자와 학습자 간, 학습자와 학습자 간 다양한 상호작용을 할 수 있도록 돕는 조력자다. 그러려면 학생들과 지속적으로 소통하고 협력하며 적극적인 수업 참여를 장려하고, 주기적인 상담을 통해 학업 및 교우 관계에 어려움은 없는지 파악해야 한다. 또한 학생들의 의견에 공감하고, 이들의 잠재력을 더 끌어낼 수 있는 언어, 행동 피드백도 적절히 제공해야 한다. 교수자의 말 한마디, 행동 하나하나가 학생들의 미래 모습을 변화시킬 수 있을 것이라는 생각으로 이들을 대해야 한다.

마지막으로 세상의 변화를 민감하게 감지하고, 꾸준히 공부해야 한다. 기존 수업 방식만 고수해서는 절대 안 된다. 생성형 AI를 비롯해 신기술은 점점 더 많이 등장할 것이고, 이를 활용하여 수업을 지속하여 개선하는 교수자들도 점차 많아질 것이다. 이러한 상황에서 변하지 않는다면, 자연스럽게 경쟁력이 떨어지고 도태되는 결말뿐이다. 자, 우선 생성형 AI의 기초인 챗GPT부터라도 사용해보자. AI 기술을 수업 적재적소에 활용한 사례를 꾸준히 공부하고, 이후로도 세상의 변화에 기민하게 대응해 나가도록 하자. 그래야만 교수자 자신의 경쟁력을 제고할 수 있으며, 학생들에게도 더욱 인정

받을 수 있을 것이다.

결론적으로, 생성형 AI와 같은 기술이 더 강력해질수록 교수자는 지식과 감성 모두를 겸비해야 하며, 학생들에게 더욱 따뜻하게 다가갈 수 있어야 한다. 이는 단순히 AI에게 교사, 교수라는 일자리를 빼앗기는 위험 때문이 아니다. 현시대를 살아가는 학생들을 더 나은 인성과 사회성을 갖춘, 사회에 적응할 수 있는 사람으로 키우는 것이 교수자의 궁극적인 역할이기 때문이다. 지금처럼 최신 기술들이 쏟아져 나오는 시대일수록 게으름 없이 변화를 받아들이고, 적극적인 자세로 자신의 전공과 연계하여 멋진 교육을 실천해 나간다면, 머잖아 누구에게나 인정받는 '미래형 교수자'가 될 수 있을 것이다.

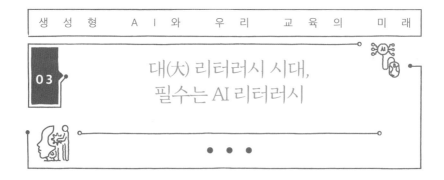

03

리터러시 홍수 시대, 핵심은 무엇인가?

'정보 리터러시'. '미디어 리터러시', '메타 리터러시' 등, 최근 '리터러시 literacy'라는 말이 곳곳에 등장하고 있다. 리터러시는 본래 언어학 용어로, "대중이 글을 통해서 지식과 정보를 획득하고 이해할 수 있는 역량"을 뜻하는데, 한국어로 번역하자면 '문해력', '독해력' 정도로 해석할 수 있다. 그런데 최근 들어서는 양상이 좀 달라졌다. 런던정경대학LSE 소니아 리빙스턴 Sonia Livingstone 교수는 지금까지 리터러시는 단순히 문자를 읽고 쓰는 능력이었지만, 이제는 다양한 미디어의 등장으로 새로운 형태의 리터러시[6]가 요구되고 있다고 언급했다. 과거와 달리 '읽고 써야 하는 대상'이 글을 넘어 정보, 게임, 미디어, 디지털, 인공지능 등으로 확대되었기 때문이다. 현대 사회에서 요구하는 리터러시는 "다양한 개념을 잘 이해하고 활용하며 비판적으로 수용할 수 있는 역량"으로 정의할 수 있다. 예를 들어 '게임 리터러시'라고 하면 게임을 이해하고 플레이하는 것뿐만 아니라, 게임이라는 미디어를 올바르게 활용할 수 있는 가치관과 태도까지를 포괄하며, '미디어', '디지털', '인공지능' 리터러시도 이와 마찬가지로 해석할 수 있다.

그중 알파 세대의 교육자로서 우리가 주목해야 할 것은 '디지털 리터러시'다. 두산백과에서는 디지털 리터러시를 "컴퓨터·인터넷과 관련된 디지털 기술과 콘텐츠에 대한 정보 이해 및 표현 능력"[7]이라고 정의했다. 미국 교육학자인 루블라와 베일리[M. Rubbla, G. Bailey][8]는 "디지털 기술을 사용할 줄 아는 능력과 언제 사용할지를 아는 능력"으로 정의했다. 정리하면 디지털 리터러시란 '디지털 시대에 맞는 콘텐츠, 도구 등을 이해하고 적절하게 활용할 수 있는 능력'으로 볼 수 있다. 이는 단순히 스마트폰 앱이나 키오스크를 잘 사용할 수 있는 역량이 아니다. 디지털 기술 이해 역량, 정보나 콘텐츠를 자유자재로 만들어내는 역량, 디지털 정보를 비판적으로 수용하는 역량 모두를 의미한다.

유네스코에서 'Digital Kids ASIA-Pacific Project'를 통해 수행한 〈디지털 시민의 역량에 대한 연구〉[9]에 따르면, 현대 사회에 필요한 다섯 가지 역량은 디지털 리터러시[Digital Literacy], 디지털 보안 및 탄력성[Digital Safety and Resilience], 디지털 참여[Digital Participation and Agency], 디지털 정서 지능[Digital Emotional Intelligence], 디지털 창의와 혁신[Digital Creativity and Innovation]이라고 한다. 면면을 살펴보면 디지털 리터러시 외에도 엄격한 개인정보 보안, 유해 콘텐츠로부터 아동 보호, 적극적 참여와 의사 표명, 온라인상에서 정서적으로 상호작용하는 능력, ICT 도구를 통한 자유로운 표현 능력 등 다양한 역량과 태도를 갖춰야 함을 알 수 있다. 교육 현장에서도 학생들에게 이러한 역량을 함양시키기 위해 노력해야 할 것이다.

| 그림 6-2 | 학생들에게 필요한 디지털 시민 역량

    한편 인공지능 기술의 빠른 발달과 보급으로 '인공지능 리터러시', 즉 'AI 리터러시'가 새로이 부상하고 있다. 두리 롱과 브라이언 마게르코 Duri Long & Brian Magerko는 AI 리터러시를 "AI 기술에 대해 비판적으로 판단할 수 있는 역량"이라고 정의[10]했는데, 구체적으로 AI와 효과적으로 소통하는 역량, AI와 협업하는 역량, AI를 도구로 사용하는 역량 등을 포함했다. 이유미, 박윤수는 "AI 기술을 이해하고 활용하는 기능적인 능력, AI 시대를 비판적으로 이해할 수 있는 능력, 이를 통해 AI가 만들어 낼 새로운 세계를 예측할 수 있는 능력"으로 정의[11]했다. 종합하면 AI 리터러시도 디지털 리터러시와 유사한 맥락으로서, AI 기술 및 관련 개념을 이해하고 활용하며, 이를 비판적으로 볼 수 있는 역량이다.

    그 후 생성형 AI 기술이 본격적으로 등장하면서, 단편적이었던 AI 리터러시 개념에 변화가 요구되기 시작했다. 과거의 AI 기술은 전문가들이나 주로 활용하는 기술이었던 반면, 챗GPT, 미드저니와 같은 생성형 AI가 공개되면서 AI 기술을 배우고 활용할 수 있는 문턱이 매우 낮아졌기 때문이다. 데이터 분석을 예로 들면 기존에는 웹 크롤링, 프로그래밍은 물론, 머신러닝, 딥러닝 알고리즘 등을 다루는 역량이 필요해 비전공 일반인은 할 수 없었다. 그러다 보니 AI 리터러시 역시 어느 정도 전문가의 영역으로만 여겨졌다.

생성형 AI는 이 패러다임을 통째로 바꾸어 놓았다. 가령 GAN 알고리즘을 전혀 몰라도, 누구나 프롬프트 몇 줄로 고품질 이미지를 뚝딱뚝딱 만들어낼 수 있는 시대, 일반인의 인공지능 세상이 열린 것이다. 그러니 AI 리터러시의 확장은 필연적이다. 기존에는 AI 기술의 이해 및 활용, 비판적 사고, 사회 변화의 이해 등에 초점을 맞췄다면, 이제는 다양한 생성형 AI 플랫폼을 활용, 개인의 생산성과 효율성을 높일 수 있는 방안이 필요하다. 즉, 기존 AI 리터러시에 생성형 AI를 추가해 새로이 '생성형 AI 리터러시'로 나아가야 하는 것이다.

슬기로운 생성형 AI 리터러시 교육법

무엇이든 잘 가르치려면 일단 그에 대해 잘 알아야 한다. 그렇다면 생성형 AI 리터러시란 정확히 무엇이고, 어떻게 기를 수 있을까? 우선 생성형 AI 리터러시는 크게 다음 두 가지 유형으로 분류할 수 있다.

첫째, 보편적 생성형 AI 리터러시다. 이 역량은 기존 AI 리터러시와 흡사하다. 이 리터러시가 필요한 집단은 초등학교 저학년 이하의 학생, 고령자 등, 생성형 AI를 통한 생산성 향상 필요성이 비교적 낮은 집단이다. 이들은 디지털 리터러시 내재화 수준도 비교적 높지 않아 생성형 AI 기술을 적극 활용하기에는 무리가 많다. 따라서 접근성이 좋은 플랫폼을 통해 생성형 AI 기술을 간접적으로 경험할 수 있도록 하는 것이 중요하다. 예를 들면, 아숙업^{AskUp}이라는 카카오톡 기반 생성형 AI 서비스는 따로 앱을 내려받거나 가입하는 과정이 필요하지 않고, 간단하게 카카오톡 대화로 요청하면 원하는 답변이나 이미지 등을 생성해준다. 이 정도 서비스를 몰라서 사용하지 못하는 경우가 없도록, 즉 대부분의 사용자가 일상생활에서 무리 없이 접할 수 있는 서비스를 제대로 활용하도록 교육할 필요가 있다.

둘째, 실용적 생성형 AI 리터러시다. 이 역량은 지금까지의 AI 리터러시에 생성형 AI 리터러시 개념을 더한 것이다. 이러한 생성형 AI 리터러시는 초등학교 고학년부터 대학생까지의 학생과 경제활동을 하는 일반인, 즉 생성형 AI를 통한 생산성 향상이 중요한 집단에게 필요하다. 이들에게 실용적 생성형 AI 리터러시를 내재화하려면 앞서 언급한 아숙업 등의 간단한 서비스를 넘어선 고도화된 교육이 필요하다. 예를 들면 프롬프트의 다양한 조합과 그에 따른 결과물을 공유하여 더욱 고도화된 작업과 업무를 돕거나, 최신 생성형 AI 서비스를 '얼리어답팅'하여 학습과 업무에 어떻게 활용할지를 고민하게 하는 것이다. 또한 챗GPT 등 생성형 AI에서 산출하는 다양한 유형의 오류를 비판적으로 감지하고, 이를 개선해 나가면서 심화된 비판적 사고력을 키울 수도 있다.

이렇게 필수적인 생성형 AI 리터러시 함양을 위해 교육 현장에서 해야 하는 노력을 좀더 구체적으로 이야기해 보자면 다음과 같다. 첫째, 가급적 다양한 과목에서 보편적 생성형 AI 리터러시 향상을 도모해야 한다. 여러 번 말했듯이 생성형 AI 기술에는 뚜렷한 한계가 없으며, 사회와 산업의 다양한 세부 영역으로 얼마든지 연계 및 확장될 수 있는 잠재력이 있다. 이는 교육 분야에도 마찬가지로 적용되며, 생성형 AI와 교과 간 융합 수업을 통해 실현할 수 있다. 다양한 과목에서 생성형 AI 융합 수업을 진행한다면, 학생들은 언어, 수학, 과학, 기술, 음악 등 생성형 AI 기술의 무궁무진한 응용 방안과 잠재력을 자연스럽게 체험하게 될 것이고, 동시에 보편적 생성형 AI 리터러시도 충분히 키울 수 있다. 개별 교사 수준에서는 이런 신규 수업 모델 연구에 여러 어려움이 따르므로, 교육청 차원에서 '생성형 AI'+'x' 형식의 다양한 교육 프로그램을 개발하여 학교 현장에서 활용할 수 있도록 지원해야 한다.

둘째, 학생들이 수업이나 과제에서 생성형 AI 도구를 적극적으로 활용하도록 장려해야 한다. 이를 통해 실용적 생성형 AI 리터러시를 향상할 수 있다. 중학생 이상의 학생들이라면 수업이나 다양한 프로젝트, 과제에 사용 가능한 생성형 AI 도구의 존재를 알려주고, 이를 마음껏 활용하여 결과물을 낼 수 있도록 해야 한다. 생성형 AI 도구 자체는 교육 현장에서도 피할 수 없으므로, 사용을 제한하기보다 오히려 최대한 제대로 활용할 수 있도록 장려하는 자세가 필요하다. 교사는 생성형 AI의 안내자 역할로 머물러도 좋다. 아주 기본적인 사용법만 알려주어도, 학생들은 이를 활용할 수 있는 역량이 충분하다. 예를 들어 과제 중 아이디어 생성에 챗GPT로부터 도움을 받고, 미드저니로 얻은 적절한 이미지로 예시를 들며, 감마앱을 활용하여 발표 자료를 완성할 수 있다. 익숙하지 않은 처음에는 시간이 오래 걸리겠지만, 여러 번 반복하고 이런저런 시도를 하다 보면 점차 수월해지고 속도도 붙을 것이다. 이렇게 스스로 탐구하는 과정을 통해 생성형 AI 리터러시를 향상할 수 있게 된다.

생성형 AI는 피하고 싶어도 피할 수 없는 현실이다. 따라서 배제하기보다 협력자로 인식하고 활용할 수 있는 기본 역량, 생성형 AI 리터러시를 보유해야 한다. 이제 AI는 관련 분야 종사자의 전유물이 아니라, 초등학생부터 일반인까지 반드시 배우고 활용해야 하는 필수품이다. 그런 만큼 보편적 생성형 AI 리터러시와 실용적 생성형 AI 리터러시가 필요한 대상에게 이러한 역량을 키울 다양한 기회를 제공해야 한다. 이를 위해서는 정책적 개선도 필요하다. 다양한 계층에 생성형 AI 기술 교육을 지원하여, 모두가 AI 기술의 이점을 효과적으로 누릴 수 있도록 해야 한다.

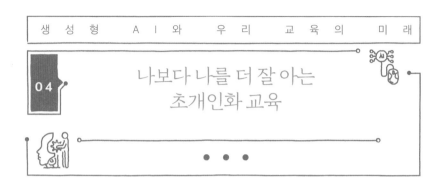

생 성 형 A I 와 우 리 교 육 의 미 래

04

나보다 나를 더 잘 아는
초개인화 교육

맞춤형 교육이라는 오랜 꿈

교육이 오래 꿈꿔온 이상적인 형태는 학생마다 개인화된 맞춤형 학습을 제공하는 것이다. 당연한 말이지만, 학생들은 하나하나 달라도 너무 다르다. 가장 적합한 학습 경험은 어떻게 제공할 수 있을까? 가장 좋은 방법은 교사가 일대일로 직접 가르치거나, 또는 개인 과외를 하는 것이다. 그러면 잘 모르는 개념이나 어려운 부분을 빠르고 쉽게 해결할 수 있어 학생의 만족도가 매우 높아질 수밖에 없다. 하지만 교사 한 명당 수십 명의 학생들을 상대해야 하는 우리 공교육에서 이게 가능한 일인가? 현실 감각이 떨어지는 소리다. 그래서 지금까지 수십 년간 맞춤형 교육을 외쳤음에도 제대로 되지 않은 것이다.

도대체 왜, '현실 감각 떨어지는' 맞춤형 교육이란 구호가 사라지지 않는 것일까? 맞춤형 교육은 정확히 무엇인가? 맞춤형 교육이란, 학생 개인의 특성, 학습 패턴, 학업 성취도 등을 기반으로 최적의 교육과정을 설계하고 적절한 학습 자료를 제공하는 것이다. 효율적인 맞춤형 교육을 위해서는 인구통계학적 정보, 학업 수행 데이터, 학습 선호도, 학생 참여도, 평가 데이터 등, 학생의 개인 데이터가 반드시 필요하다. 다음 예는 AI 교육 플랫폼을 활용하여 수학 수업을 하는 상황이다. 학습자가 생성한 데이터를 기반으로 모둠을 편성하고 학습 내용을 결정하며, 과제 제시 및 피드백까지 연계되는 것을 볼 수 있다.

> 학습자는 수업 시작 전 온라인 맞춤형 학습 플랫폼에서 사전 학습 문제를 풀고 자신의 수준을 파악한다. 교사는 온라인 플랫폼의 학습자 사전 학습 수준 데이터를 기반으로 모둠을 편성하여 수업을 진행한다. 수업 중 학습자는 모둠별 활동을 수행하고 그 결과를 온라인 플랫폼에 기록하며, 교사는 이러한 활동이 잘 이루어지도록 조력한다. 해당 차시 학습이 종료되면 그날 학습 내용에 대한 형성 평가를 수행한다. 학생들은 수업 과정에서 수집된 데이터 및 형성 평가 결과를 기반으로 맞춤형 과제를 받는다. 이후 과제 결과는 다음 차시의 학습 내용 및 모둠 결정에 반영된다.

이 시나리오는 매우 이상적인 것으로, 현재 공교육에서는 현실로 옮기기가 어렵다. 먼저 온라인 학습 플랫폼을 통해 학생들의 학습 데이터를 수집해야 한다. 오프라인 수업에서는 교사가 일일이 학생들의 데이터를 기록하거나, 수업을 자료화하기가 쉽지 않기 때문이다. 또 설령 온라인 교육 플랫폼이 있더라도 이를 오프라인 수업과 병행하여 활용하는 것은 쉽지 않을 수 있다. 교수자가 저마다 설계해왔던 수업과 축적해온 자료가 있는데, 두 가지 매체를 모두 활용하려면 기존 교육 자료들을 대부분 재설계해야 하므로 들여야 하는 노력이 생각보다 많기 때문이다. 하지만 이러한 문제 때문에 언제까지 주저하고 있을 것인가? 교수자가 바뀌지 않으면 교육은 절대 바뀔 수 없다. 따라서 지금이라도 다양한 정책을 통해서 교육 패러다임을 바꾸기 위해 노력해야 한다.

2023년 2월 정부는 '모두를 위한 맞춤 교육의 실현, 디지털 기반 교육혁신 방안'[12]을 발표했다. 이 '디지털 기반 교육혁신 방안'에서 핵심을 꼽자면 단연 AI 기술이다. 제안된 여러 목표 가운데 눈에 띄는 것으로 'AI 등 첨단 기술을 활용하여 교육의 질을 제고'가 있다. 이에 대해 발표에서는 첨단 기술의 도움으로 누구나 자신의 역량에 맞는 교육목표를 자기 주도적으로 성취할 수 있으며, 데이터에 기반한 과학적이며 객관적인 교수학습을 할 수 있다고 설명하고 있다.

디지털 시대 교실의 변화를 나타내는 다음 그림을 보면, 미래 교육이 어떤 방식으로 바뀔지 그려볼 수 있다. AI 디지털 교과서라는 매개체를 통해 교사는 AI 조교를, 학생은 AI 튜터를 제공받는 형태의 교육이다. 정부에서는 2025년부터 수학, 영어, 정보 교과를 중심으로 AI 디지털 교과서를 보급한다고 밝혔다. 수학은 AI 튜터링을 통한 맞춤 학습을 지원하고, 영어는 음성 인식 기술을 활용해 듣기·말하기 중심의 교육을 실현하며, 정보는 코딩 체험과 실습을 제공하는 형식으로 학생들에게 도움을 주겠다는 것이다.

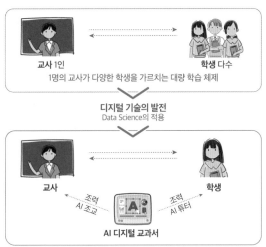

| 그림 6-3 | 정부가 발표한 '디지털 시대, 교육의 대전환 방향'

사실 이전의 공교육은 대부분 오프라인에서 학생과 교사가 만나 이루어지는 형태여서 이러한 교육 모델이 적합하지 않았다. 더구나 디지털 교과서 같은 플랫폼을 제공하면 학교 현장에서 적극적으로 활용해야 하는데, 막상 제대로 활용되는 빈도가 낮았을뿐더러 심지어 그 존재조차 모르는 교사가 많았던 탓에 제도가 뿌리내리기 쉽지 않았다. 사실 디지털 교과서는 2007년부터 준비하고 추진해온 정부 사업 중 하나인데, 15년 이상이 흘렀는데도 현장은 변한 점이 별로 없다. 이 문제에 관한 교사 대상 조사 결과[13]에 따르면, '학교 현장에서 디지털 교과서를 현실적으로 쓸 수 없거나 접근이 어려운 경우가 많다.'가 원인으로 보인다. 그 밖에 개인화된 맞춤형 학습 구현에 있어 현실적인 걸림돌로는 '교사의 관심 부재', '제대로 된 온라인 플랫폼의 부재', '학교 수업에서 활용하기 어려운 플랫폼', 'AI 기술의 정확성 및 효율성 저하' 등이 있을 수 있다. 이를 감안할 때, 특히 기술 측면의 어려움을 해결한다면 개인화된 맞춤형 교육을 구현할 수 있으리라고 판단된다. 교사들의 관심을 북돋는 노력도 필요하지만, 이는 제대로 된 플랫폼과 기술이 뒷받침된다면 저절로 따라올 개연성이 높다.

그리고 한층 진일보한 생성형 AI의 등장은, 이런 '개인화된 맞춤형 교육' 그 너머까지 바라볼 수 있게 해주었다. 최근 '초개인화'라는 단어가 꽤 화제다. 초개인화는 개인화에서 확장된 개념으로, 한 매체에서는 '나 같은' 사람들이 아닌, 오직 '나'만을 위한 기술로 빗대어 표현했다. 초개인화의 가치는 상당히 고평가되고 있다. 얼마나 개인을 더 잘 이해하고, 그에 맞는 서비스를 제공하느냐가 향후 기업의 성패를 좌우하리라는 전망까지 나올 정도다. 그렇다면 초개인화는 개인화와 구체적으로 어떤 점이 다른가? 초개인화의 강점은 단순 몇 가지 선택지 수준의 맞춤이 아니라, 개인의 다양한 데이터를 종합적으로 분석하여 세상에 딱 한 명만을 위한 서비스를 제공한다는 데 있다.

익숙한 유튜브 알고리즘을 예로 설명해보겠다. 여러분이 유튜브를 시청한 패턴이 있을 때, 알고리즘은 그것과 유사한 시청 패턴을 보이는 군집에 맞춰 콘텐츠를 추천해주게 된다. 즉, 'A유형', 'B유형' 등 특정 집단의 성향에 맞는 콘텐츠를 추천해주는 형식이다. 이 추천 방식을 단편적으로 말하면 '개인의 시청 기록'이라는 단일 정보에 의한 것으로, 개인화된 서비스에 가깝다. 여기에 추가 정보(인구통계학적 정보, 학력, 거주지 등)를 넣어 진짜 '나'라는 개인에게 꼭 맞는 콘텐츠를 추천해준다고 할 때, 이를 초개인화 서비스라고 할 수 있다.

사실 개인화된 교육도 아직 어려운데, 초개인화를 논하기에는 이를 수 있다. 하지만 생성형 AI 기술의 등장에 따라 초개인화된 교육은 생각보다 빠르게 다가올 것이므로 미리 이에 대해 준비하는 것이 현명하리라고 본다.

초개인화 맞춤형 미래 교육의 청사진을 그리다

그렇다면 미래 초개인화된 맞춤형 교육은 어떻게 구현될까? 핵심은 바로 생성형 AI 기술이다. 대표적으로 챗GPT와 같은 서비스를 기반으로 한 에듀테크 기술이 학생/교사와 상호작용을 통해 학생들에게 더 개인화된 교육을 수행할 수 있을 것이다. 구체적으로 어떤 모습일지, 몇 가지 사례를 통해 한번 미리 짐작해보자.

첫째, 대화 기반의 초개인화된 맞춤형 학습이다. 챗GPT와 같은 텍스트 생성형 AI 서비스는 대화의 맥락을 파악하고 기억하는 기능이 있다. 이는 친구에게 나의 이야기를 30분 동안 한다고 가정했을 때, 처음과 중간 그리고 마지막 내용까지 모든 대화가 연계되어 친구에게 전달되는 것과 마찬가지다. 예를 들어 '내가 어제 놀이동산에 갔는데…'라고 이야기를 꺼내면 놀

이동산 배경으로 대화할 수 있으며, '나는 초등학교 3학년 학생인데, 나의 수준에 맞게 이야기해줘!'라고 하면 그에 맞는 대화를 이어 나갈 수 있다. 그렇다면 내 정보를 더 많이 입력할수록 AI는 내게 더 맞는 정보를 줄까? 그렇다. 내가 질문하고자 하는 요지, 나의 정보, 내가 얻고자 하는 답변과 그 유형 등, 세부사항을 많이 입력할수록 더 개인화된 답변을 받을 수 있다.

지금 중학교 3학년이라고 가정하고, 챗GPT에게 중학교 2학년 과학 개념에 대해 일반적으로 물어볼 때와, 컨텍스트가 포함된 개인화된 질문을 할 때 어떤 차이가 있는지를 시험해보고자 한다. 대상은 '광합성의 원리'다. 먼저 다음은 일반적인 질문을 하고 얻은 답변 중 일부다.

 광합성의 원리에 대해서 설명해줘.

광합성은 식물, 일부 미생물 및 일부 조류가 태양 에너지를 이용하여 이산화탄소와 물을 이용해 유기물을 합성하는 과정입니다. 이 과정은 광에너지를 화학 에너지로 변환하는 능력을 갖춘 광합성색소인 엽록소를 사용합니다.

광합성은 다음과 같은 주요 단계로 이루어집니다:

1. **흡수** : 식물의 잎, 미생물의 엽록체 또는 조류의 엽록체 내에 있는 엽록소는 빛을 흡수합니다. 주로 파란색과 빨간색 빛을 흡수하지만, 초록색은 흡수하지 않고 반사되어 식물의 잎이나 미생물, 조류가 녹색으로 보입니다.

2. **광화학적 반응** : 흡수한 광에너지는 엽록소 분자 내에서 화학 에너지로 변환됩니다. 이 화학 에너지는 주로 탄소, 수소 및 산소 원자를 함유한 이산화탄소와 물로부터 전달됩니다. 엽록소 분자 내에서 화학 에너지는 ATP(아데노신 트리인 삼인산) 및 NADPH(니아신 아데닌 디뉴클레오티드 인산염)와 같은 에너지 중재체로 저장됩니다.

3. **탄소 고정** : 저장된 화학 에너지가 사용되어 이산화탄소 분자로부터 탄소 원자가 고정됩니다. 이 과정은 주로 다크 리액션 또는 칼빈 주기라고 불리는 반응으로 알려져 있습니다. 탄소 고정은 이산화탄소를 이용하여 3-카복시-3-카르복시펜타불리타이드(RuBP)와 결합시키는 반응을 통해 일어납니다.

4. **탄소 확산** : 고정된 탄소가 다른 유기화합물로 변환됩니다. 이러한 과정은 주로

설폰산, 포도당 등 다양한 유기화합물의 합성을 포함합니다.

…중략…

에너지 중재체, 다크 리액션 등, 용어나 설명 자체가 중학교 2학년이 이해하기에는 조금 어렵게 느껴진다. 이번에는 조금 구체적인 정보를 주었을 때 나오는 답변을 확인해보자.

 나는 중학교 3학년 학생인데, 중학교 2학년 때 배웠던 광합성의 원리가 잘 이해되지 않아. 내가 이해할 수 있도록 광합성의 원리를 구체적인 예를 들어 설명해줘.

 광합성의 원리를 더 쉽게 이해하기 위해 다음과 같은 예시를 생각해보겠습니다.

상상해보세요, 당신이 작은 식물이 되어 햇빛을 받는 잎 위에서 누워있다고 가정해 봅시다.

1. **햇빛을 받아요** : 햇빛이 잎에 닿습니다. 이 햇빛은 빛의 에너지를 가지고 있는데, 이것이 식물의 엔진과 같은 엽록체 안에 있는 엽록소라는 녹색 물질에 닿으면 엽록소가 햇빛의 에너지를 흡수해요.

2. **물 마셔요** : 당신은 물을 흡수합니다. 이때 물 분자는 잎의 세포들로 들어가서 엽록체로 이동합니다.

3. **에너지 만들기** : 엽록체 내에서 흡수한 햇빛의 에너지와 물로부터 얻은 수소가 만나게 됩니다. 이 때 흡수한 에너지는 수소와 결합하여 에너지를 저장한 분자인 ATP와 NADPH를 만듭니다. 이들은 마치 식물의 에너지 거래표처럼 생각할 수 있습니다.

4. **이산화탄소를 취하다** : 또한, 당신은 주변 공기에서 이산화탄소를 흡수합니다. 이 이산화탄소는 식물의 엽록체로 들어와 준비된 상태에서 기다리게 됩니다.

5. **포도당을 만들다** : 이제 엽록체 내에서 ATP와 NADPH가 이산화탄소를 사용하여 포도당이라는 당분을 만들어냅니다. 포도당은 식물의 에너지 저장소이며, 생장과 다양한 화학 반응에 사용됩니다.

6. **산소를 내뿜다** : 이 과정에서 산소가 방출됩니다. 당신은 물을 마시면서 얻은 수소와 햇빛 에너지를 사용하여 이산화탄소를 쪼개어 산소를 생성합니다.

이렇게 광합성은 엽록체 내에서 햇빛, 물, 그리고 이산화탄소를 이용하여 에너지를 만들고, 그 에너지로 포도당을 합성하며, 산소를 방출하는 과정입니다. 이 과정을 통해 식물은 자신만의 에너지를 만들어내어 생존하고 자라날 수 있게 됩니다.

분명 같은 질문인데, 조금 더 개인화된 프롬프트를 입력하면 나오는 결과가 상당히 달라지는 것을 볼 수 있다. 실제 중학생이라면 구체적인 예시와 함께 비교적 쉽게 설명된 후자를 더욱 쉽게 이해할 수 있을 것이다. 이때 내 정보는 내가 가장 잘 알고 있으니, 자신의 정보를 입력하면 할수록 더 내게 맞춰진 답변을 받을 수 있다. 하지만 어떤 정보까지 생성형 AI에게 제공할지는 충분히 고민해야 한다. 내 개인 정보를 AI를 통해 모두 노출할 수는 없기 때문이다.

둘째, 초개인화된 맞춤형 교육 콘텐츠 추천이다. 온라인에는 유튜브나 인터넷 강의, e학습터 등 다양한 학습 콘텐츠가 존재한다. 하지만 이러한 콘텐츠들은 여러 플랫폼에 분산되어 있어 효율적으로 찾고 활용하기가 어렵다. 또한, 산재한 교육 자료들을 찾는 것은 생각보다 시간과 노력이 많이 드는 일이다. 필자도 이렇게 흩어져 있는 콘텐츠들을 하나로 모아 저장소를 구성하고, 이를 검색하여 활용하는 서비스를 연구한 적이 있지만, 지속하여 생성되는 콘텐츠들을 최신으로 유지하기란 쉽지 않은 일이었다.

하지만 이제는 시대가 많이 달라졌다. 생성형 AI 기술을 활용할 수 있지 않은가? 앞서 언급했던 개인화된 프롬프트를 입력하여 답변을 받은 후, 이와 연관된 콘텐츠들을 추천해 달라고 요청할 수 있다. 다음은 AI 플랫폼에서 학생의 다양한 정보를 기반으로 e학습터에 있는 콘텐츠를 추천해주는 간단한 시나리오의 예다. 이처럼 교수학습에 필요한 사진, 동영상 등 다양한 콘텐츠에 일괄적으로 접근할 수 있게 된다면, 분명 교사와 학생 모두에게 많은 도움이 될 것이다.

오늘은 수학 과목에서 이차 함수에 대해 수업했습니다. 지난 학기의 학습 정보, 유사한 성적을 가진 전국 학생 데이터, 현재 학습 과정 데이터, 형성 평가 결과 데이터 등을 기반으로 종합적인 분석을 수행한 결과 <이차함수의 그래프> 부분에 대한 학습이 부족한 것으로 나타납니다.

e학습터의 '이차방정식 그래프 쉽게 그리기' 콘텐츠를 시청하세요.

셋째, 초개인화된 학습 경로 및 진도 관리다. 학생들은 저마다 다양한 배경 지식을 갖고 있어 진도나 학습 경로가 매우 다를 수 있다. 영어 과목을 예로 들면 A학생은 원어민 수준의 작문 실력인데, B학생은 중학생 수준의 작문 실력일 수 있다. 지금 우리나라 교육에서는 이 학생들이 같은 교실에서 같은 수업을 들을 수밖에 없다. 정해진 교과서 진도를 나가야 하거니와 시간적, 물리적 제약 탓에 수준 차이가 있어도 교육 방식에는 큰 변화가 없다.

하지만 AI 기술을 도입하면 학생들에게 개별 진도와 학습 경로를 제공해 줄 수 있다. AI는 학생들의 개별 요구^{needs}를 파악해서 개인별로 학습 경로를 구성해주며, 진도 속도 역시 조절해준다. 이때 전제는 대부분의 학습이 온라인 기반으로 이루어져야 한다는 것이다. 현재 우리 학교 현장에서는 어려움이 있지만, 만일 오프라인 수업에 스마트 기기 등 온라인 기반 환경이 구축되어 있고, 교사가 전체 진도 관리자가 된다면 불가능한 일도 아니다. A학생은 진도를 비교적 빨리 끝내고 심화 문제에 도전하거나 어려운 도서를 읽도록 지도할 수 있으며, B학생은 조금 더 천천히 학습하게 하되, 보조 자료를 제공해서 이해도를 높이는 방식이 가능하다.

이 세 시나리오를 다시 한번 살펴보자. 마치 꿈에 그리던 교실의 모습인데, 이렇게 초개인화된 서비스를 도입하려면 마땅히 제도 차원의 도움과 대비가 선행되어야 한다.

첫째, 학교 현장에서 편하게 사용할 수 있는 플랫폼 등 인프라 구축이 시급하다. 여기서 방점은 '플랫폼 구축'이 아니라 '학교 현장에서 편하게 사용할 수 있는'에 찍힌다. 즉, 누구나 편리하게 거부감 없이 사용할 수 있어야 한다. 정부에 따르면 2025년부터 디지털 교과서 플랫폼을 전면 사용한다는데, 이건 도입한다고 끝이 아니다. 얼마나 학교 현장에 잘 정착하느냐가 관건이다. 디지털 교과서는 2007년부터 만들지 않았는가? 그렇다면 과거 실패 원인이 무엇인가를 잘 생각해야 한다. 아무리 잘 만든다 해도 학교 현장에서 외면받는다면 실패의 반복일 뿐이다. 지금까지의 실패 원인을 잘 살펴보고 교사들의 요구를 고려하여 '정말 교육 현장에서 잘 쓰일 수 있는 교육 플랫폼(디지털 교과서)'을 만들었으면 하는 바람이다.

둘째, 공교육 현장에서 학생 데이터 활용에 대한 가이드라인 마련이 필요하다. 초개인화 맞춤형 교육 플랫폼에 입력하는 학생 개인 정보의 범위, 종류 등이 법제화되어 있지 않다면 제대로 활용하기는 쉽지 않다. 플랫폼 개발과 병행하여 관련 법제도를 검토하고 재정비를 해야 할 시기다. 또한, 학생들로서는 초개인화 플랫폼에 입력하는 데이터가 어디까지인지도 헷갈릴 수 있다. 따라서 이를 규정한 가이드라인 마련도 함께 이루어져야 한다.

이제 초개인화 사회는 현실로 다가오고 있으며, 교육 현장도 예외는 아니다. 교육 현장에도 초개인화된 서비스가 도입되어야 비로소 우리가 추구하는 최종 목표인 개인화된 맞춤형 교육을 제대로 실현할 수 있다. 그러려면 다양한 인프라 구축도 중요하지만, 인프라가 학교에서 '정말', '잘', '제대로', '쉽게' 사용될 수 있도록 만드는 것이 매우 중요할 것이다.

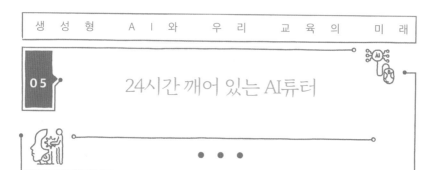

24시간 깨어 있는 AI튜터

모두가 바라던 전담 튜터의 실현

예전에 혼자 공부할 때 가장 어려운 점은 모르는 문제가 있을 때 물어볼 사람이 없다는 것이었다. 보통 이럴 때는 밤 늦은 시간이거나 주말이라, 학교 선생님이나 누군가에게 전화해서 묻기도 쉽지 않았다. 게다가 그 당시에는 휴대폰이 그렇게 많이 보급되지도 않았다. 지금처럼 사진을 보내고, 긴 문자를 보내는 일들이 불가능한 시대였다. 어쨌든 공부하면서 가장 큰 바람은 옆에 개인 선생님이 한 명 있으면 좋겠다는 것이었다. 아마 여러분도 대부분 비슷한 경험이 있을 것이다.

하지만 최근에는 이러한 문제들이 상당 부분 해결되고 있다. 바로 인공지능 기술이 발달했기 때문이다. 생성형 AI 도입 이전에도 '수학 문제를 사진으로 찍어서 올리면 AI가 풀어주는 서비스', '영어로 대화할 사람이 없을 때 대화 상대가 되어주는 인공지능 원어민 서비스' 등 인공지능이 교육 현장에 도입되어 활용되고 있었고, 지금은 시간이 흘러 학생들이 많이 활용하는 서비스가 되었다. 이제 생성형 AI 도입으로 이러한 대세는 더욱 확고해질 것이다. 수학 문제를 푸는 것뿐만 아니라 연관된 수학 문제를 생성해주고, 해

설까지 자동으로 만들어 줄 수 있다. 게다가 이렇게 만들어진 문제들은 학습자 개인의 성향과 수준에 맞춰져 있다. 영어도 마찬가지다. 지금까지 인공지능 원어민과의 대화는 생각보다 많이 어색했지만 생성형 AI 도입으로 인간과 거의 흡사한 수준에 이르렀다.

최근 정부에서는 2025년부터 AI 기반의 디지털 교과서와 AI 튜터를 도입한다고 발표했다. AI 튜터는 쉽게 말해 AI 영상 합성 기술로 제작한 가상 교사이며, 학생들은 AI 튜터와 실시간으로 상호작용하며 다양한 과목 학습에 도움을 받게 된다. 교사 입장에서도 AI 튜터의 도입으로 상당한 이점을 누릴 수 있다. 교사는 수업 이외에도 학교와 관련된 다양한 업무를 수행하는데, AI 튜터가 그런 업무를 도울 것이기 때문이다.

이미 민간에서는 다양한 AI 튜터를 활용하고 있다. AI 음성 인식 기반 영어 학습 앱 스픽Speak[14], 아이스크림홈런의 '아이뚜루'[15] 등이 대표적이다. 이 AI 튜터들은 시간과 상관없이 영어 회화 연습을 돕거나 과목별 성취에 따라 보조 학습 자료를 추천해준다. 색다른 AI 튜터도 있다. 칸 아카데미Khan Academy의 GPT 기반 AI 튜터 칸미고Kanmigo[16]다. 이 튜터는 비고츠키Vygotsky의 스캐폴딩Scaffolding 이론을 차용해 학습자가 혼자 풀지 못했던 문제를 해결할 수 있는 역량을 갖추도록 유도한다. 예를 들면 학습자가 즉답을 요구하면, 부드럽게 거절하고 문제 해결을 위한 단서들을 조금씩 제시해준다. 또한, 학습을 완료하라고 격려하는 등, 인간 교사의 역할까지 담당할 수 있는 가능성을 보여준다.

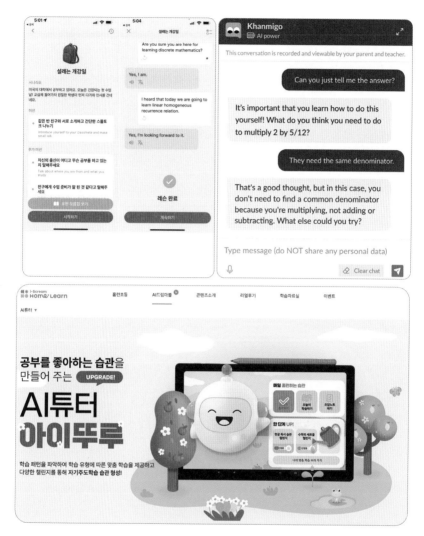

| 그림 6-4 | 스픽의 AI 튜터와 칸미고, 아이스크림홈런의 '아이뚜루'

　최근 이러한 흐름에 따라서 챗GPT를 공교육, 학교 수업에 활용하고자 하는 시도도 늘어나고 있다. 챗GPT는 우리가 가장 접근하기 쉬운 AI 튜터인데, 주어진 정보에 따라 그에 맞는 대답과 자료 추천 등을 해주기 때문이다. 최근 서울의 한 고등학교에서는 8시간짜리 챗GPT 교육과정을 도입하고,

'챗GPT 프롬프트 질문 교육 캠프'라는 프로그램을 만들어 운영[17]했다. 고려대, 세종대, 중앙대 등의 대학에서는 챗GPT와 같은 챗봇 프로그램을 수업 중 AI 튜터로 적절하게 활용하는 가이드라인을 만들어 활용하고 있다. 즉, 생성형 AI 기반의 AI 튜터를 무조건 사용하면 안 되는 기술로 규정하는 것이 아니라, 교육과 함께해야 할 존재로 접근하고 있는 것이다.

AI 튜터는 얼마나 효과[18]가 있을까? 서초구의 'AI 스마트스쿨링' 프로그램 참여 학생들을 보니, 주요 과목의 평균 정답률이 67%에서 72%로 상승했다. 대구 공산중학교의 경우도 수학 평균 정답률이 40%에서 약 70% 수준까지 크게 올라간 것을 확인할 수 있다. 몇몇 사례만으로 단정 짓기에는 한계가 있지만, AI 튜터가 학생들의 학습에 도움을 주는 것은 분명한 사실로 보인다.

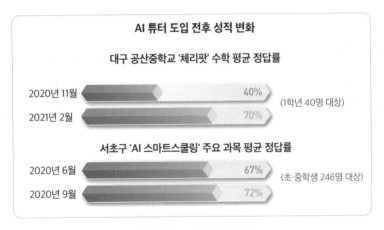

| 그림 6-5 | AI 튜터 도입의 효과

AI 튜터와 함께하는 미래의 학교

이런 AI 튜터와 공존하는 미래 교육 현장은 어떤 모습일까? 우선 변하지 않을 중요한 사실은 AI 튜터는 교사와 학생을 이어주는 매개체로 자리매김

하리란 점이다. 즉, 교사, 학생, AI 튜터가 상호 간 협업을 통하여 학습의 시너지 효과를 창출하게 된다. 인간 교사는 AI 튜터에게는 없는 정서적 유대감 형성, 감정적인 공감, 유연한 사고 등을 바탕으로 학생들을 지도하고, AI 튜터는 데이터 기반의 학습 설계, 개인화된 학습 콘텐츠 추천, 학습 경로 추천 등을 수행한다. 이처럼 서로의 장점을 살려 학습의 효율을 최대한으로 끌어올릴 수 있다.

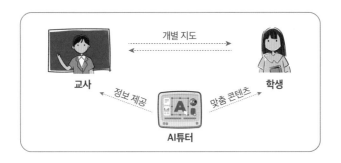

| 그림 6-6 | 교사, 학생, AI 튜터의 협업

학생들에게 AI 튜터는 구체적으로 어떤 도움을 줄까?

첫째, 실시간 일대일 질의응답을 해준다. 인간 교사는 하나의 교실에서 수십 명의 학생들을 가르치기 때문에 모든 학생의 질문에 대답해줄 수 없다. 하지만 AI 튜터라면 수업 중 궁금한 내용이 생겼을 때 바로바로 질문할 수 있고 이에 대한 답변도 빠르고 구체적으로 해줄 수 있다. AI 튜터는 24시간 언제든지 학습자와 함께하므로 개인 과외 선생님이 항상 옆에서 학습을 돕는 것과 같다.

둘째, 데이터 기반의 개인화된 학습을 실현해준다. 학습 데이터와 관심사를 바탕으로 다양한 학습 경로와 개인화된 콘텐츠를 추천받을 수 있고, 자주 틀리는 문제를 분석하여 해당 부분을 집중적으로 학습할 수도 있다. 따라서 강점은 더욱 강화하고, 약점은 AI 튜터가 체계적으로 보완해줌으로써 완전한 학습이 이루어질 수 있다.

셋째, 동기를 부여하고 학습을 지속시킨다. 인간 교사가 다수 학생에게 일일이 동기를 부여하기는 상당히 어렵지만, AI 튜터는 게임, 퀴즈 등으로 의욕을 고취시켜 양질의 학습 결과를 이끌어낸다. 예를 들어 '암석과 광물' 단원에서 사진을 보고 암석을 맞히는 게임을 제시하여, 적극적인 태도를 끌어낸다. 이렇게 배운 것은 더 오래 기억된다. 또 시선 추적 기술로 학생들의 집중 상태, 집중 패턴, 학습 스타일을 파악하여, 학습자가 졸거나 집중하지 못하는 상황이 주기적으로 발생할 경우 학습 방식을 변경하는 등, 학생들이 학습을 이어나갈 수 있게 도울 수 있다.

넷째, 도서·산간 지역의 학생들에게 공평한 교육 기회를 제공해준다. 도서 산간은 실제로 도시 대비 교육의 기회와 질이 떨어질 수밖에 없다. 대부분 교사가 도시 근무를 선호하기도 하지만, 교사 수 자체가 현저히 적은 것이 가장 큰 문제다. 또한, 학원이나 사교육 환경도 제대로 조성되어 있지 않다. AI튜터를 도입하면 이러한 교육의 불평등 문제를 상당 부분 개선할 수 있다. AI 튜터는 어디에서나 동일 품질의 교육을 지원해줄 수 있기 때문이다. 그 결과 학습에 어려움을 겪는 학생들은 많이 줄어들 것이다.

그렇다면 교사는 AI 튜터를 어떤 방식으로 활용할 수 있을까?

첫째, 업무 시간이 획기적으로 단축된다. 교사는 수업 준비는 물론 해야 할 업무가 상당히 많다. AI 튜터는 교사가 가르치는 과목에 대한 지식 데이터베이스를 활용하여 수업 자료를 제작하고 관련 콘텐츠를 제공해줌으로써 교사의 시간과 노력을 아껴줄 수 있다. 또한, 학교에서 기획하는 다양한 행사를 위한 문서, 가정통신문, 공문서, 연구 보고서 작성 등에도 많은 도움을 줄 수 있다.

둘째, 더욱 공정하고 객관적인 평가가 가능해진다. AI 튜터는 특정 주제에 대해 퀴즈와 연습문제를 자동 출제하고, 채점까지 담당할 수 있다. 이는 단순히 시험 출제가 편해지는 것을 넘어, 문항의 객관성을 확보할 수 있다는 뜻이다. 과거에는 서술형 채점의 번거로움이나 객관성 저하 문제로 객관식 위주의 시험과 채점이 이루어졌다면, AI 튜터 도입으로 서술형 시험도 손쉽고 공정하게 치를 수 있어 이러한 평가 방법이 확산될 수 있다. 또한, 수업 자료 기반의 평가 루브릭을 제작하여 평가의 객관성을 기할 수 있으며, 학생 생활기록부 작성 시에도 학생 데이터를 기반으로 가장 적합한 문장들을 추천해주어 일관성 있는 평가와 기록이 이뤄지게 도와준다.

셋째, 데이터 기반의 과학적인 학생 지도가 실현된다. 교사가 학생의 학습 과정 및 성과, 성향 등 다양한 데이터를 고려하여 올바른 학습 처방을 해주기란 쉽지 않다. 하지만 AI 튜터는 학생의 학습 데이터를 수집하여 분석하고, 이를 기반으로 다양한 학습 처방을 내릴 수 있다. 이러한 학습 처방은 학생 개개인에 맞춘 결과이므로 학생들은 이를 기반으로 과학적인 학습을 수행할 수 있으며, 학습 참여도와 성과를 높이는 데 기여할 수 있다.

앞으로의 교육은 분명 AI와 공존할 수밖에 없다. 특히 학생과 교사 모두에게 이익이 되는 AI 튜터의 활용은 시대적으로 피할 수 없는 문제다. AI 튜터는 전통적인 교사와 학생 간의 상호작용을 보완하여 학습 효율성을 더욱 높일 수 있는 매개체 역할을 할 것이다.

그렇다면 교육 현장에 AI 튜터가 올바르게 정착하게 하려면 어떤 노력이 필요할까? 우선, 교사와 학생 모두가 AI 튜터를 잘 활용할 수 있는 체계를 마련하는 것이 중요하다. 지금 교사들에게 AI 튜터가 생기면 사용할 것이냐고 물어보면 대부분 조심스러워할 것이다. 너무 새로운 서비스다 보니 접근 자체가 어렵다. 따라서 사용하기 쉽게 만들어 교사의 접근 장벽을 낮추고, 서비스의 효과를 충분히 홍보하며, 학생들도 거부감 없이 사용할 수 있는 환경을 마련해야 한다. 또한, 실제 성능이 떨어지거나 초반 오류가 잦다면 아예 교육 현장에서 살아남기 어려우니, 조금 늦더라도 완성도 높은 서비스를 만들어내는 것이 중요하다.

둘째, AI 튜터를 활용하여 수업을 설계하거나, 실제 교육 현장에 적용할 수 있는 사례 위주의 연수가 필요하다. AI 튜터가 학교에 도입된다고 하면 교사들이 가장 궁금해하는 것은 어떻게 수업에 활용하는지다. 이때 가장 효과적인 것이 프로그램 개발이나 수업 설계 연수 등을 수행하는 것이다. 전공에 따라 다른 유형의 연수를 수행하면 금상첨화다. AI 튜터 도입 초기에는 별로 쓰는 교사가 없을 테지만, 다양한 유형의 수업과 프로그램을 개발하여 보급하고, 연수를 수행한다면 1~2년 이내에 상당수가 자신의 수업이나 학생 지도에 효율적으로 활용하게 될 것이다.

따라서 AI 튜터를 학교에서 교사를 도와줄 조교라 여기며 적극적으로 활용할 방안을 모색해보도록 하자. AI 튜터는 인간 교사가 하는 일부 역할을 아주 잘 해낼 것이며, 이는 교사 자신의 경쟁력 향상, 시간 절약 등에 큰 도움을 줄 수 있을 것이다.

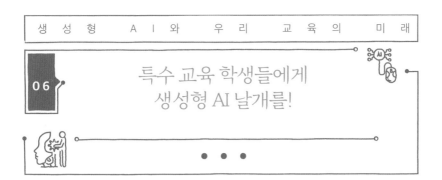

06

특수 교육 학생들에게
생성형 AI 날개를!

• • •

생성형 AI로 모두 하나 되는 교육

우리나라의 저출생은 어제오늘 문제가 아니고, 이제 상당히 오래 지속된 현상이다. 그 결과 학생 수는 날로 줄고, 학교는 줄줄이 통폐합되고 있다. 그러면 학생 수가 줄어드니, 교사도 그만큼 필요없게 될까? 여기서 주목해볼 만한 통계가 하나 있다. 교육부의 2022 특수 교육 통계[19]를 보면 학령 인구 수는 줄고 있는데, 반면에 특수 교육 대상자는 점차 늘어나고 있다. 특수 교육 대상자는 시각장애, 청각장애, 정신지체, 지체장애 등을 겪어 특수교사의 교육 지원을 받아야 하는 경우를 말한다. 2018년 9만 780명에서 2022년 10만 3,695명으로 지속하여 상승하는 추세다.[20]

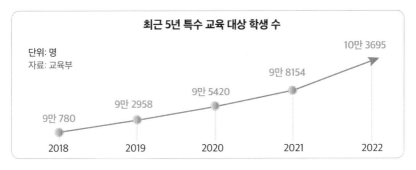

최근 5년 특수 교육 대상 학생 수

단위: 명
자료: 교육부

				10만 3695
			9만 8154	
		9만 5420		
	9만 2958			
9만 780				
2018	2019	2020	2021	2022

| 그림 6-7 | 최근 5년간 특수 교육 대상 학생 수 추이

그런데 이 자료에 따르면 특수 교육 대상자 중 72.8%가 특수 학교가 아닌 일반 학교에 다니고 있다. 이유로는 '통합 교육(장애가 없는 학생과 같은 공간에서 배우고 생활하는 교육)이 장애 학생의 사회 적응력을 높일 수 있어서'가 꼽혔다. 즉, 특수 교육 대상자 대부분이 일반 학교 학생들과 함께 수업받기를 원하는 것이다. 하지만 현실적으로 장애 유형에 따라 통합 학급에서 일반 학생들과 함께 수업하기가 어려운 경우가 많다. 예를 들어 청각 장애를 가진 학생은 교사의 말을 제대로 듣지 못하고, 적절한 의견 표현도 하기 힘들다. 시각 장애를 가진 학생은 촉각이나 청각에 의존하여 학습하는데, 교사 하나가 여럿을 챙겨야 하는 실제 교실에서는 동일한 수업을 받기도 쉽지 않다.

하지만 희소식이 있다. 생성형 AI 등 인공지능 기술 덕택에 특수 교육 대상자들도 비교적 평등하게 수업을 듣고 학습할 수 있는 길이 열리고 있기 때문이다. 예를 들어, 청각 장애 학생은 생성형 AI를 사용하여 텍스트를 음성으로 변환하거나, 음성을 텍스트로 변환하여 학습에 도움을 받을 수 있다. 시각 장애 학생은 생성형 AI를 사용하여 텍스트를 음성으로 읽거나, 이미지와 관련된 설명을 들을 수 있다.

실제로 AI 기술을 통해서 이를 실현하는 기술들도 속속 등장하고 있다. 최근 시각 장애 학생에게 도움을 주는 여러 서비스가 개발되었다. 대표적인 앱은 설리번+[21], Microsoft Seeing AI[22], Be My Eyes[23]다. 이들 앱 모두 장애인의 시각 접근성을 높이기 위해 개발된 것이며, 최근 GPT-4와 같은 생성형 AI 기술에 힘입어 정확도가 매우 향상되었다. 사용자가 스마트폰 카메라로 전방 영상을 비추면 그 정보를 텍스트로 변환하여 오디오로 읽어주는데, 상점에서 물건 고르기, 전등이 켜져 있는지 확인하기, 유통기한 읽기, 사람의 표정 표현 알아보기 등 아주 다양한 부분에 도움이 된다.

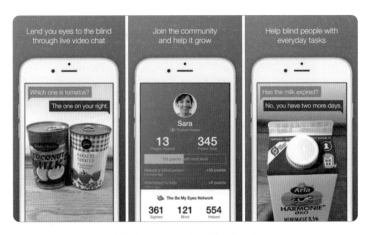

| 그림 6-8 | Be My Eyes 앱 사용 화면

　이 앱은 학교에서도 유용하다. 시각 장애 학생을 위한 점자 교과서나 문제집은 종류가 한정적이며, 수량도 부족해 찾기도 어렵다. 따라서 대부분의 책을 읽을 수 없어 기회가 제한되는 문제가 있다. 수업에서도 마찬가지다. 통합 학급에서 수업을 진행한다면, 시각 장애 학생은 수업 중 책을 읽지 못하거나 그림을 보지 못하는 경우가 발생한다. 이럴 때 장애 학생을 돕는 앱이 있다면 이들도 책이나 그림 등의 시각 자료를 일반 학생과 비슷한 수준으로 활용할 수 있다.

　청각 장애인을 위한 제품 역시 개발되어 활용되고 있다. 스타트업 XRAI는 청각 장애인이 실시간으로 대화를 '볼 수 있는' 스마트 안경[24]을 개발했다. 이 안경은 사용자의 스마트폰과 연결되어 사람의 대화를 듣고, 즉시 자막으로 안경에 표시해준다. 이를 활용하면 청각 장애 학생도 수화나 독순술 없이도 다른 학생과 대화하고, 교사의 수업을 들을 수 있다. 교사가 준비한 다양한 교수학습 자료 영상도 쉽게 시청할 수 있다. 청각 장애로 인한 불편함이 꽤 해소되는 것이다. 물론 이 제품은 아직 개발 초기라 기술적으로 완벽하지는 않지만, 장애 학생이 일반 학생과 대부분의 수업을 함께할 수 있게 해주는 고마운 존재가 될 것임은 분명하다.

| 그림 6-9 | XRAI사의 스마트 안경 이미지

생성형 AI 기술은 실어증이나 언어 장애가 있는 학생들에게도 도움을 줄 수 있다. Spoken ACC라는 앱은 자폐증, 실어증, 뇌성마비 환자들이 언어 소통에 어려움을 겪는 데 착안하여 개발한 앱[25]이다. 이 앱은 생성형 AI 기술을 활용하여 사용자가 할 말을 순차적으로 예측해 의사소통 절차를 단순화한다. 말하고자 하는 단어를 선택하면, 다음에 나올 법한 단어들을 예측해 문장을 생성한다. 그리고 그 문장을 자동으로 말해 의사소통 경험을 향상하게 된다. 이 또한 학교 현장에서 활용한다면 언어 장애가 있는 학생이 일반 학생 및 교사와 보다 편하게 의사소통할 수 있게 도와 더욱 평등한 교육 기회를 제공할 수 있을 것이다.

하지만 현재까지 이들 서비스에는 한계점이 존재한다. 우선 대부분 외국어 기반 서비스라 한국어로 활용할 수 있는 것들이 한정되어 있다. 또한 이전에 언급했듯 학생들의 디지털 정보화 수준이 높지 않은 상태에서 디지털 기기를 제대로 활용하게 만드는 것도 해결해야 할 과제다. 하지만 분명한 것은 생성형 AI 기술의 등장으로 새로운 기회가 열리고 있다는 것이다. 특히 GPT-4는 이미지를 매우 정확하게 설명하는 기술을 갖추고 있어, 이를 기반으로 다양한 서비스가 속속 등장할 것이다. 아울러 여러 텍스트, 이미지 생성형 AI 서비스의 품질도 매우 높아지고 있으므로, 국내에서도 관련된 서비스들이 많이 출시될 것으로 기대한다.

문턱 없는 교실로 함께 나아가기

이렇듯 앞으로 생성형 AI 기술은 특수 교육 대상자들에게 커다란 영향을 미칠 것이다. 특수 교육 대상자들이 생성형 AI 기술을 잘 활용할 수 있게 돕는다면 이들에게 날개를 달아주는 것과 같다. 일반 학생과 특수 교육 대상 학생에게 '우리 지역의 특산품 조사하기'란 동일 과제를 제시했다고 해보자. 단순하게 생각해봐도 조사를 위해 특수 교육 대상 학생이 들이는 노력은 일반 학생보다 훨씬 많을 것이다. 일반 학생이 1시간 걸려서 조사할 내용을, 특수 교육 대상 학생이 조사하려면 최소 2시간 이상 걸릴 수 있다.

이때 이들에게 생성형 AI라는 날개를 달아준다면, 동일한 프롬프트로 결과물을 뽑아낼 때의 체감 효율은 2배 이상이 된다. 생성형 AI가 이들의 눈과 귀가 되어 복잡한 작업 상당수를 대신함으로써, 생산성이 과거에 비해 어마어마하게 높아지는 것이다. 이렇게 좋은데, 특수 교육 대상자들에게 생성형 AI 활용 교육은 정말 필수가 아닐까? 하지만 아직은 이러한 교육 정책 등이 명확하게 정립되지 않아서 실현되기까지는 시간이 좀 걸릴 수 있다.

그렇다면 지금 교육 현장에서는 어떤 정책을 통해 특수 교육 대상자들에게 도움을 줄 수 있을까? 첫째, 특수 교육 대상자들의 교육 접근성을 향상시켜줄 다양한 디지털 도구를 보급해야 한다. 아쉽게도 아직 한국어 지원이 부족한 서비스들이 상당수이기 때문에, 한국어 기반 서비스를 개발하여 보급하는 정책적 지원도 필요하다. 아직 이러한 서비스가 국내에서 개발되지 않은 이유는 사용자층이 한정되어 있어 수익이 높지 않다는 판단 때문일 것이다. 이 점은 정부에서 주도적으로 개발하여 보급하면 어느 정도 해결할 수 있다. 그러면 서비스의 신뢰도도 높기 때문에 학교 현장에서 활용도도 매우 높아질 것이다.

둘째, 특수 교육 대상자들도 챗GPT 등 생성형 AI 리터러시를 충분히 함양케 해줘야 한다. 장애 유형에 따라 다르겠지만, 상당수의 특수 교육 대상자는 신체에 불편이 있어 생성형 AI 기술을 활용하기가 쉽지 않다. 그러잖아도 생성형 AI에 의한 격차가 생기고 있는 마당에 특수 교육 대상 학생들이 생성형 AI 기술을 제대로 활용하지 못한다면, 일반 학생들과 격차는 점차 커질 것이다. 이러한 격차를 줄일 방법을 고민하고 관련 정책을 마련해야 한다. '시각이나 언어 장애 학생이 어떻게 하면 챗GPT를 제대로 활용할 수 있을지', '시각 장애 학생이 이미지 생성형 AI를 활용할 방법은 없을지' 등, 장애 유형별로 생성형 AI 서비스를 제대로 활용할 수 있는 방법이나 보조할 수 있는 프로그램, 가이드라인 등 다각적인 대비가 필요하다.

셋째, 교육 현장에서 생성형 AI 기술을 잘 활용하여 특수 교육 대상자를 교육할 수 있도록 정책적 지원을 해야 한다. 교육부 등 당국에서 느끼는 중요함과 심각성이 학교 현장에 전달되려면 생각보다 오랜 시간이 걸린다. 여러 번 말했듯 가이드라인, 교육 프로그램 등을 만들어서 보급해도 학교 현장에서 활용하지 않으면 아무 소용이 없다. 따라서 특수 교사뿐만 아니라 일반 교사, 특수 교육 대상자에게도 생성형 AI 서비스가 특수 교육 대상자에게 얼마나 큰 도움이 되는지 지속적으로 교육하고 홍보할 필요가 있다.

미래 교육에서 생성형 AI는 모든 학생이 평등한 교육을 받도록 돕는 마법사 같은 존재가 될 것이다. 다만, 이를 위해서는 당국의 교육 정책이 체계적으로 마련되는 것이 선행되어야 하며, 학교 현장에서는 교사들의 많은 관심이 요청되는 시점이다.

07 '좋은 대학=성공' 법칙이 깨진다

● ● ●

프롬프트 엔지니어: 학력 무관

'연봉 1억, 경력/코딩 실력 무관' 최근 생성형 AI 기업인 뤼튼테크놀로지스에서 낸 채용 공고다. 이들은 과연 무슨 일을 하기에 경력이나 코딩 실력도 부족한 사람을 1억이나 주고 채용할까? 바로 '프롬프트 엔지니어'다. 공고를 한번 자세히 살펴보았다.

■ **주요 업무**
- 뤼튼 서비스에 사용되는 다양한 목적의 프롬프트를 제작하고, 테스트하고, 문서화합니다.
- 다양한 생성 인공지능 모델을 프롬프트 관점에서 분석하고 정리합니다.
- 새로운 생성 인공지능 모델에 대하여 빠른 시간 안에 프롬프트 모범 사례를 구축합니다.

■ **자격 요건**
- Generative AI에 대한 관심이 누구보다 많으신 분
- 세상에 없던 문제를 풀어나가는 것을 재밌어 하고, 창의적인 생각을 자주 하시는 분
- 생성 인공지능의 특성과 한계를 이해하고, 이를 프롬프트에 적용할 수 있는 분
- 인공지능을 잘 이해하고 안전하게 사용할 수 있는 분

음…. 생각보다 특별한 기술이 필요하지 않은 것 같아 보인다. 경력직을 뽑는 것이 아니니 여러분도 한번 지원해볼 만한 직종으로 생각된다. 물론, 아무것도 모르는 상태에서 지원하면 회사에서 뽑아주지 않을 테지만, 생성형 AI에 관심을 갖고 활용해본 경험이 있는 사람들은 충분한 지원 자격이 된다. 더욱이 학력 조건도 없다. 학력 무관하게 자격 요건에만 부합하면 누구나 'OK'라는 것이다. 분명 인공지능 관련 업무를 수행하는데 코딩 실력도, 관련 전공도 필요없다. 꽤 파격적으로 보인다.

외국에서도 비슷한 채용 공고가 올라오고 있다. 미국의 AI 스타트업인 앤스로픽^{Anthropic}은 프롬프트 엔지니어를 상시 채용하고 있다. 이들이 제시한 연봉 수준은 한화로 3~4억 수준이다. 그럼 이 회사에서는 어떤 조건으로 채용하고 있을까? 주요 업무와 자격 요건 일부를 살펴보자.

■ **주요 업무**
- 고객과 관련된 다양한 작업에 대한 모범 사례를 발견하고, 테스트 및 문서화
- 고품질 프롬프트 또는 프롬프트 체인 라이브러리를 구축하여 다양한 작업을 수행하고 사용자가 자신의 필요에 맞는 것을 쉽게 찾을 수 있도록 도와주는 가이드 제공
- 고객에게 프롬프트 엔지니어링 기술을 가르치는 안내서 및 대화형 도구 구축

■ **자격 요건**
- 3~5년의 관련 경험 필요
- 대규모 언어 모델의 아키텍처 및 작동에 대한 최소한의 지식
- 최소한 기본적인 프로그래밍 기술
- 최신 연구 및 업계 동향에 적극적으로 관심을 갖고 최신 정보를 습득하는 역량

여기서도 유사한 내용을 볼 수 있는데 앞 공고와 다른 점은 관련 경험 일부와 최소한의 프로그래밍 실력이 필요하다는 것이다. 하지만 일반 프로그

래머 수준 역량까지는 요구하지 않는다. 프롬프트 엔지니어의 특성상 양질의 프롬프트를 만들어내는 능력이 가장 중요하기 때문이다. 프롬프트 엔지니어라는 직업은 불과 1년 전만 해도 볼 수 없었던, 챗GPT의 등장과 함께 나타난 새로운 직업이다. 이렇게 인공지능 기술의 발달은 새로운 유형의 직업을 만들어 내고 있으며, 이 새로운 직군에서 요구하는 기본 자격에서 학력은 점차 빠지고 있다. 이들이 중요하게 생각하는 것은 얼마나 해당 분야를 잘 알고 활용하는가이지, 무슨 대학을 나왔고 박사 학위가 있는지가 아니다.

외국에서는 이런 추세가 꽤 이전부터 시작되었다. 구글, 델타, IBM 같은 IT 대기업들은 '4년제 대학 졸업장'을 채용 조건으로 활용하지 않는다. 더욱 중요하게 보는 것은 지원자들이 가진 기술이나 경험이다. 학력은 실력을 대변하지 않는다는 사실을 이제 상당수의 기업들이 깨달은 것이다. 국내 기업도 마찬가지인데, 카카오의 경우 코딩 실력만 있다면 학력이나 경력 모두 묻지 않고 채용한다. 이 기업은 코딩 테스트로 면접자를 선정하고, 면접을 통과하면 바로 채용하는 프로세스를 갖고 있다. 정말 '코딩 실력'만 본다는 것이다. 핀테크 '토스'의 운영주체인 비바리퍼블리카에서도 IT 개발자를 채용할 때 코딩 실력만 보고 채용을 진행한다. 코딩 실력은 우수한데 학력 때문에 채용되지 않는 불상사를 막기 위함이다.

이렇게 몇몇 기업의 변화를 통해 짐작해볼 수 있는 것은 지금의 알파 세대가 경제활동을 하는 시기에는 대학 졸업장이 별로 중요하지 않으리란 사실이다. AI 시대에 중요한 것은 개인이 보유한 '특정 분야의 실력'이다. 왜 그런가? 예를 들어 당신이 IT 기업의 사장이고 보안팀 직원을 채용한다고 하자. 두 지원자가 있다. 한 명은 고등학교 졸업자로 4년 동안 보안 프로젝트를 40회 이상 경험했다. 다른 한 명은 대학교 졸업자며 경험은 전무하다.

누구를 채용하겠는가? 독자의 성향에 따라 다르겠지만 대부분 전자일 것이다. 그 이유는 당연히 현장에 바로 투입할 수 있는 인재이고, 앞으로 발전 가능성이 더욱 크기 때문일 것이다. 반면 대학을 졸업했다고 해서 보안 프로젝트를 더 잘 수행하리라는 보장은 없다. 이 예측이 실현되는 경험을 반복하다 보면, 10년, 20년 후에는 학력의 중요성은 지금과 비교할 수도 없이 떨어질 것이다.

자, 지금의 학생들이 빠르게 변화하는 미래 사회의 핵심 인재가 되려면, 어떤 교육이 필요할까?

첫째, 관심 분야의 모색이다. 아이들이 잘할 수 있는 분야를 찾고, 해당 분야에 몰입할 수 있는 경험을 심어 주어야 한다. 학력도 물론 중요하지만, 학력과 더불어 자신만의 강점이 있어야 한다는 것이다. 이때 중요한 것은 자신만의 강점을 더욱 부각시키기 위해 다양한 경험도 함께 할 수 있도록 장려해야 한다는 점이다. 즉, 특정 분야에 관심을 갖는 것뿐만 아니라 여러 다른 분야에도 민감하게 주의를 기울여야 자신이 가진 강점을 더욱 살릴 수 있다. 이는 사회에서 아주 강력한 무기가 될 것이다.

둘째, 비판적 사고와 문제 해결 능력 함양이다. 미래에 필요한 인재는 단순하게 일하는 사람이 아니다. 전문 분야에 대해서 깊이 있게 사고하고, 문제점을 발견하여 이를 창의적으로 해결해 나갈 사람이다. 지금의 주입식 교육으로는 이러한 인재를 양성할 수 없다. 따라서 학교에서는 학생들이 문제를 비판적으로 바라보고 이를 해결해 나가는 과정을 통해 다양하게 사고하는 방법을 배울 수 있도록 해야 한다. 가정에서도 궁금한 점이나 해결해야 할 일이 있으면 끊임없이 질문하고 탐구할 수 있도록 환경을 조성해주는 것이 좋다.

셋째, 다른 사람을 공감하고 이해하는 감성 지능을 키워주어야 한다. 지금의 MZ 세대를 조금 삐딱하게 보는 사람들은 '버릇없는 세대', '자기만 아는 세대'라 말하기도 한다. 그런데 인공지능 기술이 발전하면 할수록 더욱 필요한 것이 타인에 대한 공감 능력이다. 이를 감성 지능^{Emotional Intelligence}이라 한다. 감성 지능은 자신이나 타인의 감정을 지각하고, 감정을 활용하여 문제를 해결할 수 있는 능력[26]이다. 최근 채용 공고를 살펴보면 팀워크, 공감 능력을 매우 중시하는 것을 볼 수 있다. 공감이 부족하고 팀워크를 해치는 유형의 사람들은, 조직 전체의 협업을 방해하고 결과적으로 생산성을 저하시키게 된다. 어린 학생들이 미래에 이런 사람들로 성장하지 않도록 충분한 인성 교육을 수행해야 할 것이다.

분명히, 알파 세대가 살아갈 미래 사회에서는 공부만 잘해서 성공할 수 없다. 지금까지 우리는 '좋은 대학'에 가는 것만이 성공의 지름길이라고 생각하는 경향이 너무 강했다. 소위 명문대를 위한 '사교육의 늪'에 빠져 있던 학생들은 자기 주도적인 학습이 어렵다. 부모가 하라는 대로 학원에 가고, 대회를 준비하고, 입시를 준비하고… 수동적인 삶을 살았기 때문이다. 그러나 정작 학력의 중요성은 점차 쇠퇴하고 있다. 관건은 '얼마나 실력을 갖고 있는가', '이 실력이 우리 회사에 어떤 도움이 되는가', '얼마나 타인에 대한 공감 능력을 갖고 있는가' 등이다. 이 점을 염두에 두고, 학교와 가정에서 아이들에게 많은 관심과 도움을 주어야 할 것이다.

도메인 지식 전문가: 아는 만큼 보이는 생성형 AI

한편으로 사람을 연상케 할 만큼 똑똑한 AI가 등장하면서 특정 도메인, 즉 전공 지식은 필요 없다고 생각할 수 있다. 물론 깊은 지식이 없어도 AI 서비스를 제대로 활용하는 데는 아무 문제가 없다. 자신이 원하는 키워드로 구성된 프롬프트만 제대로 입력하면 텍스트, 이미지 등의 결과물을 잘 뽑아낼 수 있다. 하지만 세상 모든 일이 그렇듯 생성형 AI도 '아는 만큼 보인다'. 왜, AI가 원하는 지식을 다 가져오는 세상에서 여전히 특정 도메인 지식을 많이 쌓아야 하는가?

첫째, 전문가는 생성형 AI 프롬프트를 더욱 효과적으로 구성할 수 있다. 프롬프트 엔지니어와는 결이 좀 다르다. 예를 들어 파이썬 프로그래밍 경력이 10년인 개발자와 1개월인 초보자가 프로그래밍에 생성형 AI 플랫폼을 활용한다고 생각해보자. 경력 10년 개발자는 코드를 어떻게 짜야 하는지, 프로그램 구조는 어때야 하는지 등을 잘 알고 있다. 그러므로 단순 작업은 생성형 AI에게 맡기고, 나온 결과물을 잘 조합하며, 필요시 따로 추가 작업도 하여 결과물을 완성하게 된다. 이 사람은 도메인 지식이 있으므로 비교적 빠른 시간에 양질의 결과물을 만들 수 있다. 반면 경력 1개월인 초보 개발자는 프로그램을 어떻게 설계하고 프로그래밍해야 할지 감이 오지 않을 것이다. 따라서 생성형 AI라는 똑똑한 도구가 있음에도 불구하고 제대로 활용할 수 없다.

둘째, 도메인 지식 없이는 산출된 결과물의 질을 제대로 평가할 수 없다. 예를 들어 웹페이지의 정보를 수집하는 코드를 요청해 받았다고 가정해보자. 결과물이 제대로 돌아가는 코드인지, 문법적으로 부족한 부분이 있는지, 내가 요청한 대로 잘 작성되었는지를 평가할 수 있는 역량이 없다면 AI 활용은 무의미하다. 또 다른 예로, 영어 문법을 잘 알지 못하는 사람이 영어 이메일 작성을 요청하여 AI가 결과물을 만들어 주었다고 하자. 하지만 이 사용자는 이메일이 문법적으로 틀린 부분은 없는지, 예의에 어긋난 부분은 없는지 등을 판단할 역량이 없으므로, 결과물을 그저 가져다 쓰는 수준밖에 되지 않는다. 만일 영어 문법을 잘 아는 사람이 같은 결과를 받으면 비판적으로 검토하고 자연스럽게 수정하는 작업도 가능하다.

셋째, 도메인 지식이 없으면 미세조정$^{fine-tuning}$이 어렵다. 도메인 지식이 있다면 산출된 결과물을 확인하고 목적에 따라 수정을 요청할 수 있다. 예를 들어 코드의 일부를 다른 스타일로 작성해 달라거나, 영어 이메일의 문장을 조금 더 공손하게 써 달라고 요청하는 것이다. 생성형 AI의 결과물을 세부적으로 수정해 가면서 완성도를 끌어올리는 것을 미세조정이라고 하는데, 도메인에 대한 전문 지식이 없다면 이러한 미세조정이 쉽지 않다.

종합하면 특정 분야의 전문 지식은 생성형 AI를 활용할 때의 필수 요소이다. 그렇다면 교육 현장에서는 어떤 방식으로 학생들에게 도메인 지식을 심어줄 수 있을까?

첫째, 학생들의 다양한 데이터를 기반으로 학생 개인의 관심도와 적성에 맞춰 지속적인 학습을 유도한다. 예를 들어 우주에 관심이 있는 학생이라면 교내외 우주 관련 대회(큐브 위성, 로켓 발사 등)에 참여해보도록 정보를 제공할 수 있으며, 관련 동아리, 방과 후 활동, 독서 활동에도 관심을 가지도록 해야 한다. 이를 통해 학생들은 학업 이외에 자신이 흥미로운 것에 푹 빠질 수 있다. 다시 말해 정규 교육에서 가르칠 수 없는 것도 지속적으로 탐구하고 학습할 수 있도록 장려해야 한다.

둘째, 미래 진로에 대해서 꾸준히 탐색할 기회를 제공해야 한다. 특히 요즘처럼 최신 기술이 쏟아져 나오는 시기에는 진로를 불투명하게 생각하는 학생들이 많다. 그러면 학습의 목적이 명확하지 않아, 학습의 지속성이 떨어질 수 있다. 따라서 이러한 학생들이 자신의 진로를 찾고, 관련된 다양한 활동을 하도록 지원할 필요가 있다. 학교에서는 신기술 관련 진로 체험 캠프, 진로 분야 명강사 초청 강연 등 다양한 활동을 주최할 수 있으며, 교사는 최신 기술 기반으로 새로 생겨날 직업이나 사라질 직업 등을 학생들에게 지속적으로 안내하는 것이 좋다.

초중고생에게 도메인 전문가 교육을 하는 데 부정적인 사람들도 있을 것이다. 다만 여기서의 도메인 전문가 교육은 대학 이후 전문 분야에서 활동하기 위한 준비 수준이다. 특정 도메인에 관심을 갖고 이에 대한 진로 활동을 하면서 전공을 올바르게 선택하게 하면, 미래의 직업과도 자연스럽게 이어질 수 있다. 학생들이 어릴 때부터 자신의 흥미와 관심이 높은 분야를 탐색하게 하고, 해당 분야를 위한 준비를 지속적으로 돕는 것이 바로 교육 현장에서 해야 할 일이다.

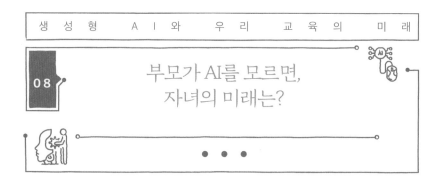

생 성 형 A I 와 우 리 교 육 의 미 래

08

부모가 AI를 모르면,
자녀의 미래는?

• • •

지금까지는 교사와 학생 입장에서 생성형 AI 미래 교육을 여러모로 논의해 보았다. 마지막으로 교육 관계자 중 빼놓을 수 없는 집단의 관점에서 미래 교육을 생각해보고자 한다. 주인공은 바로 학생들의 부모, 보호자다. 생성형 AI, 챗GPT 등 새로운 기술들이 등장하는 상황, 학부모들은 어떤 역할을 해야 할까? 우선 좋은 부모의 역할이 무엇인지 고민해볼 수 있다. 좋은 부모는 자녀를 강압적으로 지도하거나 이끌지 않아야 하며, 자녀가 호기심을 갖고 새로운 분야를 탐구할 수 있는 환경을 조성해야 한다.

AI 기술이 빠르게 세상을 바꾸고 있는 와중에, 생성형 AI라는 또 다른 AI 기술이 등장함에 따라 학부모들로서는 혼란스러운 부분이 많을 것이다. 제대로 배우지 않으면 우리 아이가 뒤처지지 않을까? 지금 하는 공부가 나중에 쓸모가 있을까? 어떻게 가르쳐야 미래에 쓸모 있는 인재가 될 수 있을까? 등, 다양한 고민을 하게 된다. 부모로서 당연한 반응이다. 명심할 것은 자녀들이 성인이 되어 사회 활동을 할 나이가 되면 세상은 아주 많이 달라져 있을 것이며, 이들이 해야 하는 역할도 마찬가지로 달라질 거란 사실이다.

대부분의 우리나라 학부모라면 자녀가 열심히 공부해서 좋은 대학에 가고, 좋은 직장에 가는 것이 목표일 것이다. 한국의 교육 열기는 식지 않고 있지만, AI 기술의 빠른 발전으로 우리 사회는 급격하게 달라지고 있다. 사람이 해야 할 일을 대부분 AI가 담당하게 되고, 자료 검색과 암기에 시간을 투자하지 않아도 AI가 빠르게 찾아 요약까지 척척 해준다. 붓질이 서툴러도 누구나 유명 화풍의 그림을 생성형 AI로 그릴 수 있으며, 자신의 창의력을 더하면 새로운 그림까지 만들어 낼 수 있다. 며칠을 걸쳐 짜던 코드도 프롬프트 몇 줄이면 단 몇 초 만에 완성할 수 있다. 또한, 학생들 곁에는 항상 AI 튜터가 있으며, 자녀의 학습 데이터는 바로바로 확인할 수 있어 자녀의 부족함도 쉽게 파악할 수 있게 되었다.

앞서 언급한 몇 가지 예시만 보아도 AI의 도입으로 학습과 교육의 패러다임이 변화할 것은 누구나 감지할 수 있을 것이다. 이 변화로 학생들의 미래도 분명 바뀔 것이고, 따라서 학생들에게 가장 큰 영향을 줄 수 있는 부모의 역할도 정말 많이 달라져야 할 것이다.

학부모도 길러야 하는 AI 리터러시

교사와 학생뿐만 아니라, 학부모도 AI 리터러시를 키워야 하는 시대가 왔다. 생성형 AI를 비롯해 AI 도구들의 기본적인 활용 방법을 익히고, 자녀와 이에 대해 논의할 수 있는 기본 지식 정도는 갖추어야 한다. AI 도구들을 한 번이라도 활용해본 경험이 있는 부모와 그렇지 않은 부모 중 누가 더 AI 활용에 대해 잘 지도할 수 있겠는가? 당연히 AI 도구들을 접하고 이해해본 경험이 있는 부모일 것이다.

또한, 최신 IT 뉴스를 꾸준히 보면서 여러 기술이 우리 사회를 어떻게 바꾸고 있는지 파악할 필요도 있다. 이러한 지식을 통해 부모는 자녀에게 AI

도구를 올바르게 활용하는 가이드를 제공할 수 있고, 부정적인 방향으로 활용할 때 이를 지도하고 감독할 수 있는 역량을 키울 수 있다. 학부모는 자녀보다 다양한 AI 서비스 플랫폼에 대해 비판적으로 바라볼 수 있는 역량이 있으므로, 자녀에게 도움이 되는 부분과 그렇지 않은 부분을 비교적 명확하게 구분할 수 있으며, 자녀의 특성에 따라 활용 범위를 조절할 수도 있다.

최근에는 학부모도 AI, 생성형 AI 등 다양한 최신 기술에 관심이 많다. 인천시 교육청은 교사와 학부모를 대상으로 챗GPT와 관련하여 설문 조사[27]를 실시했는데, "챗GPT의 학교도입에 대해 어떻게 생각하는가?"라는 질문에 응답자의 약 94.9%가 긍정적이었다. 설문 결과를 보면 도입에 적극적인 쪽은 오히려 학부모인 것을 볼 수 있다. 학부모 응답자 중 챗GPT를 적극적으로 활용해야 한다는 의견이 44.7%였으나, 교원은 21.2%였다. 학부모를 대상으로 한 '챗GPT를 학생(자녀)이 사용한다면?'이라는 질문 답변을 보면, 챗GPT를 사용하면 사고력, 질문 능력, 수준별 맞춤 교육 효과가 나타날 것으로 기대한다고 했다. 요약하면 학부모도 챗GPT와 같은 최신 기술이 자녀 교육에 적극적으로 활용되기를 원한다는 것을 알 수 있다.

답변 내용	교원		학부모		계	
	응답	비율	응답	비율	응답	비율
적극적으로 활용해야 한다	133	21.2%	100	44.7%	233	27.4%
단계별 연령 수준에 따라 도입해야 한다	464	74.2%	110	49.2%	574	67.5%
아직 시기상조로 신중해야 한다	29	4.7%	14	6.1%	43	5.1%

| 표 6-2 | 챗GPT 도입과 관련한 설문 조사 결과

또한 학부모는 생성형 AI 시대에 자녀에게 적합한 진로 지도 방법에 대해서도 고민해야 한다. 기술의 급속한 발전으로 기존 직업 중 AI로 대체되

는 것이 늘고 있는 점, AI로 인해 생겨나는 직업들도 많다는 점을 알려주며, 자녀와 꾸준히 논의하여 적성에 맞는 직업을 찾아 나갈 수 있도록 지도해야 한다. AI로 대체될 단순 반복 업무보다는 AI가 절대 넘볼 수 없는 고유 분야의 진로를 준비하게 하면 좋다. 따라서 가정에서는 단순 암기 위주보다는 아이의 창의성을 자극할 수 있는 대화와 토론 위주의 교육법이 필요하다. 아이에게 정답을 내도록 요구하는 교육이 아닌 다양한 사고를 할 수 있는 교육을 가정에서부터 실천해야 할 것이다.

AI 때문에 영어 교육은 안 해도 된다?

최근 들어 사람들이 많이 하는 말이 있다. '나중에는 인공지능이 다 번역해줘서 영어 공부는 필요 없어!', '통역사나 번역가들은 인공지능 기술로 대체될 거야!' 실제로 인공지능 기술이 발전하면서 구글 번역기 등 기계 번역기의 품질이 확실히 올라가는 것은 부인할 수 없는 사실이다. 이런 사람들은 영어 공부를 군이 왜 해야 하느냐고 반문할 수 있다. 하지만 이 말은 반은 맞고 반은 틀리다.

인터넷에서 가장 많이 사용하는 언어가 무엇일까? 단연 영어다. 약 60%가 영어인 반면 한국어 비중은 0.6%밖에 되지 않는다.[28] 그렇다면 단순하게 생각했을 때 60%의 언어에서 생성되는 자료의 양이 많을까? 0.6%의 언어에서 생성되는 자료의 양이 많을까? 실제로 AI가 생성하거나 검색해준 자료 대부분은 영어로 되어 있다. 영어로는 자료가 많은데 한국어 자료는 거의 없는 분야도 많다. AI 도구들을 제대로 활용하려면 영어 실력이 필수이고, 영어 실력이 부족하다면 격차는 갈수록 벌어질 것이다.

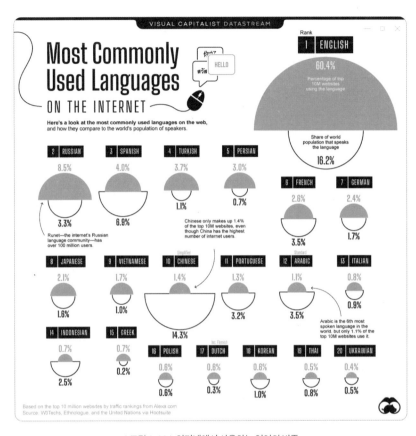

| 그림 6-10 | 인터넷에서 사용하는 언어의 비중

챗GPT도 가장 많이 학습한 언어가 영어이고, 영어 프롬프트를 입력해야 가장 정확하고 다양한 결과를 얻을 수 있다. 미드저니, 달리 2와 같은 이미지 생성형 AI도 영어로 입력해야 결과물을 확인할 수 있다. 즉, 우리가 생성형 AI와 같은 AI 서비스와 제대로 대화하고 잘 활용하기 위해서 반드시 필요한 역량이 영어 실력이다. 제대로 된 질문을 만들어내야 하는데 정교한 영어 문장을 만들어낼 수 있는 사람과 그렇지 않은 사람의 결과물은 현저하게 차이가 날 것이기 때문이다.

그러므로 영어는 AI를 활용하기 위한 필수 언어일 뿐만 아니라 자녀가 국제 경쟁력을 갖추기 위한 필수 언어라고 생각하고 교육을 소홀히 하지 말아야 한다. 앞서 언급한 바와 같이 자녀가 접근하는 정보의 양이 60%인지, 0.6%인지를 결정하는 언어가 바로 영어이기 때문이기도 하다. 혹시나 인공지능이 번역을 다 해주는데 영어가 무슨 소용이냐고 생각하는 학부모가 있다면, 앞으로 AI 시대가 발전하면 발전할수록 영어의 위력은 더욱 더 커질 것이기 때문에 반드시 잘 배워 두어야 한다고 말하고 싶다.

자녀가 꼭 알아야 하는 AI의 역기능

부모는 자녀가 AI 기술을 활용하기 전에 이러한 기술 때문에 발생할 수 있는 다양한 문제점을 반드시 알려주어야 한다. 아직 미성숙한 아이들의 경우 역기능을 전혀 모른 상태에서 활용하면, 그 결과 AI 기술에 의존성이 매우 높아질 수 있으며 올바르지 않은 목적으로 사용할 수도 있기 때문이다.

그중 가장 우선해서 가르쳐야 할 것은 바로 할루시네이션 문제다. AI 결과물이 모두 진실은 아니라는 것을 꼭 알려주어야 한다. AI가 만들어낸 텍스트, 이미지, 사진 등 다양한 유형의 자료들을 바로 자신의 것, 혹은 자신의 지식으로 활용해서는 안 된다는 점을 확실히 가르쳐야 한다. 'AI가 생성한 결과물이 항상 완벽하지만은 않다'라며 비판적으로 접근하는 자세를 갖추게 하자. 이를 위해 다시 한번 목적한 자료를 찾아서 참고 자료를 보충하려는 등의 노력을 해야 한다는 사실도 알려주어야 한다.

또한, 자녀가 생성형 AI 서비스에 지나치게 의존하거나 과몰입하는 상황을 막아야 한다. 필자는 최근 인공지능 결과물을 공유하는 오픈채팅방에 참여하고 있는데, 거기에는 해당 서비스를 이용하는 상당수의 중고등학생이 있다. 학생들은 자신이 인공지능을 통해서 만든 그림 중 잘된 그림을 공유하고 사람들의 호응을 얻고 싶어한다. 생성형 AI 기술로 그림을 그려본 사람은 알겠지만, 정교한 그림일수록 시간과 노력이 상당히 들어간다. 물론, 실제로 그림을 직접 그리는 것만큼은 아니지만, 생각보다 많은 노력을 해야 제대로 된 결과물이 나온다. 그러니까 인터넷이나 스마트폰에 중독되듯, AI 서비스에 지나치게 많은 시간을 투자하면서 중독될 가능성이 있다. 또한 AI를 적극 활용하고, AI 기술에 의존성이 너무 높아지게 되면 학생들은 'AI에게 요청하면 되는데 뭐하러 애써서 노력을 할까?'라는 의문을 자연스럽게 품을 수 있으며, 아직 미숙한 가치관 형성에 상당한 영향을 받을 수 있다.

과몰입과 관련해서는 윤리적 문제를 경계해야 한다. 이를테면 챗GPT와 같은 텍스트 생성형 AI 서비스는 사람과 대화하는 듯한 느낌을 주는데, 이것이 문제가 될 수 있다. 몇 년 전 일부 이용자가 '이루다'라는 챗봇에게 성희롱 채팅을 보낸 사건이 사회의 경악을 불러일으켰다. 챗봇을 실제 사람처럼 대하다 못해, 심지어 성희롱까지 간 것이다. 이렇게 불건전한 대화 방식은 분명히 잘못된 것이며, 앞으로 우리가 해결해야 할 숙제 중 하나다. 성인들조차 챗봇과 사람의 경계를 구분하지 못할 수 있고, 감정적으로 의존하게 될 확률도 높다.

실제로 감정적으로 의지할 곳이 없는 사람들은 챗봇과의 대화를 통해 우울증을 해소하기도 한다. X2AI사에서 개발한 Tess라는 챗봇은 정신 건강 문제가 있는 사람들을 대상으로 하며, 이 앱을 사용한 학생은 우울증 증상이 13%, 불안이 18% 감소했다고 한다. 물론 이렇게 활용한다면 긍정적인 측면도 있지만, 미성년자가 챗GPT 등의 챗봇에 감정적으로 의존하게 되면 현실 세계와 가상 세계를 혼동하는 심각한 문제 상황에 맞닥뜨릴 수 있다. 이러한 문제는 오히려 인간과의 대화를 기피하는 현상으로 이어질 수 있고, 사회적인 문제와도 연계될 수 있다는 사실을 잊지 말아야 한다.

마지막으로 AI 때문에 발생하는 저작권 문제에 관심을 가지고 철저히 교육해야 한다. 현재로서는 AI가 만들어낸 저작물은 저작권 문제에서 비교적 자유롭다. 하지만 사실 이러한 저작물은 누군가의 작품을 기반으로 만들어진 것이므로 독창적인 것이라고 볼 수 없다. 따라서 부모가 이러한 원리를 알고 자녀에게 설명해줄 수 있어야 한다.

정리하자면, 부모는 미성년자인 자녀가 생성형 AI 서비스의 역기능을 정확하게 이해하고, 올바르게 사용할 수 있는 소양을 길러주어야 한다. 또한, 자녀가 다양한 생성형 AI 서비스에 의존하지 않도록 최소한의 사용만 허용해주는 등 주기적인 관리가 필요할 것이다.

우리 아이의 데이터는 내가 관리한다

2025년 AI 디지털 교과시가 도입되면서 달라지는 가장 큰 요소가 무엇일까? 바로 데이터 기반의 교육이 가능해진다는 점이다. AI 디지털 교과서 플랫폼에는 학생들의 학습 진도, 성취 수준, 학습 특성 등 다양한 유형의 데이터가 수집될 것이고, 이러한 데이터를 기반으로 교사, 학생, 학부모 모두가 만족하는 교육을 수행할 수 있을 것이다. 지금까지는 학부모가 자녀의 학습 상황을 구체적으로 알기는 쉽지 않았다. 자녀가 학교에서 수업을 어떤 태도로 듣는지, 어떤 성향의 아이인지 알 기회는 거의 없었다. 기껏해야 1년에 1~2번 학부모 공개 수업 참관을 하는 정도였다.

하지만 교육부에서 발표한 AI 디지털 교과서 추진 방안에 따르면 학생들의 학습 기록은 온라인 플랫폼에서 데이터화되어 저장 및 처리되며, 학부모도 대시보드 형태로 접근할 수 있다고 한다. 즉, 자녀의 과목별 학업 성취, 교과 흥미 현황, 자녀 지도에 필요한 사항 등 다양한 데이터를 AI 디지털 교과서 플랫폼을 통해서 얻을 수 있게 된다.

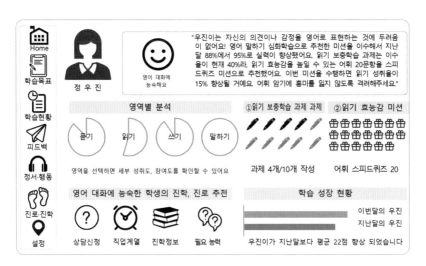

"우진이는 자신의 의견이나 감정을 영어로 표현하는 것에 두려움
이 없어요! 영어 말하기 심화학습으로 추천한 미션을 이수해서 지난
달 88%에서 95%로 실력이 향상됐어요 읽기 보충학습 과제는 이수
율이 현재 40%라, 읽기 효능감을 높일 수 있는 어휘 20문항을 스피
드퀴즈 미션으로 추천했어요 이번 미션을 수행하면 읽기 성취율이
15% 향상될 거예요 어휘 암기에 흥미를 잃지 않도록 격려해주세요"

영역별 분석

영역을 선택하면 세부 성취도, 참여도를 확인할 수 있어요

① 읽기 보충학습 과제 과제   ② 읽기 효능감 미션

과제 4개/10개 작성   어휘 스피드퀴즈 20

영어 대화에 능숙한 학생의 진학, 진로 추천

상담신청   직업계열   진학정보   필요 능력

학습 성장 현황

이번달의 우진
지난달의 우진

우진이가 지난달보다 평균 22점 향상이 되었습니다

| 그림 6-11 | 학부모 대시보드, 교육부 보도자료

이러한 변화는 학부모에게 어떤 장점으로 다가올까? 자녀의 학교 생활에서 도출된 일련의 데이터를 통해 아이의 학업, 정서, 진로 등 다양한 부분을 보다 깊게 이해할 수 있게 된다. 데이터는 거짓말을 하지 않기 때문에, 그것을 바탕으로 보다 객관적인 진로 지도와 가정 교육을 실시할 수 있을 것이다. 구체적으로는 자녀에게 발생할 어려움이나 문제점을 조기에 발견하고 이에 개입하여 올바른 방향으로 이끌어줄 수도 있게 된다. 또한, 데이터는 실시간으로 제공되기 때문에 자녀의 현재 상황을 바로바로 알 수 있다는 장점도 있다. 데이터를 교사와 상담을 위한 기초 자료로 활용할 수도 있고, 이에 대한 피드백도 쉽게 받을 수 있게 된다. 향후 이런 정보는 초등학교부터 누적 저장되어, 과거부터 현재까지의 학습 성과, 진로 등 다양한 부분을 고려하여 장기적인 관점에서 체계적인 진로 및 대학 진학 지도까지 수행할 수도 있을 것이다.

단, 민간 기업에서 제공하는 AI 서비스 사용 시 입력하는 개인 데이터에는 반드시 주의를 기울여야 한다. 이러한 AI 서비스에 입력하는 개인 정보

는 대부분 국외 서버로 넘어가고, 다른 사람에게도 노출될 가능성이 생긴다. 학부모는 자녀에게 자신의 정보는 소중한 것이고, 이러한 정보를 무분별하게 관리할 경우 발생할 수 있는 여러 문제점에 대해서도 끊임없이 알려주어야 할 것이다.

데이터의 축적과 그에 대한 접근은 아주 큰 기회다. 아이의 데이터를 통해 자녀에 대해 더 깊이 있는 이해와 지도가 가능하다. 반면, 자녀들에게 자신의 개인 정보가 소중하다는 사실을 잊지 않도록 지속하여 알려주는 것도 부모가 꼭 해야 할 역할이다.

지금의 학교 현장은 디지털 기반 교육으로 전환하는 과도기에 있다고 해도 과언이 아니다. 과거에도 이러한 노력이 있었지만, 지금의 디지털 전환과는 결이 다르다. 최근에는 인공지능 기술을 필두로 하여 디지털 전환이 이뤄지고 있으며, 챗GPT 등 생성형 AI의 등장으로 그 속도가 점차 빨라지고 있다. 지금 교육 현장에서 느끼는 변화의 바람은 아마도 면대면 교육에서 온라인 교육으로 교육 패러다임이 바뀔 때 겪었던 충격 그 이상일 것이다.

이미 생성형 AI는 통제할 수 없을 정도로 빠르게 교육 현장에 스며들고 있다. 누구나 강력한 생성형 AI라는 무기로 양질의 콘텐츠를 생성할 수 있고, 프롬프트만 더 잘 만들 수 있다면 학생들이 교수자보다 더 뛰어난 글을 작성하는 것도 이상한 일이 아니며, 웬만한 화가보다 더 멋진 그림을 만들 수 있는 시대이다. 불과 몇년 뒤면 지금의 스마트폰처럼, 생성형 AI를 자유자재로 활용하여 개인의 역량이 상향 평준화되는 시대가 될 것이다.

이러한 시대에 우리 교육자들은 교육의 미래를 다시 한번 생각해봐야 한다. 상향 평준화된 시대를 살아갈 학생들이 미래의 무기를 잘 갈고 닦을 수 있게 도와야 한다. 그러므로 교수자들은 생성형 AI를 지금까지 스쳐왔던 수많은 새로운 기술처럼 치부하여 배우지 않고 넘어가선 절대 안 된다. 이 책에서 소개한 여러 사례처럼 실제로 활용하는 방법도 어렵지 않으니, 귀찮고 번거롭다고 여기지 말고 꼭 한 번 이상은 직접 활용해보자. 분명 생성형 AI의 힘을 느낄 수 있을 것이며, 이러한 힘을 교육 현장에서 생산성 향상에 활용할 수 있을 것이다.

'안 써본 사람은 있어도, 한 번만 써본 사람은 없다.'

챗GPT를 포함한 생성형 AI 도구는 한 번 써보면, 분명 계속하여 활용할 수밖에 없다. 필자도 업무뿐만 아니라 교육 자료 제작 등 여러 분야에서 아주 효율적으로 활용하고 있다. 이를 사용하면 기존에 시간이 오래 걸렸던 수많은 작업들을 아주 빠르고 정확하게 처리할 수 있기 때문이다.

교육 분야에서 생성형 AI를 활용하는 것은 이제는 선택이 아닌 필수인 시대가 되었다. 그럼에도 분명 교실에 들어온 생성형 AI는 좋은 영향만 미치진 않을 것이다. 학생들의 학습 능력과 창의력 저하, 편향된 데이터 문제, 학생 개인정보 유출 문제 등 여러 문제가 발생할 수 있다. 하지만 그렇다고 이러한 문제가 두려워 사용을 주저하면 안 된다. 오히려 학생들이 생성형 AI를 적재적소에 활용하는 방법을 알려줘야 한다.

이 책이 우리나라 교육이 AI 기반 디지털 교육으로 빠르게 변하는 시점에 작은 출발점이 되길 바라며, 교육 현장에서 생성형 AI라는 무기를 통해 강력해지는 학교 현장이 되길 바란다. 교육의 미래는 이 책을 읽고 있는 여러분의 손에 달려 있다.

참고문헌

01 ···

1. Scene from AlphaGo versus Lee Sedol game, also known as the Google DeepMind Challenge Match, DeepMind, 2016, https://artsandculture.google.com/asset/scene-from-alphago-versus-lee-sedol-game-also-known-as-the-google-deepmind-challenge-match-deepmind/HwHYVBgrJV2GkA

2. 2022 개정 초·중등학교 및 특수교육 교육과정. 교육부, 2022.12.22

3. UBS, Yahoo Finance

4. Timothy J. Nemeth, 2023.03.30, https://www.facebook.com/tim.nemeth.1/posts/pfbid0K54nY7brvLCBpm hJZhH1EcbRrmRV1nd16z9makM7mRNnhJeGvZHJZPYgXAaUHEJql

5. Reinforcement learning from human feedback, https://en.wikipedia.org/wiki/Reinforcement_learning_from_human_feedback

6. 챗GPT, 그 이후, https://tech.kakaoenterprise.com/181

7. https://images.openai.com/blob/cf717bdb-0c8c-428a-b82b-3c3add87a600/chatGPT_Diagram.svg?width=10&height=10&quality=50

8. Prompt Engineer & Librarian, https://jobs.lever.co/Anthropic/e3cde481-d446-460f-b576-93cab67bd1ed

9. 뤼튼테크놀로지스, 'AI 명령어 개발자' 모집...연봉 1억원, https://zdnet.co.kr/view/?no= 20230316104245

10. Search Engine Market Share Worldwide, https://gs.statcounter.com/search-engine-market-share

11. OpenAI tech gives Microsoft's Bing a boost in search battle with Google, https://www.reuters.com/technology/openai-tech-gives-microsofts-bing-boost-search-battle-with-google-2023-03-22/

12. Rate of generative AI adoption in the workplace in the United States 2023, by industry, https://www.statista.com/statistics/1361251/generative-ai-adoption-rate-at-work-by-industry-us/

13. Rate of generative AI adoption in the workplace in the United States 2023, by industry, https://www.statista.com/statistics/1361251/generative-ai-adoption-rate-at-work-by-industry-us/

14. Beyond chatGPT: The Future of Generative AI for Enterprises , https://www.gartner.com/en/articles/beyond-chatgpt-the-future-of-generative-ai-for-enterprises

15. Beyond ChatGPT: The Future of Generative AI for Enterprise,s https://www.gartner.com/en/articles/beyond-chatgpt-the-future-of-generative-ai-for-enterprises

16. "5시간 걸리던 데이터 업무 1분만에"… 챗GPT 활용하는 직장인, https://www.donga.com/news/Society/article/all/20230222/118012815/1

17. 70% Of Workers Using ChatGPT At Work Are Not Telling Their Boss; Overall Usage Among Professionals Jumps To 43%, https://www.fishbowlapp.com/insights/70-percent-of-workers-using-chatgpt-at-work-are-not-telling-their-boss/

18. SKT, 국내 통신업계 최초로 '챗GPT' 정식 도입https://www.chosun.com/economy/economy_general/2023/05/04/YU6APRWPJNCINFGGNCUVRAHTFM/

19. 日 요코스카시 행정 업무에 인공지능 '챗GPT' 도입 시작, https://mobile.newsis.com/view.html?ar_id=NISX20230502_0002288297#_PA

20. KPMG U.S. survey: Executives expect generative AI to have enormous impact on business, but unprepared for immediate adoption, https://info.kpmg.us/news-perspectives/technology-innovation/

kpmg-generative-ai-2023.html

21. "삼성전자, 직원들 챗GPT 사용 금지"···회사정보 유출 차단, https://news.mt.co.kr/mtview.php?no=20230 50210442436713

22. 애플, 직원들의 챗GPT 사용 금지, https://www.digitalfocus.news/bbs/board.php?bo_table=news&wr_ id=1460

23. 11% of data employees paste into chatGPT is confidential, https://www.cyberhaven.com/blog/4-2-of-workers-have-pasted-company-data-into-chatgpt/

24. https://www.chosun.com/economy/economy_general/2023/04/03/QJGNFB6KKND3DKTXEQRYH42G U4/

25. https://www.cyberhaven.com/blog/4-2-of-workers-have-pasted-company-data-into-chatgpt/

26. https://www.precedenceresearch.com/generative-ai-market

27. 90% of online content could be 'generated by AI by 2025,' expert says, https://finance.yahoo. com/news/90-of-online-content-could-be-generated-by-ai-by-2025-expert-says-201023872. html?guccounter=1&guce_referrer=aHR0cHM6Ly93d3cuZ29vZ2xlLmNvbS8&guce_referrer_sig=AQAAA CTJhMhbycuBpkCeYGHJlk1vNHP26uJw_XR8bs5T4SkTvRE8pjfFODYiSfdfpW6dQgm2pRvscNe1m7Q9 D47BoXDoT-i5qyxjiQ7FMEay63ef2Vz0Q0DzAx7K8vVQ2mLTP4FRL7dTzVT4tCIRlWsuWgNCxm2VErA oNVYd5s4UNXdA

28. Hyper CLOVA X, https://clova.ai/hyperclova

29. KoGPT, https://developers.kakao.com/product/kogpt

02 ...

1. Media Issue 9권 3호 <챗GPT 이용 경험 및 인식 조사>, https://www.kpf.or.kr/front/research/selfDetail. do?seq=595547

2. http://www.kookje.co.kr/news2011/asp/newsbody.asp?code=0200&key=20230315.99099004479

3. Hallucination (artificial intelligence), https://en.wikipedia.org/wiki/Hallucination_(artificial_intelligence)

4. How to use OpenAI model temperature?, https://gptforwork.com/guides/openai-gpt3-temperature

5. Amazon scraps secret AI recruiting tool that showed bias against women, https://www.reuters.com/article/us-amazon-com-jobs-automation-insight-idUSKCN1MK08G

6. Media Issue 9권 3호 <챗GPT 이용 경험 및 인식 조사>, https://www.kpf.or.kr/front/research/selfDetail. do?seq=595547

7. https://openai.com/policies/terms-of-use

8. Copyright Registration Guidance:Works Containing Material Generated by Artificial Intelligence, https:// www.copyright.gov/ai/ai_policy_guidance.pdf

9. Zarya of the Dawn: How AI is Changing the Landscape of Copyright Protection , https://jolt.law.harvard. edu/digest/zarya-of-the-dawn-how-ai-is-changing-the-landscape-of-copyright-protection

10. https://www.sciencedirect.com/science/article/abs/pii/S1471595322002517?via%3Dihub

11. "학생 90%가 챗GPT로 과제"···일본 교육현장 골치, https://www.khan.co.kr/world/japan/ article/202304062343015

12. https://m.ruliweb.com/community/board/300143/read/60434991?

13. Midjourney to Release Version 5; Say Goodbye to Six-Fingered Hands, https://mpost.io/midjourney-to-release-version-5-say-goodbye-to-six-fingered-hands/

14. A Journalist Believes He Was Banned From Midjourney After His AI Images Of Donald Trump Getting Arrested Went Viral, https://news.yahoo.com/journalist-believes-banned-midjourney-ai-151548386.html

15. https://twitter.com/EliotHiggins

16. chatGPT bug leaked users' conversation histories, https://www.bbc.com/news/technology-65047304

17. 나무위키, 버스 안내양, https://namu.wiki/w/%EC%95%88%EB%82%B4%EC%96%91

18. AI대체확률 일반의 94%, 한의사는 1%, https://m.medigatenews.com/news/1571571184

19. https://news.mt.co.kr/mtview.php?no=2023012815011570157

20. GPTs are GPTs: An Early Look at the Labor Market Impact Potential of Large Language Models, https://arxiv.org/pdf/2303.10130.pdf

21. AI 화가 미술계 반응… '절망' 혹은 '무시', https://www.newstheai.com/news/articleView.html?idxno=3456

22. https://www.kpf.or.kr/front/research/selfDetail.do?seq=595547&link_g_homepage=F

23. https://www.insiderintelligence.com/content/driven-by-chatgpt-microsoft-google-debut-next-generation-of-search

03 ...

1. MZ세대의 웹툰 이용 현황, https://www.20slab.org/Archives/38420

04 ...

1. 2022년에도 인구감소 이어져...3년 연속 감소세, https://m.korea.kr/briefing/pressReleaseView.do?newsId=156547847&gubun=pressRelease&pageIndex=1&repCode=#pressRelease

2. 인구감소지역 지정, https://www.mois.go.kr/frt/sub/a06/b06/populationDecline/screen.do

3. 도내 주민등록상 인구 증감현황, http://www.chungnam.go.kr:8100/cnnet/stats/cnHumanStats.do?mnu_cd=CNNMENU02122

4. Keyhole Markup Language, https://developers.google.com/kml/documentation/kml_tut?hl=ko

5. 구글 어스, https://earth.google.com/web

6. 2022 초·중등 진로 교육 현황조사 결과 발표, 교육부 보도자료

06 ...

1. 위키백과, MZ세대, https://ko.wikipedia.org/wiki/MZ%EC%84%B8%EB%8C%80

2. INSIDER, A baby in the UK reportedly said 'Alexa' as his first word, and it reveals a raging debate over how children use tech, https://www.businessinsider.com/baby-says-alexa-as-first-word-report-2018-6

3. 위키백과, 알파세대, https://ko.wikipedia.org/wiki/%EC%95%8C%ED%8C%8C_%EC%84%B8%EB%8C%80

4. 2022 초·중등 진로교육 현황조사 결과 발표, https://www.moe.go.kr/boardCnts/viewRenew.do?boardID=294

&boardSeq=93422&lev=0&searchType=null&statusYN=W&page=1&s=moe&m=020402&opType=N

5. 땅에 떨어진 교권…80%는 "다시 태어나면 교사 안해", https://www.sedaily.com/NewsView/29-PKRD0N EH

6. Media literacy: what are the challenges and how can we move towards a solution?, https://blogs.lse.ac.uk/parenting4digitalfuture/2019/03/13/media-literacy-what-are-the-challenges/

7. 두산백과, 디지털 리터러시, https://www.doopedia.co.kr/doopedia/master/master.do?_method=view&MAS_IDX=230331001827522

8. Ribble, M. (2015). Digital citizenship in schools: Nine elements all students should know. International Society for technology in Education.

9. Digital kids Asia-Pacific: insights into children's digital citizenship , https://unesdoc.unesco.org/ark:/48223/pf0000367985

10. Long, D., & Magerko, B. (2020, April). What is AI literacy? Competencies and design considerations. In Proceedings of the 2020 CHI conference on human factors in computing systems (pp. 1-16).

11. 이유미, & 박윤수. (2021). AI 리터러시 개념 설정과 교양교육 설계를 위한 연구. 어문론집, 85, 451-474.

12. 인공지능을 활용한 디지털 교육으로 '모두를 위한 맞춤 교육시대'연다, https://www.moe.go.kr/boardCnts/viewRenew.do?boardID=294&boardSeq=94011&lev=0&searchType=null&statusYN=W&page=1&s=moe&m=020402&opType=N

13. 교육부 577억 쏟아부은 디지털교과서…원격수업 교사 65% 외면, http://whytimes.kr/news/view.php?idx=7121

14. Speak, https://www.speak.com/ko/ai-tutor

15. 아이뚜루, https://www.home-learn.co.kr/homelearn/system/Intro-Aitutor.html

16. [스페셜리포트]GPT-4 기반 튜터 '칸미고', 생성형 AI 활용 교육 미래상 제시 , https://www.etnews.com/20230324000109

17. 챗GPT 고등학교에 입성하다, http://www.casenews.co.kr/news/articleView.html?idxno=13446

18. 대구 200개 학교, 민간 AI프로그램으로 방과후 교육, https://v.daum.net/v/20210517030611580

19. 2022년 특수교육통계, https://www.nise.go.kr/boardCnts/view.do?boardID=356&boardSeq=723715&lev=0&searchType=null&statusYN=W&page=1&s=nise&m=010502&opType=N

20. 장애학생 처음 10만명 넘어… 취업률 10%, https://www.donga.com/news/Society/article/all/20220725/114631877/1

21. 설리번플러스, https://www.mysullivan.org/

22. Microsoft Seeing AI, https://www.microsoft.com/en-us/ai/seeing-ai

23. Be My Eyes, https://www.bemyeyes.com/language/korean

24. XRAI GLASS, https://xrai.glass/

25. Spoken ACC, https://spokenaac.com/

26. 이창훈. (2016). 감성지능 (Emotional Intelligence) 이 경찰 직무수행에 미치는 영향 연구. 한국치안행정논집, 13(1), 163-188.

27. 거스를 수 없는 AI시대…인천시교육청, '챗GPT 활용 교수학습 가이드' 발간, https://www.kgnews.co.kr/mobile/article.html?no=751006

28. Visualizing the Most Used Languages on the Internet, https://www.visualcapitalist.com/the-most-used-languages-on-the-internet/